W9-AWN-050

历史是兴衰，也是命运。

苦难辉煌

金一南◎著

前言

我从哪里来?

我们从哪里来?

所问像生命一样久远和古老。

不仅是未来对过去的寻问,是大树对根须的寻问,是火山对岩浆的寻问,是有限对无垠的寻问。

我们曾经是奴隶。否则不会有从1840年到1949年中华民族的百年沉沦。

我们也拥有英雄。否则不会有从1949年到2050年中华民族的百年复兴。

与波澜壮阔的历史相较,人的生命何其短暂。幸福起来的人们于是不想承认自己曾经是奴隶,也不屑于承认曾经有过英雄。不知不觉中,自己那部热血奔涌、震撼人心的历史被荒弃了、抽干了,弄成一部枯燥、干瘪的室内标本,放在那里无人问津。

历史命运蜕变为个人命运,众生便只有在周易八卦面前诚惶诚恐。

我们没有丢掉自己的宝藏吗?

瞿秋白说,人爱自己的历史好比鸟爱自己的翅膀,请勿撕破我的翅膀!

不能深刻感触过去,怎么获得腾飞的翅膀?狄德罗说,除去真理和美德,我们还能为什么事物感动呢?把他的话反过来设问:若除去个人富足便不再为其他事物感动,该怎么获得挺直身躯的脊梁?

钱包鼓起来就自立于世界民族之林了吗?

皆从个人苦乐出发,中华民族永远出不了孙中山、毛泽东。

不是要你到历史中去采摘耀眼的花朵,应该去获取熔岩一般运行奔腾的地火。

法国年鉴学派史学大师吕西安·费弗尔说过一句话:在动荡不定的当今世界,唯有历史能使我们面对生活而不感到胆战心惊。费弗尔在第二次世界大战中被法西斯德军枪毙了,他的话语仍然在新世纪全球动荡的回音壁上回响。

对中华民族来说,需要前仆后继的事业依然在继续。

我坚信,今天为中华民族复兴默默工作与坚忍奋斗的人们,必能从我们的过去吸收丰富的营养。

不论我们如何富强,也永远不要改变国歌中的这一句:“起来,不愿做奴隶的人们,把我们的血肉,筑成我们新的长城。”

不论我们如何艰难,也永远要记住国际歌中的这一句:“从来就没有什么救世主,也不靠神仙皇帝。”

物质不灭。宇宙不灭。唯一能与苍穹比阔的是精神。

任何民族都需要自己的英雄。真正的英雄具有那种深刻的悲剧意味:播种,但不参加收获。

这就是民族脊梁。

谨以此书献给过去、今天、未来成为民族脊梁的人们。

他们历尽苦难,我们获得辉煌。

金一南

2008 年 9 月 24 日

目录

contents

第一章

地火——红色政权为什么能够存在

历史不论多么精彩纷呈、惊心动魄，一旦活动于其中的那些鲜活的生命逐渐消失，也就逐渐变成了书架上一排又一排的故纸。

静悄悄的图书馆内，靠角落那个书架上，有本如秋叶般枯黄脆裂的书，民国三十一年（1942年）十月重庆初版。翻到第195页，可以见到一篇写于民国二十五年（1936年）十二月十二日的日记：

> ……凌晨五时半，床上运动毕，正在披衣，忽闻行辕大门前有枪声，立命侍卫往视，未归报，而第二枪发；再遣第二人往探，此后枪声连续不止……

颇像一部拙劣的惊险小说的开头。可以想见，当年写到这里，握笔的手定在不住颤抖。接着往下写：

> ……出登后山，经飞虹桥至东侧后门，门扃，仓促不得钥，乃越墙而出。此墙离地仅丈许，不难跨越；但墙外下临深沟，昏暗中不觉失足，着地后疼痛不能行。约三分钟后，勉强起行，不数十步，至一小庙，有卫兵守住，扶掖以登。此山东隅并无山径，而西行恐遇叛兵，故仍向东行进，山巅陡绝，攀缘摸索而上……

竟然连“离地丈许”的高墙也认为“不难跨越”，上墙之后未及细看，又飞身纵下而跌入深沟，出逃之狼狈仓皇与求生之急切鲁莽，浑然一体。

难以想象，这个越墙攀山、身手不凡的人已年逾五十。

他就是国民政府军事委员会委员长蒋介石。

所记之事发生在1936年12月12日，史称“西安事变”。

事变第二天上午，中共中央在保安召开政治局常委扩大会议。大多数人的意见是审蒋、除蒋。当天中午，毛泽东、周恩来致张学良电，14日红军将领致张学良、杨虎城电，15日红军将领致国民党、国民政府电，都是这个态度。

事变第三天，苏联《真理报》发表社论：“毫无疑问，张学良部队举行兵变的原因，应当从不惜利用一切手段帮助日本帝国主义推行奴役中国的事业的那些亲日分子的阴谋活动中去寻找。”他们认为张学良是日本特务，事变乃日本阴谋主使。

日本政府则认为莫斯科同张学良达成了“攻防同盟”，张学良是苏俄工具。苏俄才是事变真正的后台。东京《每日新闻》发表社论：“中国中央政府如在抗日容共的条件下与张妥协，日本决强硬反对。”

南京方面，何应钦调兵遣将要动武，宋美龄穿针引线欲求和，戴季陶摔椅拍桌、大哭大叫，连平日颇为持重的居正也用变调的嗓音呼喊：“到了今日还不讨伐张、杨，难道我们都是饭桶吗?!”

凡此非常时期在中国政治舞台上立有一席之地的，无人是饭桶。

量变堆积历史，质变分割历史。人们能够轻松觉出每日每时不息不止的量变，却不易觉出行将到来或已经来到的质变。

1936年12月12日，当中国政治包含的量变已经足够时，所有方面便被一只看不见的手，猝不及防地推到了前台。

历史来到十字路口。

中国国民党、中国共产党、苏联和共产国际、日本昭和军阀集团，都在既谨慎又顽强、既坚定又游移地探索自己真正的位置。表白着自己的立场，又修改着自己的立场。表白的同时又在修改，修改的同时又在表白。

在华清池跌伤了腰腿的蒋委员长，更是一瘸一跛来到十字路口。

事变大起大落，他也大起大落。先不屈不挠翻墙越院求生，后不管不顾躺在床上寻死；先当着张学良的面，明骂其受赤党指使，后又当着周恩来的面，暗示想念在苏联加入了赤党的儿子。

委员长方寸大乱。他连衣帽都未穿戴整齐，沉重的历史帷幕便落下了，只容他将终生最为心痛的一句话，留在那页干枯得几乎要碎裂的日记上：

> 此次事变，为我国民革命过程中一大顿挫：八年剿匪之功，预计将于二星期（至多一月内）可竟全功者，竟坐此变几全隳于一旦。

和共产党苦斗8年，最后就差了两个星期。8年共2920天。两个星期为14天。8年与两个星期之比，为1000：4.7。所谓差之毫厘，便失之了千里。

他将这句话一直默念到1975年4月5日清明节。

该日深夜11时50分，他在台北市郊草山脚下的士林官邸内病逝。

共产党人终剿不灭，是其终生不解之谜。

生命不在了，民国三十一年（1942年）重庆版的日记也化为纸灰，谜底却依旧留在那里。

一、孙中山的困惑

新中国的中心是北京。

北京的中心是天安门。

天安门的中心又是什么呢？

是那幅巨大的毛泽东画像。

年年月月，不论白天还是黑夜，画像上，毛泽东那双睿智的眼睛通过面前这个世界上最大的广场，注视着新中国的人民。几乎所有中国人和世界上的很多人都把天安门和毛泽东紧紧联系在了一起。

又有多少人知道，毛泽东最初并不喜欢天安门。他说天安门太高了，高高在上不好，要在天安门下面，跨在金水桥上搞一个二层的矮台子，观礼时离群众才近。至于天安门后面的故宫，他只在1954年4月三次登城墙绕行一周，一次也没有进去过。

为什么最终没能在天安门前另搞一个矮台子？

因为破坏了总体建筑格局，各方面都反对。

为什么后半生居住的中南海与故宫仅一街之隔，三次登故宫城墙，却不愿去里边走走？

个中缘由，今天已经无人能够知晓了。

不管毛泽东的主观意志如何，风风雨雨中的无数次游行、庆典和检阅，把他和天安门融为了一体。

别的地方看不见毛泽东了，天安门能够看见毛泽东。有天安门在，就有毛泽东在。

过去，每逢节日或重大庆典，天安门广场上毛泽东的视线之内，还要挂出马克思、恩格斯、列宁、斯大林以及孙中山的巨幅画像。

后来，马、恩、列、斯画像不挂了，但孙中山的画像依然准时地出现在人民英雄纪念碑之前。

孙中山和毛泽东，中国革命历史上最为杰出的两位巨人，隔着世界上最大的广场，年年月月默默相望。

一人生于1866年，一人生于1893年，相差27年；

一人逝于1925年，一人逝于1976年，相差51年。

这两位革命巨人、现代中国的奠基者，他们之间真正互相理解吗？

18岁时，毛泽东知道了孙中山。

1936年，经过长征到达陕北的毛泽东对美国记者埃德加·斯诺说，1911年他考入长沙的湘乡驻省中学，看到同盟会党人于右任主编的《民立报》，上面刊载着广州起义和七十二烈士殉难的消息。从此，毛泽东知道了孙中山和同盟会的纲领。

这是毛泽东有生以来看到的第一份报纸。“我是如此地激动，以至于写了一篇文章贴在学校的墙上。这是我第一次发表政见。”

第一份报纸导致的第一次政见是什么呢？

风吹日蚀，湘乡驻省中学校园墙上，一个来自韶山的18岁青年写的那篇东西早已无踪无影。幸亏还有个冒险闯进陕北的斯诺，通过他，毛泽东能够把那篇政见的内容留下来：“我在文章里鼓吹必须把孙中山从日本召回，担任新政府的总统，由康有为任国务总理，梁启超任外交部长！”

康、梁是早年毛泽东心中的偶像。梁启超写的很多东西他一直要读到能够背诵。在梁启超的一篇文章上，青年毛泽东有这样一段批语：“立宪之国家，宪法为人民所制定，君主为人民所推戴。”

当年毛泽东崇拜康、梁，赞成君主立宪。

但一个孙中山横空出世，便夺去了他心中的第一把交椅，他的

"第一篇政见"就抛弃了君主立宪而改为共和。他提出来的不再是君主，而是总统、总理和外交部长。虽然康、梁与孙中山的区别他不甚清楚，还将三人糅为一体，但孙中山对毛泽东影响之大、震动之深，由此可见一斑。

孙中山知道毛泽东吗？

他年长毛泽东27岁。1925年3月他在北京病逝时，毛泽东正在湖南家乡搞社会调查、办农民协会。后来震惊中外的湖南农民运动，当时还只是运行的地火。

但孙中山知道毛泽东。在实行"联俄、联共、扶助农工"三大政策的国民党"一大"上，有两个刚刚加入国民党的青年共产党员，以能言善辩、词锋激烈给国民党元老们留下了深刻印象。

一个是李立三。另一个就是毛泽东。

李立三单刀直入，大段大段阐发自己的观点，其中不乏率直批评国民党的言论；毛泽东则主要以孙先生的说法为依据，论证自己的观点。

许多国民党人惊异地注视着这两个人，连汪精卫也发出由衷感叹："究竟是五四运动的青年！"

孙中山以赞赏的眼光注视着中共的这两个新锐。他亲自批准毛泽东为章程审查委员。

但孙中山所知道的热血青年毛泽东，毕竟不是后来那个集建党、建军、建国之誉于一身的毛泽东。

客观讲，如果没有俄国十月革命，对于孙中山、毛泽东这两个背景和性格都差异巨大的人，他们的生命轨迹也许永远不会交汇。

十月革命一声炮响，改变了一切。

但最先听见这声炮响的中国人既不是孙中山也不是毛泽东，而是北洋政府的驻俄公使刘镜人。

1917 年 11 月 7 日，刘镜人给国内发回一封电报："近俄内争益烈，广义派势力益涨，要求操政权，主和议，并以暴动相挟制。政府力弱，镇压为难，恐变在旦夕。"

这是最早向国内传递的十月革命即将发生的信息。刘镜人例行公事，向北洋政府外交部进行情况报告，却并不知道震撼整个 20 世纪的重大历史事件正在他眼皮底下发生。

次日，刘镜人再发一报："广义派联合兵、工反抗政府，经新组之革命军事会下令，凡政府命令非经该会核准，不得施行。昨已起事，夺国库，占车站……现城内各机关尽归革党掌握，民间尚无骚扰情事。"

这是最早向国内传递的十月革命已经发生的消息。刘镜人的俄译汉有些问题，布尔什维克本应译为"多数派"，却被他翻译为"广义派"，让人看了有些摸不着头脑。

翻译有些问题、让人有些摸不着头脑的这些电报被送到北洋政府外交部，也因电信不畅整整晚了 20 天。外交大员草草阅过，便将其搁在一边。北洋政府的外交当然是以各协约国的立场为立场，所作的决定也如出一辙：拒绝承认十月革命后的苏俄，召回公使刘镜人。无人想到：刘镜人发回来的很快被归入档案的电报，喻示着世界东方将要发生天翻地覆的变化。

如果没有十月革命，会有中国共产党吗？

如果没有中国共产党，会有毛泽东吗？

如果没有十月革命，会有孙中山的三大政策吗？

如果不实行"联俄、联共、扶助农工"，孙中山、毛泽东的生命轨迹能够交汇吗？

历史的奥妙，在于它可以包含无穷无尽的假设。

历史的冷峻，又在于它总把假设永远置于假设。

结论是明显的：十月革命使中国奔腾运行的地火终于找到了突破口。中国国民党与中国共产党被那场俄国革命所促发的历史合力推向一起。

被革命之力推向一起的中国国民党人和中国共产党人，对中国革命的未来走向的判断却截然不同。包括孙中山本人。

孙中山对中国革命走向的估计判断，集中体现于1923年初的《孙文越飞宣言》。

这是一份国民党人经常引用、共产党人很少引用的宣言。后来出现的国共分裂及共产国际以苏联利益为中心干涉中国革命的倾向，都能从这份宣言的字里行间发现阴影。

越飞是老资格革命党人，真名叫艾布拉姆·阿道夫·亚伯拉罕维奇，克里米亚人，1908年就同托洛茨基在维也纳编辑《真理报》，1917年十月革命时是彼得格勒革命军事委员会委员。1922年8月，他以副外交人民委员的身份来华担任全权大使，肩负两个方向的使命：

在北方，与吴佩孚控制的北京政府建立外交关系，实际解决两国间悬而未决的中东路和外蒙古问题，维护苏维埃国家的利益。

如果北方受挫，就在南方帮助孙中山的南方革命政府。

来中国之前，他绝对没有想到要和孙中山签署什么联合宣言。

到中国之初也没有想到。1922年8月19日，越飞在北京还给吴佩孚写了一封信，说吴将军“给莫斯科留下了特别好的印象”，提议密切双方合作。

结果吴佩孚在中东路问题和外蒙古问题上毫不松口。越飞在北京半年，工作毫无进展。于是他重点转向发展与南方政府的关系，实行以南压北的方针。

1923年1月17日，越飞以养病为名赴上海。在沪十天之内，几乎每天都同孙中山或孙中山的代表张继接触。1月26日，《孙文越飞宣言》公开发表。

产生重大影响的是宣言第一条：“……孙中山博士认为，共产主义秩序，乃至苏菲（维）埃制度不能实际上引进中国，因为在这里不存在成功地建立共产主义或苏菲（维）埃制度的条件。越飞先生完全同意这一看法，并且进一步认为，中国当前最重要最迫切的问题是实现国家统一和充分的民族独立。”

孙中山和越飞，一个是中国民主革命的伟大先行者，一个是苏联政府同时也是共产国际在中国的代表。两人皆不认为中国存在马列主义生存发展的土壤；皆认为中国不存在建立苏维埃政权的条件。

孙中山的不信，一半出于对三民主义的信念，一半出于对当时刚刚成立的中国共产党的担心。所以他一定要用宣言的形式肯定“苏菲（维）埃制度不能实际上引进中国”；“在这里不存在成功地建立共产主义或苏菲（维）埃制度的条件”。

越飞的不信，则全部出自苏联国家利益的考虑。为了换取孙中山对中东路和外蒙古问题的承诺，以实现以孙压吴、以南压北。

所以又有了宣言的第三条、第四条：双方认为要以谅解的态度解决中东路纠纷，以双方实际之利益与权利解决现行铁路管理法；苏俄声明无意使外蒙古与中国分立，孙中山表示苏俄红军不必立时由外蒙古撤退。

孙中山的主要兴趣在第一条。这是越飞的让步。

越飞的主要兴趣在第三条、第四条。这是孙中山的让步。

《孙文越飞宣言》是中国现代史上一份非常重要的文件。没有这份宣言，就没有后来的国民党改造，就没有国共合作，然后也就不会有黄埔军校和北伐战争。它既是孙中山对中国革命走向的判断和规定，也是新生的苏联将其斗争中心由世界革命中心转向苏联利益中心的启端。通过这份宣言，苏联在中国第一次完成了用意识形态与国家利益的交换。

初生的中国共产党人被蒙在鼓里。当时没有任何人想到要拿这份宣言去征求他们的意见。

孙中山早年向往社会主义。1896年旅居伦敦时就知道了马克思。后来他对中国最早的社会党人江亢虎等介绍说：

“有德国麦克司者，苦心孤诣，研究资本问题，垂三十年之久，著为《资本论》一书，发阐真理，不遗余力，而无条理之学说，遂成为有统系之学理。研究社会主义者，咸知所本，不复专迎合一般粗浅激烈之言论矣。”

社会主义对他产生了极大的吸引力。纯真的孙中山自信而又自愿地以社会主义者自许，虽然他连马克思、恩格斯与伯恩斯坦、考茨基的区别都未弄清。

就如毛泽东当初分不清孙中山与康有为、梁启超的区别一样，孙中山也分不清马克思、恩格斯与考茨基、伯恩斯坦的区别。1905年初，他专程前往设在比利时布鲁塞尔的第二国际书记处，要求接纳他为“党的成员”。他见到了第二国际主席王德威尔得和书记处书记胡斯曼，向他们说明“中国社会主义者的目标和纲领”。面对这两位泰斗，孙中山大胆预言：中国将从中世纪的生产方式直接过渡到社会主义的生产阶段，而工人不必经受被资本家剥削的痛苦。

当时的孙中山还是个小人物。

小人物孙中山热衷于社会主义。变成大人物，就认为中国不能搞社会主义了。倒不是因为曾经被第二国际拒之门外，他认为他的三民主义更符合中国国情。

认为中国不能搞社会主义，并不妨碍他崇敬列宁。

比驻俄公使刘镜人的电报晚三天，1917 年 11 月 10 日，上海《民国日报》出现大号标题："美克齐美（Maximalist 音译，过激党之意）占据都城"。这是中国最早报道十月革命的报纸。孙中山看完报后，立即通过中间媒介给列宁一信，代表国民党向布尔什维克党人表示高度敬意，希望中俄两国革命党人团结在一起，共同斗争。

列宁称这封信是"东方的曙光"。外交人民委员齐契林代表列宁回信：

"我们的胜利就是你们的胜利，我们的失败就是你们的失败，为了无产阶级的共同利益，在这伟大的斗争中团结起来。"

可惜这封信被耽误了。孙中山没有看到这些必然令他激动不已的话语。

但 1920 年 11 月，他见到了列宁的第一个使者维经斯基。

维经斯基 1920 年 3 月来华，后来有人认为他是来帮助建立中国共产党的，但维经斯基向共产国际报告说，他的首要任务是"立足于日美中三国利益发生冲突，要采取一切手段来加剧这种冲突"；首先要考虑的是苏俄在远东的安全，在这个基础上才考虑如何联合中国的革命力量、支援中国革命。

孙中山提出了进一步的建议。据维经斯基记述，孙中山直截了当地说，广州的地理位置无法与俄国建立直接联系，应该在海参崴或满洲里建立一个可以互相联系的大功率电台。

列宁的第二个使者是马林。

作为共产国际执委会委员的马林颇得列宁赏识，为推动中国共产党建立也发挥了重要作用。他亲自参加了中国共产党第一次代表大会，并在第一次会议上一口气作了将近四个小时的发言。“一大”代表们对他印象不错。毛泽东说他“精力充沛，富有口才”；包惠僧说他“口若悬河，有纵横捭阖的辩才”。但是对初生的中国共产党，马林却颇不以为然。他在给共产国际的报告中评价说，中国共产党人是一些“不懂马克思主义，缺乏社会主义实践”、“倾向社会主义的学生”，他们“从来不曾同工人阶级有过密切的联系”。对国民党马林倒充满乐观和希望，认为它是由“知识分子、华侨资产阶级、南方士兵和工人组成的各阶级联盟”。这位共产国际执委会委员的结论是：“在上海我对中国的运动及其发展的可能性获得一种十分悲观的观点；我在南方才发现工作大有可为，而且能够成功。”

所以马林很快从举行中共“一大”的上海南下。

1921 年 12 月，马林在广西桂林对孙中山提出了三条建议：

第一，改组国民党，广泛联合工农大众；

第二，创办军官学校，建立革命武装；

第三，与中国共产党合作。

孙中山认为，这是列宁给他传递过来的声音。

这三条建议成为后来孙中山“联俄、联共、扶助农工”三大政策的起源。孙中山注意到列宁是通过俄国的十月革命，列宁注意到孙中山是通过中国的辛亥革命。

1912 年 4 月，孙中山辞去临时大总统，在一篇临别演说词中说，西方国家虽然富足，“但这些国家国内贫富间的悬殊仍极明显，所以革命的思潮常激动着这些国家的国民。如果不进行社会革命，则大多数人仍然得不到生活的快乐和幸福。现在所谓幸福只是少数几个资本家才能享受的。”

列宁对这篇演说词留下了深刻印象。他说这是“伟大的中国民主派的纲领”，“我们接触到的是真正伟大人民的真正伟大思想”，

“迫使我们再一次根据新的世界事变来研究亚洲现代资产阶级革命中民主主义和民粹主义的相互关系问题”。

列宁把对中国革命的希望主要放在了孙中山身上。

1918年，当年轻的苏维埃政权被帝国主义干涉者压得喘不过气，而通向中国的道路又被捷克斯拉夫军团、社会革命党人、高尔察克匪帮切断的时候，列宁就询问过，在被十月革命唤醒的旅俄中国工人中间，是否可以找到能与孙中山建立联系的勇士。

列宁与孙中山两人虽未谋面，但息息相通。

孙中山决心“联俄、联共、扶助农工”了，但并非不存在问题。

三大政策中最无问题的就是联俄。

孙中山联俄决心异常坚定，来源于他一生经历的无数次失败。先败于他认准的敌人清朝政府、袁世凯及北洋军阀；后败于他以为的友人英、美、日政府及国内官僚政客；到1922年6月陈炯明叛变，竟开始败于跟随他十余年的部属了。

尤其令他万分痛惜的是，陈炯明把他联德、联俄的三封密函作为缴获物在香港公布，使海内外舆论大哗。他心如刀绞般说：“文率同志为民国而奋斗垂三十年，中间出生入死，失败之数不可偻指，顾失败之残酷未有甚于此役者。”

趁火打劫的不仅是陈炯明。国民党内李石曾、吴稚晖等49人借机联名通电，劝孙中山下野。

在此紧急时刻，仍然毫不动摇地支持他的，只有列宁领导的苏俄。

患难识真金。几十年的选择比较使孙中山终于意识到真正的朋友所在。他叫陈友仁转告苏俄政府全权代表马林：“中国革命的唯一实际的真诚朋友是苏俄。”

三大政策中问题最大的就是联共。

孙中山钦佩共产党人。他对汪精卫、胡汉民、张继等人说："我们的革命运动，黄花岗、潮州之役，人数极少；镇南关之役不过200人；钦廉之役不过一百余人；现在中共组织工农运动，群众一起来，动辄成千逾万；开滦罢工、'二七'罢工规模浩大，震惊中外，其势尤不可侮！"

共产党人的组织能力和气势给他以极深刻的印象。

由此更感到已经腐朽的、无战斗力的国民党急需改造。

孙夫人宋庆龄问他，为何需要共产党加入国民党，他回答说："国民党正在堕落中死亡，因此要救活它就需要新血液。"

他要新鲜血液救活国民党，但不是要新鲜血液取代国民党。笃信三民主义、笃信一个国家只能有一个党、一个领袖的孙中山，不想看到国民党外又出现一支政治力量。不想有任何力量与国民党分庭抗礼。

1923年1月《孙文越飞宣言》发表，他召集核心干部征询意见。

联俄大家都无问题，因为不论在道义、在财政还是在武器、在顾问上，都需要苏俄提供强有力的支援。争论的焦点在联共。

汪精卫同意联俄，反对联共；

廖仲恺则赞成联俄联共，认为既联俄，就必须联共；

胡汉民介于汪、廖之间。

应该注意一下胡汉民。他的论点十分奇特："无政府主义者离我们比较共产党员更要远些，对待无政府主义者尚且如此，容纳共产党员入党有什么可怕的呢？"

他向孙中山建议，先对共产党人有条件地收容。条件是"真正信仰本党的主义，共同努力于国民革命"；收容以后再有依据地淘汰。依据是"发现了他们有足以危害本党的旁的作用，或旁的行动"。

胡汉民的观点对孙中山影响很大。后来孙中山采纳有条件联共的主张，不同意实行党外合作，坚持让共产党人加入国民党实行“党内合作”，主要就是出自胡汉民。孙中山认为最理想的，是先用共产党人的力量改造国民党，再用国民党人的纪律约束共产党。

他既联俄，又不相信中国可以走俄国人的道路。既联共，又不相信红色政权可以在中国建立、生存和发展。

伟大的民主革命先行者在这里陷入了两难。

1923 年 11 月，在国民党“一大”前，邓泽如、林直勉等十一人以国民党广东支部名义呈给孙中山一份《检举共产党文》，指责共产党人“此次加入本党，乃有系统地有组织地加入”；“实欲借俄人之力，耸动我总理，于有意无意之间，使我党隐为彼共产所指挥，成则共产党享其福，败则吾党受其祸”。

党内合作本是孙中山自己的主张。所以他在批语中维护共产党人、批评了邓泽如等人疑神疑鬼的话。但孙中山还有另外一些批语，在我们自己编纂的史料中却不多见了。

在今天一段我们基本不引用的批语中孙中山说，先前共产党人“所以竭力排挤而疵毁吾党者，初欲包揽俄国交际，并欲阻止俄国不与吾党往来，而彼得以独得俄助，而自树一帜，与吾党争衡也。乃俄国之革命党皆属有学问经验之人，不为此等少年所愚，且窥破彼等伎俩，于是大不以彼为然，故为我纠正之”。看来，马林与孙中山的谈话和所提的建议都被孙中山认为是“俄国之革命党皆属有学问经验之人，不为此等少年所愚”、“故为我纠正之”的表现。所以他对邓泽如等人表示，共产党人“既参加吾党，自应与吾党一致动作；如不服从吾党，我亦必弃之”。第一次国共合作，就在这种复杂的心理因素和组织因素之下开始。

1924 年 1 月，由孙中山主持，国民党在广州召开第一次全国代表大会。共产党员李大钊、谭平山、毛泽东、林祖涵、瞿秋白等十人当选为中央执行委员或候补执行委员，几乎占委员总数的1/4。谭平山出任组织部长，林祖涵出任农民部长；在国民党最强大的一个执行部——上海执行部，毛泽东当了组织部长胡汉民的秘书；恽代英则当了宣传部长汪精卫的秘书；文书主任邵元冲未到任前，毛泽东还代理了执行部的文书主任。

在共产党人表面获得的成功之中，国民党"一大"新设立的一个组织却被共产党人忽略了。或者更为准确地说，把共产党人忽略了。

这就是国民党的中央监察委员会。

国民党组织松散，历史上从来没有专设监察机构。同盟会的司法部，中华革命党的司法院、监察院，都未真正行使过职权。其实际职能仅是"赞助总理及所在地支部长进行党事之责"。1912年组建国民党时，连司法、监察的条文也未罗列。

国民党"一大"通过的党章，却专门设了第十一章《纪律》。孙中山、胡汉民在会上特别强调了纪律的重要。胡汉民专门作了说明："嗣后党中遇有党员破坏纪律，或违背主义，当加以最严厉之制裁。"

这一章专对准共产党人而来。

执行纪律的操刀者，即中央监察委员会。

国民党"一大"选出中央监察委员5人：邓泽如、吴稚晖、李石曾、张继、谢持；候补中央监察委员5人：蔡元培、许崇智、刘震寰、樊钟秀、杨庶堪。

10名中央监察委员中无一名共产党人。

孙中山允许共产党人成为国民党中央执行委员、中央部长，却不允许他们成为国民党的监察委员。他想通过中央监委执行纪律对加入国民党的共产党员有所防范，所以才有了10名监察委员全部由国民党员担任的精心安排。

从实质上看，国民党的联共政策是联俄政策不得已的产物。孙中山希望随着时间流逝，把为数不多的共产党员逐渐消化在国民党内。

如果不能消化呢？

1924年10月9日，在一封写给蒋介石关于组织革命委员会的信中，孙中山说："而汉民、精卫二人性质俱长于调和现状，不长于彻底解决。所以现在局面，由汉民、精卫维持调护之；若至维持不住，一旦至于崩溃，当出快刀斩乱麻，成败有所不计，今之革命委员会，则为筹备以此种手段，此固非汉民、精卫之所宜也。"

孙中山对与共产党人的破裂并非毫无准备。他认为只有置共产党人于国民党领导之下，才可防止其制造阶级斗争。而北伐军事一旦胜利，纵使共产党人想破坏国民革命，亦是所不能了。

"若共产党而有纷乱我党之阴谋，则只有断然绝其提携，而一扫之于国民党以外而已。"不注言者姓名，你敢相信这是孙中山说的吗？

国民党的这些底数，当时连共产党人的领袖陈独秀都一无所知。

陈独秀加入国民党后，便以国民党员的身份在《向导》报上批评孙中山与奉系、皖系军阀建立反直系军阀的"三角联盟"，认为这是走老路，希望他回到依靠工农革命的道路上来。孙中山对陈独秀的批评十分恼火，他只要求新加入者对他绝对的服从，不能容纳他们所谓的意见。他几次对马林说："共产党既加入国民党，便应该服从党纪，不应该公开批评国民党。共产党若不服从国民党，我便要开除他们。苏俄若袒护中国共产党，我便要反对苏俄。"

事情甚至发展到了孙中山想把陈独秀开除出国民党的地步。

后来虽然没有采取这种极端措施，但还是通过召开中央全会讨论对共产党的弹劾案这一方式，压迫和警告了陈独秀。

陈独秀深感意外。沉思之后，1924年7月14日，他给维经斯基写信说："我们不应该没有任何条件和限制地支持国民党，只应当支持左派所掌握的某些活动方式，否则，我们就是在帮助我们的敌人，为自己收买(制造)反对派。"

陈独秀的这些话当时看偏激，后来看尖锐，今天看深刻。伟大的民主先行者并不等于共产主义者。孙中山最终的目标是三民主义的中国，不是社会主义、共产主义的中国。今天我们很多作品把这位国民党总理描写成几乎是共产党的一员，实在是对历史的曲解。孙中山对红色政权后来怎样在中国产生、发展和遍及整个大地，无从知道。他 1925 年 3 月病逝于北京。共同签署了《孙文越飞宣言》的越飞也无从知道了。他与孙中山达成联合宣言后便赴日本，回国后受托洛茨基问题的牵连，1927 年 11 月 16 日自杀身亡。

孙中山临终前共留下三份遗嘱：《政治遗嘱》《家事遗嘱》和《致苏联政府遗书》。

自杀前的越飞，却来不及留下片言只语。

《孙文越飞宣言》作为重要的历史文件，今天还放在那里，但实践给出了不同的结论。中国的红色政权 1949 年 10 月 1 日在北京成立。当这个天翻地覆的世纪过去，社会生活进入一泓平滑宽阔的缓流时，欢愉地漫步在天安门广场的人们该怎样理解那些激流动荡的年代呢？

孙中山永远不会知道，那些"与吾党争衡"的"此等少年"，即使在中华人民共和国成立之后，对他也没有"亦必弃之"，而是年年在天安门广场安放他的巨幅肖像。甚至在马、恩、列、斯的肖像不出现以后，他的肖像仍然一如既往。孙中山也永远不会知道，他亲手设计的中山装，后来成为新中国毛泽东、周恩来、刘少奇、邓小平等领袖人物的长期标准着装。

在其《政治遗嘱》中，孙中山说："余致力国民革命，凡 40 年，其目的在求中国之自由平等。积40年之经验，深知欲达到此目的，必须唤起民众，及联合世界上以平等待我之民族，共同奋斗。”在《致苏联政府遗书》中他说：“亲爱的同志！当此与你们诀别之际，我愿表示我热烈的希望，希望不久即将破晓，斯时苏联以良友及盟国而欢迎强盛独立之中国，两国在争为世界被压迫民族自由之大战中，携手并进以取得胜利。”

当年认定“这里不存在成功地建立共产主义或苏菲(维)埃制度的条件”的孙中山如果知道，最终是由他的后进——中国共产党人通过“唤起民众，及联合世界上以平等待我之民族，共同奋斗”，建成了“强盛独立之中国”，难道不会同样感到欣慰吗？

二、钢铁斯大林

俄国革命中有个大名鼎鼎的人物普列汉诺夫。他是俄国资格最老的马克思主义理论家。1880年他第二次流亡国外、在日内瓦创立并领导俄国第一个马克思主义团体“劳动解放社”时，世界无产阶级的革命导师弗拉基米尔·伊里奇·列宁才刚刚10岁。

年长的普列汉诺夫无疑对年轻的列宁产生了很大影响。列宁后来说，不研究普列汉诺夫的全部哲学著作，便不能成为一个自觉的、真正的共产主义者。

革命的发展，在大多数情况下要反过来淘汰革命者自身。1903年，俄国社会民主工党分裂为布尔什维克和孟什维克。普列汉诺夫起初在很多方面赞同列宁，但后来又很快转向了孟什维克。

转向了孟什维克的革命导师普列汉诺夫，反过来讥讽不放弃自己立场和观点的布尔什维克为“坚硬的石头”。

列宁把这个称呼当做一种称赞接受下来。当时，一个叫做罗森费尔德的年轻布尔什维克立即选用“加米涅夫”——俄语“石头一般的”作为自己的化名；不久，另一个叫做朱加施维里的年轻布尔什维克选用了一个更加坚硬的名字：“斯大林”——俄语的意思是“钢”。

布尔什维克党人用一切方法去回答挑战。

当然，名称并不能说明实质。例如那个加米涅夫，后来在革命中的表现并不像石头那样坚硬和顽强；倒是斯大林本人，以自己钢铁般的手腕和钢铁般的意志，给20世纪国际共产主义运动和世界政治烙下了一个永久的印痕。从近年来俄罗斯陆续公布的有关中国革命的档案资料来看，1923年至1927年期间，为讨论中国革命问题，联共中央政治局共召开了122次会议，作出了738个决定，事无巨细地指导中国大革命的基本路线和方针、政策。

钢铁巨人斯大林深深关注着中国革命。他有一段铿锵有力的著名论断，被中国共产党人反复引用：

“武装的革命反对武装的反革命，这是中国革命的特点之一，也是中国革命的优点之一。”

遗憾的是，斯大林讲这番话的时间是1926年底。“武装的革命”之所指并非当时还未诞生的中国工农红军，而是正在摧枯拉朽的蒋总司令麾下的北伐大军。

斯大林这番话还是受国民党人的启发。

1926年11月30日，莫斯科召开共产国际执行委员会第七次全会。共产国际的同情党——中国国民党代表邵力子在大会上发言。当时北伐革命在国内进展迅速，莫斯科的报纸上，已经把攻克汉阳的“广东军”的辉煌胜利与1911年武昌起义的伟大历史意义相提并论。

邵力子非常激动，对着麦克风高声宣称国民党“在共产国际领导下，一定会完成自己的历史任务”，接着他说出了一句重要的话：

“我们坚决相信，没有武装便没有革命的胜利，中国的形势特别证明了这条经验。”

邵力子发言不长，但这句话留给斯大林的印象非常深刻。

当天，斯大林出席国际执委会中国委员会会议，发表名为《论中国革命的前途》的演说。第二个问题“关于革命武装和革命军队问题”中，他把邵力子的话扩展为：

“在中国，是武装的革命反对武装的反革命。中国革命的特点之一和优点之一就在于此。中国革命军队的特殊意义也正在于此。”

一个著名论断由此产生。

共产国际是语言大师，斯大林也是语言大师。指出阶级斗争的实质是“剥夺剥夺者”，描述革命形势是“两个高潮中间的低潮”，皆是以极其精练和巧妙的词汇搭配，完成了今天动辄需要数千字才能完成的概念。而“武装的革命反对武装的反革命”，与邵力子“没有武装便没有革命的胜利”相较，基本意思相同，但以概念的清晰程度、明确程度、有力程度而论，斯大林的语言不知强大了多少倍。

邵力子是说者无意。之所以这样讲，依据的是国民党30年搞军事斗争和武装暴动的经验。斯大林则听者有心。孙中山去世后的国民党在共产国际和中国共产党人的帮助下，通过北伐，正在进入最辉煌的历史时期。斯大林用这句话来高度评价北伐革命军本身。

斯大林和邵力子两人都没有想到，这条论断后来成为中国共产党人发动一次又一次武装起义、用枪杆子推翻国民党政权的基本依据。

如同孙中山直到临终也未料到红色政权会在中国产生，斯大林也未料到中国共产党人能够夺取政权。

他一直把中国革命成功的希望放在国民党和蒋介石身上。

斯大林之所以看好蒋介石，因为他认定蒋是中国革命的雅各宾党人。在这位中国的罗伯斯庇尔的领导下，未来政权有可能过渡到社会主义。

对国民党和蒋介石怀抱如此希望的斯大林，又是怎样看待中国共产党人的呢？

在国际执委会第七次扩大全会上，斯大林发表的那篇《论中国革命的前途》演说中除了那段著名的“武装的革命反对武装的反革命”外，还有这样一段话：

“有人说，中国共产党人应当退出国民党。同志们，这是不对的。中国共产党人现在退出国民党将是极大的错误。中国革命的全部进程、它的性质、它的前途都毫无疑问地说明中国共产党应当留在国民党内，并且在那里加强自己的工作。”

孙中山认为“共产主义秩序，乃至苏菲（维）埃制度不能实际上引进中国，因为在这里不存在成功地建立共产主义或苏菲（维）埃制度的条件”；斯大林也不相信，离开国民党，中国共产党能够独立存在；不相信中国共产党能够独立完成中国民主革命的伟大任务。

后来把王明推上台的米夫当时认为，应该提出在中国农村成立苏维埃的口号，为此受到斯大林的严肃批评。他说米夫在两个方面犯了错误：

第一，不能撇开中国的工业中心而在农村建立苏维埃。

第二，在中国工业中心组织苏维埃现在还不是迫切的任务。

斯大林不相信农村能够成为中国革命的基地。更不用说什么“农村包围城市”。

斯大林所谓“有人说，中国共产党人应当退出国民党”的这个“有人”，是指托洛茨基。

这是一个在俄国革命中具有相当分量的人。

1924年1月21日，列宁去世。悲痛的日子到来之时，斯大林首先办的事是口授一封电报："转告托洛茨基同志。1月21日6时50分，列宁同志猝然逝世。死亡系由呼吸中枢麻痹所引起。斯大林。"

一些苏联领导人后来被冠以"十月革命的领导人之一"；"重要参加者之一"；托洛茨基从来不需要用"之一"来肯定其历史地位。1917年9月，在决定性的日子来临之时，他是彼得格勒苏维埃主席。十月革命期间，更担任着关键的彼得格勒革命军事委员会主席职务。即使在电影《列宁在十月》中，人们也能看到，当"面包会有的"瓦西里掩护列宁四处化装躲藏之时，斯莫尔尼宫的起义组织领导没有停顿。若要还原历史真实，电影中在斯莫尔尼宫具体指挥武装起义的人应该由斯大林换成托洛茨基。

某些时刻，事物需要从反面获得论证。西方唯心主义历史学家德·阿宁在评价十月革命时认为，"可以很有把握地说，布尔什维克革命的完成，首先有赖于列宁的百折不挠的狂热和托洛茨基的恶意煽动。"

联共(布)党史的一个悲剧在于，从敌方那里，才能重获从己方失去的公正。

所以，十月革命后，斯大林仅出任民族人民委员。而担任陆海军人民委员和革命军事委员会主席，被人们称作"红军之父"的，是托洛茨基。其肖像与列宁并排悬挂。列宁在1922年12月23日至25日口授《给代表大会的信》中，称托洛茨基是"中央委员会中最有才能的人"。

这是那种极其难以被抹杀的历史地位。

托洛茨基又是那种时时刻刻都敏锐地意识到自己的历史地位的人，而且语言又极其尖刻。

1927年4月6日，斯大林在莫斯科积极分子代表大会上发表演讲说:“蒋介石也许并不同情革命,但是他在领导着军队,他除了反帝以外,不可能有其他作为”;“因此,要充分利用他们,就像挤柠檬汁那样,挤干以后再扔掉”。

6天之后,蒋介石便发动“四一二”反革命政变。托洛茨基嘲笑说,斯大林讲人们应利用中国资产阶级,然后像对待一个挤干的柠檬把它扔掉,几天以后这个被挤干的柠檬却夺取了政权和军队。

对蒋介石的背叛,斯大林极其愤怒。1927年5月在代共产国际执行委员会起草给中共中央的信中,斯大林斩钉截铁地说:“现在是开始行动的时候了。必须惩办那些坏蛋。如果国民党人不学会做革命的雅各宾党人,那么他们是会被人民和革命所抛弃的。”

当时的情况的确尴尬。莫斯科正在筹备五一节游行,刚刚制成一个蒋介石的大型模拟像;斯大林也刚把一张亲笔签名的相片寄给蒋介石。

他方才明白,那些“坏蛋”实际并非想象的“革命的雅各宾党人”。

托洛茨基对这一叛变却异常冷静。他只说了一句:“他们叛变的不是自己的阶级,而是我们的幻想。”

中国大革命的失败在苏联引起了激烈争论。

曾任共产国际远东情报部主任的斯列帕克在国共合作初期,就深刻地指出先认为吴佩孚是个非常好的人,后认为蒋介石是革命的雅各宾党人的危险,“不要使党陷入一会儿向这位将军点头、一会儿向另一位将军点头的变化不定的窘境”,“即使国民党目前确实是所有党派中最优秀的,更接近于国民革命运动,但也决不意味着我们应当做它的尾巴”。

但斯大林是不承认指导中国革命的方针有误的。

1927年5月共产国际执委第八次全会上,斯大林还说中共中央正确执行了国际的路线,大革命失败后,他又立即指责中共中央违背国际指示，犯了机会主义的错误。1927年7月9日，在给莫洛托夫和布哈林的信中，他以最严厉的口吻指责说："我们在中国没有真正的共产党，或者可以说，没有实实在在的共产党"，"整整一年，中共中央靠国民党养活，享受着工作的自由和组织的自由，但它没有做任何工作"，这就是"共产国际的指示未能被执行的原因所在"。

斯大林忘记了，1927年5月13日他还公开说："在目前用新的军队，用红军来代替现在的军队是不可能的，原因很简单，就是暂时没有什么东西可以代替它。"5月30日，又对中共中央发出"紧急指示"（即著名的"五月指示"），"立即开始建立由共产党员和工农组成的、有绝对可靠的指挥人员的八个师或十个师"，"组织（目前还不迟）一支可靠的军队"，来代替正在叛变的"现在的军队"，以惩办蒋介石。但当时中国共产党人连建立一个师的实力也没有。

斯大林忘记了，当最初中国共产党人提出要求建立武装的时候，他是如何不以为然，而把援助的武器都给了国民党。

1926年"三二〇"中山舰事件后，陈独秀曾经产生"准备独立的军事势力和蒋介石对抗"的想法。当时正好有一批苏联军火到达广州港，陈独秀立即派彭述之代表中共中央到广州和国际代表面商，要求把供给蒋介石、李济深的这批军火匀出5000支枪武装广东农民，深得斯大林信任的苏联顾问鲍罗庭不同意，认为中共应将所有力量用于拥护蒋介石，巩固北伐计划。

1927年2月25日，上海工人第二次武装暴动失败，在华国际代表阿尔布列赫特向莫斯科报告，上海革命形势"非常好"，"这场罢工也许是起义的信号"，但"没有钱。急需钱。有5万元就可以买到武器"，但莫斯科仍然用什么也不提供的态度反对中国共产党继续举行武装暴动。

对于蒋介石的背叛，斯大林比中国共产党人还要准备不足。

1927年4月收到中共中央报告蒋介石在上海发动反革命政变的消息后，斯大林的第一个反应，是立即回电询问蒋身边的苏联顾问鲍罗庭"是否属实"？是否可以"对蒋介石作出某些让步以保持统一和不让他完全倒向帝国主义者一边"？

事到临头，要求共产党人立即拥有一支强大武装与国民党对抗，为时晚矣。

当斯大林以最严厉的口吻指责"我们在中国没有真正的共产党，或者可以说，没有实实在在的共产党"的时候，难道把自己说过的话和作过的决定都忘记了？

担任共产国际执委会主席的布哈林，更是通过6个"如果"、而且在每一个"如果"下面都加上着重号，把指导中国大革命失败的全部责任都归结给中国共产党人。他说："如果共产国际的指示得到贯彻，如果土地革命没有受到阻挠，如果武装工农的工作大力进行，如果忠诚的军队团结一致，如果明确的、为群众所理解的政策得到实施，如果关于国民党民主化的指示正确执行了，那么武汉的形势就不至于如此危急了。"

文过饰非，功劳归自己，错误归别人，斯大林领导的联共中央和共产国际这种作风由此开始。所以托洛茨基派的维克多·西尔格一句话就把布哈林弄得面红耳赤："我们当然也可以用一个'如果'来概括这许多'如果'：'如果小资产阶级不是小资产阶级的话'。"

应该承认，在对待蒋介石的问题上，是托洛茨基最先发出的警告。当苏联与共产国际领导人普遍将蒋介石当做代表中小资产阶级的"雅各宾党人"之时，托洛茨基已经在提出要警惕大资产阶级、蒋介石是"波拿巴式的人物"了。

他较早认识了蒋介石。

1923年蒋介石率领"孙逸仙博士代表团"访苏。在11月25日召开的共产国际执委会主席团会议的主席台上，蒋介石慷慨激昂地阐述了国民党的“世界革命概念”。

他说，俄国是世界革命的基地，应该帮助中国完成革命；在德国和中国革命胜利之后，俄、德、中三国结盟，开展对全世界资本主义的斗争；“靠德国人民的科学实力，中国的革命成功，俄国同志的革命精神和俄国的农产品，我们就不难完成世界革命，我们就能消灭世界上的资本主义制度”。

蒋介石最后说：“我们希望在三五年之后，中国革命的第一阶段——民族革命将顺利完成，很快达到这一目的之后，我们将转入第二阶段——宣传共产主义口号。那时，对中国人民来说，将很容易实现共产主义。”

大会给蒋介石以热情的欢呼。季诺维也夫以共产国际执行委员会主席的身份，请蒋介石“向中国国民党特别是向孙中山同志转达共产国际热烈的兄弟般的问候”。

一片热烈的气氛之中，44 岁的托洛茨基冷冷地坐在一旁。

托洛茨基称病，直到代表团临动身返国之前，才会见蒋介石。面对刚刚呼吁完世界革命的蒋介石，作为这一革命的狂热信徒，托洛茨基竟然只字不提世界革命。

蒋介石是慕名而来。苏俄红军之父、激烈的革命家、狂热的煽动家，甚至是不择手段的阴谋家；东西方的各种评价搅在一起，使蒋介石未见托洛茨基之前，心中就充满一种莫名的激动和冲动。

面对蒋介石等待指教的殷切盼望，托洛茨基装作对中国问题不甚了解。他对蒋说，他难以给代表团出什么主意。他不大相信中国能够接受社会主义革命。至于如何支援中国革命，他还未考虑好。

蒋介石向他转述孙中山的建议：从华南和蒙古兴兵，夹击中国北方军阀。

谁从蒙古出兵,孙中山没有说,蒋介石也不明谈,却显然是指望托洛茨基领导的红军。曾经设想过派遣骑兵军横穿阿富汗到印度去发动革命的托洛茨基,为什么不能率领军队穿过蒙古进入中国呢?

历来偏爱冒险决策的托洛茨基这一次却分外清醒理智。他说明,苏联出兵直接援助孙中山的军队是不可能的。此前他已经说过,只要孙中山专事军务,那么在中国工、农、手工业者和小商人的眼中就会像北方的张作霖和吴佩孚一样,不过是又一个军阀;那样,革命运动不可能胜利。

托洛茨基对蒋介石泼的都是凉水。会见没有出现本应出现的高潮。尤其是托洛茨基说,中国若没有一个强大的革命政党,这个党若不进行目的明确的政治和宣传工作,"即使我们给许多钱,给予军事援助,你们还仍然会一事无成。"这些话令蒋介石万分气恼,给他的刺激也最大。

不知为何,托洛茨基第一次见革命红人蒋介石,就充满戒心。

中苏两国的报刊和出版物,皆从来不提这次会晤。

中国革命问题,后来成为联共(布)党内就世界革命和在一国内建成社会主义等一系列理论和实践问题争论的焦点。自 1925 年以后,斯大林、布哈林同托洛茨基、季诺维也夫在这一问题上产生了尖锐的分歧。

尖锐的托洛茨基和圆滑的季诺维也夫是失败者。1926 年 10 月,二人被开除出政治局。一个月后的共产国际执委会第七次扩大全会上,季诺维也夫又被解除共产国际主席职务。以布哈林出任第一书记的共产国际,从组织上确立了斯大林对共产国际和世界革命的领导地位。

列宁晚年病中一再求助、并决心与之一道反对官僚主义的托洛茨基,最终被戴上了"反列宁主义"甚至更严重的"暗害者、破坏者、侦探间谍、杀人凶手的匪帮"的帽子达数十年之久。中国共产党人也长期接受了这样的说法。只有当那段激荡的岁月像天边白云一样远去，这位十月革命时的彼得格勒苏维埃主席，才终于获得越来越趋近历史真实的评价。

中共党史出版社2002年新版《中国共产党历史》第一卷中，有这样的表述："托洛茨基对大革命后期蒋介石、汪精卫两个集团的阶级实质的认识，对他们将要叛变革命的判断，对斯大林在指导中国革命中的错误的批评，有些是正确的或基本正确的"，"托洛茨基认为斯大林应对中国大革命的失败负责"。

这种评价的变化确实来之不易。

1952年版《毛泽东选集》第一卷《论反对日本帝国主义的策略》中，对托洛茨基的注释如下："托洛茨基集团，原是俄国工人运动中的一个反对列宁主义的派别，后来堕落成为完全反革命的匪帮。关于这个叛徒集团的演变，斯大林同志于1937年在联共中央全会上的报告里，作过如下的说明：'过去，在七八年前，托洛茨基主义是工人阶级中这样的政治派别之一，诚然，是一个反列宁主义的、因而也就是极端错误的政治派别，可是它当时总算是一个政治派别……现时的托洛茨基主义，并不是工人阶级中的政治派别，而是一伙无原则的和无思想的暗害者、破坏者、侦探间谍、杀人凶手的匪帮，是受外国侦探机关雇用而活动的工人阶级死敌的匪帮'"，基本上全盘照搬苏联的观点。

1991年版《毛泽东选集》第一卷《论反对日本帝国主义的策略》中，对托洛茨基的注释则修改为如下内容："托洛茨基(1879—1940年)，俄国十月革命胜利后曾任革命军事委员会主席等职。列宁逝世后，反对列宁关于在苏联建设社会主义的理论和路线，1927年11月被清除出党。在国际共产主义运动中，托洛茨基进行了许多分裂和破坏活动”，已经开始有所节制。

1999年版《毛泽东文集》第六卷《在中国共产党全国代表会议上的讲话》和第七卷《在莫斯科共产党和工人党代表会议上的讲话》中，对托洛茨基的注释已经变为：“托洛茨基（1879—1940年），十月革命时，任俄国社会民主工党（布尔什维克）中央政治局委员、彼得格勒苏维埃主席。十月革命后，曾任外交人民委员、陆海军人民委员、革命军事委员会主席、共产国际执行委员会委员等职。1926年10月联共（布）中央全会决定，撤销他的中央政治局委员职务。1927年1月共产国际执行委员会决定，撤销他的执行委员职务，同年11月被开除出党。1929年1月被驱逐出苏联。1940年8月在墨西哥遭暗杀。”客观描述占据主要成分了。

这是位既才华横溢又矛盾丛生的历史人物。他对大革命时期的中国形势作出了比斯大林更为客观的判断，但他的认识就百分之百正确而毫无问题吗？他会见蒋介石时装作对中国革命一无所知，其实那时他已经对中国革命发生了很大兴趣，后来还出版了《中国革命问题》一书，但出了书的托洛茨基就真正弄懂了中国革命的问题吗？

的确，是他最先提出要警惕蒋介石，在蒋介石叛变革命后又立即提出要警惕武汉的汪精卫，这些无疑是难能可贵的。但他又认为中国革命不应分为民主主义革命阶段和社会主义革命阶段。他宣称，中国革命如果不是无产阶级专政下的社会主义革命，就不可能胜利。中国革命的主要目标是帝国主义。而中国民族资产阶级与帝国主义又有着共同的利益。买办资产阶级和民族资产阶级之间也没有不可逾越的鸿沟。于是任何一种统一战线都是不可能的。

托洛茨基虽然很尖锐，但也很左。

很左的托洛茨基陷入了自相矛盾。他看到了中国资产阶级的弱小，却忘掉了与此同时中国无产阶级的弱小。于是他低估了农民群众在中国革命中的作用。他的结论是：只有工人运动的高涨才有农民运动的高涨；在城市无产阶级的革命运动陷入低潮情况下，红色政权在落后的农村无法存在。

托洛茨基认为只有在大革命还没有彻底失败以前，提出苏维埃口号才是正确的。中国共产党在革命形势处于高潮时没有组织苏维埃，大革命失败后，革命形势处于低潮却提出组织苏维埃的口号，一切都太迟了。因为无产阶级现在只能进行秘密活动，而秘密活动是无法组织苏维埃的。尤其在失去了城市工人阶级的力量、只有转入农村的时候，苏维埃更不可能在农村得到实现。

托洛茨基反对在中国先进行民主革命，否认统一战线，否认农民的革命性和农村根据地的作用。他根本不相信，中国共产党人依靠农村根据地能够夺取政权。

他太自信了。自信地以为列宁之后，只有他自己手中握有真理。

而真理却不是任何人能够独占的。

嘲笑了斯大林的托洛茨基，又反过来嘲笑在农村开展武装斗争的中国共产党人。

当斯大林开始不断修正对中国革命的判断、使之越来越接近实际之时，托洛茨基却开始偏离原先的正确判断、越滑越远。

智慧与谬误，可能永远就像这样，在历史中难解难分地交织在一起。

三、谁人看中毛泽东

有人翻遍历史，得出结论，在中国欲成大事者，实践上必须具备三个条件：

其一，爱才如命；

其二，挥金如土；

其三，杀人如麻。

近代中国恐怕没有哪一个比蒋介石更加具备这些要求了。就江山改姓、王朝更迭来说，普天之下，也只有姓蒋。

蒋介石早年赴日本留学，在给表兄的照片背后提诗一首：

腾腾杀气满全球，力不如人肯且休！光我神州完我责，东来志岂在封侯！

从1926年"三二〇"中山舰事件到1927年"四一二"反革命事变；从1941年1月皖南事变到1946年6月26日大举进攻中原解放区，蒋介石每每突然间向中国共产党人举起屠刀。仅1927年4月到1928年上半年，死难的共产党员、共青团员、工农群众和其他革命人士，就达337000人；至1932年以前，达100万人以上。罗亦农、赵世炎、陈延年、李启汉、萧楚女、邓培、向警予、熊雄、彭湃、张太雷、瞿秋白、恽代英、方志敏等大批中共的优秀领导者皆被杀害。

周恩来曾经万分痛心地说过："敌人可以在几分钟内毁灭了我们革命的领袖，我们却不能在几分钟内锻炼出我们的领袖。"

大批领导人的被害，曾使中国共产党处境艰难。

国民党爱国将领陈铭枢在《"九·一八"第四周年纪念感言》中写道："呜呼！不知多少万热血青年，就在这'清党'明文的'停止活动'四字之下，断送了最宝贵的生命！国民党为'救党'而屠杀了中国数百万有志有识的青年。这个损失是中国空前的损失，即秦始皇之焚书坑儒亦必不至于此。"

蒋介石用屠刀在中国造成的白色恐怖，可谓是全世界顶尖的白色恐怖。

相较之下,俄国布尔什维克革命党人是有幸的。

列宁被捕流放过两次。

托洛茨基被捕流放过两次。

布哈林被捕流放过三次。

加米涅夫被判处终身流放。

加里宁多次被捕流放。捷尔任斯基多次被捕流放。奥尔忠尼启则多次被捕流放。古比雪夫多次被捕流放。斯维尔德洛夫先后被关押和监禁达 12 年之久。

斯大林被捕流放竟然达到 7 次之多。

若沙皇尼古拉二世也成为蒋介石,布尔什维克党中央能存几人? 谁又将去领导改变了整个 20 世纪的十月革命?

在中国,共产党人只要一次被捕,便很难生还。中共中央总书记向忠发被捕后本已叛变,蒋介石也只让他活了三天。蒋记政治词汇中充满了“枪决”、“斩决”、“立决”、“立斩决”、“见电立决”;根本没有“流放”这个字眼。

只有极少数人能够幸免——例如陈赓,黄埔军东征时救过蒋的性命,杀掉他名声不好,捕获以后也只有勉强放走。那是 1925 年 10 月第二次东征期间,第三师在华阳附近被围,情况危急。蒋命第四团连长陈赓去传令:不许撤退。几个月前蒋介石与廖仲恺曾共同签署连坐法令,规定“如一班同退,只杀班长。一排同退,只杀排长。一连同退,只杀连长。一营同退,只杀营长。一团同退,只杀团长。一师同退,只杀师长”。但第三师在敌人的压迫下已处在全线动摇之中,连想杀的人都找不着。兵败如山倒之时,蒋还站在那里大声叫喊,陈赓见状上去背起蒋就跑,一直跑至河边上船摆渡过去,方才脱险。蒋后来感慨道:“幸仗总理在天之灵,出奇制胜,转危为安。”话虽这么说,却也知道是陈赓实实在在救了他一命。1933 年 3 月陈赓在上海被捕，蒋闻讯，立即命令将陈赓带到南昌，他要亲自劝降。据说那天陈赓闻蒋进屋，随手举报纸遮脸，不见。蒋见陈赓正在看报，便绕到左侧，陈赓复举报纸转到左侧；蒋转到右侧，陈赓又举报纸随着转到右侧。蒋无奈，只有苦笑离去。一个月后，蒋让人“陪伴”陈赓外出自由活动，同意随他走脱。

这算唯一的特例。

其余便没有那么客气了。连与蒋长期共事、先后任黄埔军校教育长、国民革命军总司令部政治部主任的邓演达，本不是共产党人，只是什么“第三党”，且还有陈诚在一边说情也不能幸免，坚决杀掉。

如此腾腾杀气，为何共产党人终剿不灭？是什么力量使中国的红色政权能够存在，中国共产党人能够一次又一次揩干净身上的血迹、掩埋好同伴的尸体，又继续战斗？

人人想破解这道近代中国之谜。

国民党中央政治会议主席汪精卫认为，原因在于中国农业破产。

1934年1月20日，国民党四届四中全会在南京举行，汪精卫在开幕词中说：

“至于共匪之发生，则为中国历史上农民失业之结果，加以最近数十年来，经济落后，农村崩溃，失业人数遂以激增，而野心家因以施其操纵，谋为李自成、张献忠之所为。即以江西一省而论，人口减少至六百万，此等灾祸，真较洪水猛兽为重。本党除了努力治标清除共匪之外，还须努力治本，以解决农民失业问题。”

汪精卫风度翩翩，是国民党内口若悬河的雄辩家、“总理遗嘱”起草人、孙中山临终最后呼唤的人物，也是中国现代史上一位颇富戏剧性的人物。

1909年11月，他与黄复生、喻培伦从香港潜入北京，行刺摄政王载沣。此前有朝鲜志士安重根在哈尔滨车站刺杀日本重臣伊藤博文,举世震惊。汪一方面对革命党人多次起义失败痛心疾首,见清廷又宣布“预备立宪”欺骗舆论,遂决心效法安重根,刺清廷一重臣,以醒革命。另一方面则是对保皇党人冷嘲热讽的回应,他们说孙中山等:“叫人家去革命,而自己可以安安稳稳,到处受人欢迎,哪有做伟人这么便宜?”在此刺激之下,汪精卫决心以鲜血证实革命党人的决心意志。

决心与行动还不是一回事。汪、黄、喻三人皆有必死之心,却不是行刺里手,也无一人有安重根那样抵近行动的勇毅。炸弹安放地点花了三个多月的时间研究,仍然举棋不定。

摄政王府在地安门外后海鸦儿胡同附近。炸药埋设点先选在鼓楼大街,后改烟袋斜街,最后皆作罢,定在银锭桥。选定一深夜三人到桥下掘土,吠声四起,便不敢干下去,约定次日晚上再来。第二天晚上,喻、黄两人刚埋好炸药,就被桥上行人发现。事情败露,三人全部被捕。

汪自料必死,行刺的慌乱便豁出去为临刑的慷慨。他在狱中的供词长达数千言,痛斥清廷,吟诗言志:

慷慨歌燕市,从容作楚囚。

引刀成一快,不负少年头。

这首诗引出多少忧国忧民之士的滚滚热泪。

作为最具激情、最富浪漫色彩、最有个人魅力的激进党人,汪精卫几乎把革命者的形象塑造到了完美无缺的地步。但事物的发展往往又在不经意中悄悄走向反面。

布尔什维克党人、共产国际主席季诺维也夫曾自称为“一切都预先看到的”政治家,却不能预见自己最后以“投靠法西斯”的罪名,被斯大林处死。汪精卫这位辛亥革命前的著名刺客,也不能预料到自己在抗日战争前终于被刺。

1935年11月1日，国民党中央在南京召开四届六中全会。在大会刚刚开幕、在全体中央委员摄影完毕之际，身穿西装、外罩大衣的南京晨光通讯社记者孙凤鸣突然跨出人群，掏出手枪，向站在第一排正中的汪精卫连开三枪。

孙凤鸣刺杀汪精卫的快速敏捷，决不像汪精卫刺杀载沣那样拖泥带水。

警卫拔枪反击之际，会场大乱。代表们涌向门口逃生，腿脚不便的张静江被拥倒在地。

留在汪精卫背肋骨的那颗子弹最后成为他致命的创伤。1944年11月10日，他因枪伤复发死于日本。他在中国现代史中以刺客开始，以被刺告终。以杀身成仁的著名义士开始，以摇尾乞怜的头号汉奸告终。

汪精卫本身就是一个谜。他却以为，用农业破产理论便可解开中国的红色政权为什么能够产生和存在之谜。

汪精卫的死对头蒋介石则有另一种理论。

1931年5月12日，在国民党政府国民会议第四次会议上，何应钦代蒋作"剿匪"报告。在回答"为什么赤匪能有现在的猖獗"时，列五点理由：

"第一，自然是由于历年军阀的叛变，散军溃卒，啸集成匪，枪支遗失的多，于是他们就凭地势，肆行不轨；

"第二，则是由于赤色帝国主义者之毒计，它因为想暗中并吞中国，去供给它的原料，销售它的产品；

"第三，是由于白色帝国主义者之经济侵略，以至农村濒于破产，增加了农村里的失业人数与痛苦，因此也有为生活所迫；

"第四，则是由于过去教育制度的不良，青年在学校里头，好的只注意了知的训练，而缺少了德的修养，所以多数的青年只有一时热烈的冲动，很少有沉毅持久的操守；

“第五，是由于中国社会组织的松懈。中国因为受了几千年专制的毒害，又遭了军阀的宰割，所以社会上简直失去了自动的能力，连保卫自己的愿望与勇气，都不容易实现出来。”

“由着这些缘故，赤匪的毒害，便如溃疮一样地烂起来。”“如果我们自身不努力的话，也就说不定唐代黄巢、明末流寇之祸，又将重现于今日了。”

五条理由中，第一、四、五条原因在内部，执政的国民党难脱干系，不便多讲；第三条“白色帝国主义者”即英、美、日等，已多变成国民政府的后援，也轻描淡写，只限于“经济侵略”，后果仅为农村破产，且还用了一个临界词：“濒于。”

唯独对第二条“赤色帝国主义”用语最狠。

何应钦说，赤色帝国主义“用种种方法豢养它的走狗以为奸细，同时也想利用它走狗的力量去威胁欧美，得到它外交上的胜利，所以它不惜以中国为牺牲。我们知道我国历史上的流寇也有许多，但是与现在不同的，就是现在的赤匪是有国际背景的，挟有经济的后援，有组织的指挥与训练，所以更加猖獗了”。

于是，共产党组织所以屡禁不止，红色政权所以屡扑不灭，根子就全在苏俄、中国共产党领导的革命便不过是一场“雇佣革命”了。

这是国民党人用了几十年的武器。

最常用的武器却缺乏最基本的常识。

十月革命后的苏俄和共产国际不仅给中国共产党，而且给中国各革命团体都提供了广泛的援助。颇富讽刺意味的是：其中绝大部分给了国民党。

1923年《孙文越飞联合宣言》签署后，越飞赴日，从日本热海致电马林转孙中山，宣布向国民党提供200万卢布的款项和8000支步枪、15挺机枪、4门火炮、2辆装甲车的援助，并派遣教练员帮助建立军校。

黄埔军校教授部主任王柏龄记述，军校开办前，孙中山批了300支粤造毛瑟枪给军校。但是当时的兵工厂一心巴结军阀，不以军校为重，结果开学时仅仅发下30支，勉强够卫兵用，廖仲恺反复交涉也无济于事。正在此时，苏联援助枪械的船只到岸，一下运来8000支步枪，全带刺刀，每支枪配有500发子弹，还有10支手枪，全体学员欢呼雀跃。王柏龄回忆说，当时，这是“天大的喜事，全校自长官以至于学生，无不兴高采烈”，“今后我们不愁了，革命有本钱了”。

蒋介石标榜的黄埔建军本钱却来自苏俄。正是有了苏俄资助的200万卢布作为开办经费，加上提供的大批枪械，才使国民党获得了建军的基础。

除了经费和武器，苏俄还派来大批军事顾问。除担任国民党中央政治顾问的鲍罗庭和军事顾问的加伦将军外，专门派到军校工作的有总顾问切列潘诺夫、步兵顾问白里别列夫、炮兵顾问嘉列里、工兵顾问瓦林、政治顾问卡夫乔夫等。他们指导军事、政治训练工作，编订了典、范、令和战术、兵器、筑城、地形与交通通信五大教程，成为黄埔党军后来坚强战斗力的基础。

此后，苏俄继续运来枪支弹药。1925年一次运到广州的军火就价值56.4万卢布。1926年又将各种军火分四批运到广州。

第一批有日造来复枪4000支，子弹400万发，军刀1000把；

第二批有苏造来复枪9000支，子弹300万发；

第三批有机关枪40挺，子弹带4000个，大炮12门，炮弹1000发；

第四批有来复枪5000支，子弹500万发，机关枪50挺，大炮

12门。

第二次东征大捷后，蒋介石在汕头曾说："我们军队的组织方法是从哪里来的呢？各位恐怕不知道，我们老实说，我们军队的制度实在从俄国共产党红军仿照来的。""苏俄同志不来指导我们革命的方法，恐怕国民革命军至今还不能发生。"蒋介石深知，黄埔党军的胜利，很大一部分应归于苏俄武器装备和军事顾问。

为此国民党也曾面临"卢布党"的指责。

1924年，孙中山、汪精卫在一次答《顺天时报》记者问中，面对记者提问："为什么国民党接受俄国布尔什维克每月五千金卢布资助？""为什么广州军事学校靠俄罗斯苏维埃政府的经费维持？"

孙中山、汪精卫巧妙地回答："关于国民党和黄埔军校接受经费的问题，这要有书面材料才能成立。记者君请拿出真凭实据来证明关于接受苏维埃资助的责难吧。如果他做不到这一点，那么他不仅负有道义上的责任，而且还负有法律上的责任。"

末了，孙、汪通过进一步补充，也给自己留了后路：世界上也找不到一个政党或学校会反对接受别人的资助。因此，即使证明国民党或上述学校从其他来源获得财政支持，那在道义上也不是什么不光彩的事。为什么记者君一定要对我们的动机提出异议呢？

后来指中国共产党"是有国际的背景，挟有经济的后援，有组织的指挥与训练"的蒋介石，当初在这方面也有颇为精彩的论述。

1926年12月11日第二次东征大捷后，他在汕头总指挥部宴请苏俄顾问时讲：

"现在有人说，我们中国革命党受俄国人的指挥，在他说话人的用意，以为这句话就是可以诬蔑我们革命党的一个最好的材料。我以为做这样想的人，就好的一方面说，充其量，不过是一个19世纪以前知道国家主义的民族英雄而已，他并不明白现在是一个什么时代。我们要晓得这种褊狭的思想，在数十年以前闭关时代来说，还可算是一个爱国的英雄，但是现在20世纪就不行了。因为现在中国问题，几乎就是世界问题，若不具备世界眼光，闭了门来革命，不联合世界革命党，不以世界上以平等待我之民族共同奋斗，那么，革命成功的路径，恰同南辕北辙，决无成功的希望。”

蒋介石也是颇善雄辩之人。

苏联政府除了大力援助南方的孙中山和蒋介石外，还大力援助北方的冯玉祥。

从1925年3月至1926年7月，冯玉祥的国民军得到了俄式步枪38828支，日式步枪17029支，德国子弹1200万发，7.6毫米口径步枪子弹4620万发，大炮48门，山炮12门，手榴弹1万多枚，附带子弹的机枪230挺，迫击炮18门，以及大量药品等。

1926年10月底，国民军又从苏联得到3500支步枪，1150万发子弹，3架飞机，4000把马刀和10支火焰喷射器等。

此外，还派遣了相当数量的军事顾问。冯玉祥回忆说，顾问组中“步骑炮工各项专门人才皆备”。苏联顾问帮助国民军新建了一些兵工修理厂，生产弹药，培养技师；按照苏俄的图纸，还制造出第一批装甲车。

1926年3月，冯玉祥下野后访问苏联，又签订了约1100万卢布的军火贷款协议；并派乌斯曼诺夫(桑古尔斯基)为冯玉祥的军事总顾问，帮助他指挥国民军作战。

所以当蒋、冯先后叛变革命，被解职通缉的国民党政治顾问鲍罗庭途经郑州时，曾对冯玉祥感叹曰：“苏俄用了三千余万巨款，我个人费了多少心血精神，国民革命才有今日成功。”

可见苏俄对国民党和国民革命的援助之巨大。

相形之下，苏俄及共产国际对中国共产党的援助就十分有限了。中国共产党人接受这一援助与国民党比较起来，也谨慎得多了。

1920 年 4 月共产国际代表维经斯基来华之前，不管是南陈还是北李，经济来源皆只有教书、编辑的薪水及写文章的稿费。钱稍有富裕，也仅够用于操办一两份刊物。对其他社会活动如开展学运、工运、兵运等，即使意义重大，也无力支持。

维经斯基等来华后，中国共产党进入筹建阶段，社会工作急剧增加，不但党员多数渐渐不能兼职教书、编辑、写文章以获取薪金，而且，仅创办各种定期刊物、工人夜校，出版各种革命理论书籍，所需费用也远远超出了人们的支付能力。因此，上海党组织最先接受了维经斯基提供的经费援助。当时这种最初的援助带有很大的临时性质。1921 年 1 月维经斯基一离开，立即经费无着，各种宣传工作，特别是用于对工人进行启蒙教育的工作不得不停止。派包惠僧南下广州向陈独秀汇报工作，连区区 15 余元路费都拿不出来，只有从私人手里借钱才算了事。

连路费都无着的这些最早的中国共产党人，对于接受外援仍然十分谨慎。

陈独秀就主张一面工作，一面搞革命。他对包惠僧说："革命是我们自己的事，有人帮助固然好，没有人帮助我们还是要干，靠别人拿钱来革命是要不得的。"

他不同意接受共产国际的经济支援，也不愿意向其汇报工作、受其领导。

后来陈独秀到广州任教育委员会委员长，广州有人在报上骂他崇拜卢布，是卢布主义。在这种压力下，陈更坚决主张不要别人的钱，他说，拿人家钱就要跟人家走，我们一定要独立自主地干，不能受制于人。

党人有哪一个不想独立？但若不能自主解决稳定可靠的经济来源，理论再好，独立也是一句空话。

共产国际代表马林来华不久，在与当时主持上海小组工作的李汉俊、李达会晤时，表示共产国际将给予经济援助，但必须先交出工作计划和预算。李汉俊和李达当场表示：共产国际如果支援我们，我们愿意接受，但须由我们支配。否则，我们并不期望依靠共产国际的津贴来开展工作。

马林同二李的关系因此蒙上了一层不愉快的阴影。

张国焘则采取另一态度。他是最先认为应该接受国际经济援助的中共早期领导人，并以很快的速度向马林提交了一份成立劳动组合书记部的报告，还有每月约需一千余元的工作计划和经费预算。

张国焘没有狮子大张口。他提出的经费预算十分小心，也十分谨慎。

但陈独秀一回上海立即批评了张国焘。他说，这么做等于雇佣革命，中国革命一切要我们自己负责，所有党员都应该无报酬地为党服务，这是我们要坚持的立场。

本着这种立场，陈独秀与马林谈成僵局。包惠僧回忆："马林按照第三国际当时的体制，认为第三国际是全世界共产主义运动的总部，各国共产党都是第三国际的支部，中共的工作方针、计划应在第三国际的统一领导之下进行。"

陈独秀不同意马林的意见，他认为中共"尚在幼年时期，一切工作尚未开展，似无必要戴上第三国际的帽子。中国的革命有中国的国情，特别提出中共目前不必要第三国际的经济支援，暂时保持中俄两党的兄弟关系，俟我们的工作发展起来后，必要时再请第三国际援助，也免得引起中国的无政府党及其他方面的流言飞语，对我们无事生非的攻击"。

双方对此争论激烈，几次会谈都不成功。在一旁担任马林翻译的张太雷着急了，提示陈独秀说，全世界的共产主义运动都在第三国际领导之下，中国也不能例外。不料陈怒火中烧，猛一拍桌子，大声说："各国革命有各国情况，我们中国是个生产事业落后的国家，我们要保留独立自主的权利，要有独立自主的做法，我们有多大的能力干多大的事，决不让任何人牵着鼻子走！"

说完拿起皮包就走，拉都拉不住。

要不要向共产国际汇报工作并接受其经费受其领导，这是 1921 年 7 月中国共产党成立后要解决的第一个难题，也是中共中央出现的第一次争吵。

但经费问题毕竟是极其现实的问题，很快，连火气很大的陈独秀也无法"无报酬地为党服务"了。他开始以革命为职业，便失去了固定职业和固定收入，经济上很不宽裕。起初商务印书馆听说他回到上海，聘请他担任馆外名誉编辑，月薪三百元，他马上接受；但这一固定收入持续时间很短。他大部分时间埋头于党务，已经没有时间再为商务印书馆写稿编稿了。

窘迫的陈独秀开始经常出入亚东图书馆。

亚东图书馆的职员都是安徽人，与陈有同乡之谊。它出版的《独秀文存》有他一部分版费。于是他没钱了就来亚东，但又从不开口主动要钱。好在老板汪孟邹心中有数，每当他坐的时间长了，便要问一句："拿一点儿钱吧？"陈独秀便点点头，拿一点儿钱，再坐一会儿，就走了。

即便如此，陈独秀也不肯松口同意接受共产国际的援助。

与共产国际的关系出现转机是因为他的被捕。

1921 年 10 月 4 日下午，陈独秀正在家中与杨明斋、包惠僧、柯庆施等 5 人聚会，被法租界当局逮捕。到捕房后他化名王坦甫，想蒙混过去。但不久邵力子和褚辅成也被捕，褚辅成一见面就拉着陈的手大声说："仲甫，怎么回事，一到你家就把我拉到这来了！"

陈独秀的身份当即暴露。

对陈独秀被捕的消息各大报纷纷登载，闹得满城风雨。李达通报各地的组织派人到上海来，设法营救，并电请孙中山先生帮忙；孙中山立即打电报给上海法租界的领事，要求通融。

起关键作用的还是共产国际代表马林。他用重金聘请法国律师巴和承办此案。

10月26日，法庭宣判陈独秀释放，罚100元了事。

陈独秀原来估计，这回自己要坐上七八年牢了。出狱后才知道，马林为了营救他们几人，花了很多钱，费了很多力，打通了会审公堂的各个关节，方才顺利结案。

按照李达的说法：马林和中国共产党共了一次患难。

这次遭遇留给陈独秀的印象极深。他通过切身经历才真正感悟到：不光是开展活动、发展组织需要钱，就是从监狱里和敌人枪口下营救自己同志的性命，也离不开一定数量的经费。这些现实问题的确不是凭书生的空口豪言壮语能够解决的。陈独秀本人极重感情，一番波折，无形中增进了他对马林的感情和理解。李达回忆说："他们和谐地会谈了两次，一切问题都得到适当的解决。"

建立一个党，巩固一个党，发展一个党，需要理想，需要主义，也还需要经费。富于理想的中国共产党人，争论了很长时间才承认了这个现实。

据包惠僧回忆，当时陈独秀与马林达成的大体共识是：

一、全世界的共运总部设在莫斯科，各共产党都是共产国际的一个支部。

二、赤色职工国际与中国劳动组合书记部是有经济联系的组织。中国劳动组合书记部的工作计划和预算，每年都要赤色职工国际批准施行。

三、中共中央不受第三国际的经济援助。如确有必要时开支，由劳动组合书记部调拨。

虽然只承认“赤色职工国际与中国劳动组合书记部是有经济联系的组织”，用中共中央的下设组织中国劳动组合书记部绕了个弯，缓和了陈独秀一直坚持“中共中央不受第三国际的经济援助”的观点，但从此，中国共产党还是接受了共产国际的领导和经济的支援。

中共二大正式通过了《加入第三国际决议案》。

那么，共产国际给中国共产党人提供了多少援助呢？

与国民党接受的援助比较起来，相去甚远。

据陈独秀1922年6月30日致共产国际的报告，从1921年10月起至1922年6月止，共收入国际协款16655元。因党员人数不多，全党还保持人均年支出40元至50元的比例；但随着1925年以后党员人数大幅度增长，国际所提供的费用远远跟不上这一增长速度了。全党人均支出由最初的平均40元下降到1927年的4元。苏联和共产国际的援助主要都转到了国民党方面。

尽管经费援助十分有限，但对早期中国共产党人来说，这依然异常重要。

据陈独秀统计，建党初期党的经费约94%来自共产国际，党又将其中的60%用于工人运动。显然，中国共产党成立后能够很快在工人运动中发挥重要领导作用，同共产国际提供经费的帮助分不开，也同中共将其绝大多数用于工人运动分不开。

党的组织不断发展，以革命为职业者渐多，各种开销日渐加大。对20世纪20年代脱产的共产党员，组织上每月给30元至40元生活费。尽管“二大”明确规定了征收党费的条款，但大多数党员的实际生活水平本来就很低，党费收入便极其有限。陈独秀在“三大”上的报告称，1922 年“二大”之后，“党的经费，几乎完全是从共产国际领来的”。

到 1927 年 1 月至 7 月，党员交纳的党费仍不足 3000 元，而同期党务支出已达 18 万元；若再将这一年共产国际、赤色职工国际、少共国际、农民国际、济难国际等提供的党费、工运费、团费、农运费、兵运费、济难费、反帝费、特别费等总算起来，有近一百万元之多。

比较起来，党的经费自筹数额实际不足千分之三。所以，尽管这一数量远远少于国民党接受的数量，但必须承认，共产国际对中国共产党人提供了重要支援。

共产国际的援助给早期毫无经济来源的中国共产党人提供了巨大帮助。但又正是通过有限的援助形成的对共产国际的依赖关系，给中国共产党人造成了相当的损害。

中共党史上，有三位领袖人物皆着力于让中共独立于共产国际。

首先是陈独秀。

陈独秀个性极强，说一不二，向来不愿俯首听命。他说，拿人家钱就要跟人家走，我们一定要独立自主地干，不能受制于人。其所言极是。问题是，连从监狱里解救你的钱都要别人支付，还怎么独立于人。尤其是在接受援助、成为共产国际一个支部以后，还想保持与联共和共产国际的“兄弟关系”，只能是书生意气的一相情愿了。

1922 年春，马林提出中共党员加入国民党以实现国共合作的建议，陈独秀强烈反对。他给维经斯基写信说：“共产党与国民党革命之宗旨及所据之基础不同”，国民党“政策和共产主义太不相容”，人民视国民党“仍是一争权夺利之政党，共产党倘加入该党，则在社会上信仰全失(尤其是青年社会)，永无发展之机会”。

应该说马林的建议颇富创见。在荷属殖民地的解放斗争中积累了丰富统一战线经验的马林，看到当时中共仅是几十个知识分子组成的小党，与五四以后蓬勃发展的革命形势不相适应，加上孙中山也不同意党外联合，因此提出共产党员加入国民党的建议，用国民党在全国的组织机构和政治影响，使共产党迅速走向工农大众、迅速发展成长壮大起来，可以说是革命党人战略与策略的高度融合。

也应该说，马林的建议颇含风险。虽然皆以个人身份加入，但弱小的共产党进入到庞大的国民党里去，怎样保持独立性而不被吞并？怎样维护蓬勃的锐气而不被官僚化、贵族化？怎样坚持自己的主义而不变成别人的尾巴？再好的革命策略弄得不好，也会因丧失原则而变成坏的机会主义战略。

马林的建议中还隐含着一些错误估计。他认为中国革命只有两个前途，或者共产党人加入国民党，或者共产主义运动在中国终止。把是否加入国民党看做决定中国共产主义运动生死存亡的问题，在给共产国际执委会关于中国形势的报告中认为“中国政治生活完全为外国势力所控制，目前时期没有一个发展了的阶级能够负担政治领导”，同样是一种不正确的判断。

创见、风险、谬误就这样奇妙地组合在了一起。

马林在强调国共合作的好处，陈独秀在强调这种党内合作的坏处，一时间，与早先的经费之争一样，双方再次出现僵局。

但在承认“各共产党都是共产国际的一个支部”之后，僵局不可能持久。

马林的建议遭到陈独秀拒绝后，便动用了组织的力量。共产国际从 1922 年 7 月至 1923 年 5 月作出一系列命令、决议和指示，批准马林的建议，要求中国共产党执行，并令中共中央与马林“密切配合进行党的一切工作”。

就这样，在 1922 年 8 月马林亲自参加的中共中央杭州会议上，尽管多数中央委员思想不同，但组织上还是服从了、接受了共产国际的决定。

实践是检验真理的唯一标准。今天回过头去看20世纪20年代中国的大革命实践，共产国际关于国共合作的决策基本是正确的。说它正确，因为正是这一决策种下了北伐革命成功的种子。而在正确前要加“基本”二字，因为它仅仅简单提了一下“不能以取消中国共产党独特的政治面貌为代价”、“毫无疑问，领导权应当归于工人阶级的政党”却没有任何具体的安排和可行的措施，实际上是不相信中国共产党人的力量与能力，由此也埋下了大革命失败的种子。

目标与风险成正比。这是任何决策都无法规避的两难。

夹在两难之间的，是陈独秀。

1920年5月，李大钊认为自己和陈独秀都对于马克思主义的研究不深刻，对于俄国情况知道的也少，因此主张“此时首先应该谈致力于马克思主义的研究”。陈独秀的想法则不同。他说“我们不必做中国的马克思和恩格斯”，“我们只要做边学边干的马克思主义的学生”。

陈独秀以为他的建议要容易实行一些。后来自己真的“边学边干”了，才真正体会到“做边学边干的马克思主义的学生”不知要难上多少倍。

长期以来，人们说陈独秀的领导是一言堂、家长制，包惠僧一语中的：“以后（接受经费以后）就不行了，主要是听第三国际的，他想当家长也不行了。”曾经叱咤风云，领导新文化运动、被毛泽东称为“五四运动时期总司令”的陈独秀，在大革命时期固然有他的错误，但面对共产国际作出的一个又一个决议，有时明知不可为，也只有放弃个人主张而为之，大革命失败后他还必须承担全部责任，这就不仅仅是他个人的悲剧了。《真理报》发表社论，指责陈独秀“这个死不改悔的机会主义者，实际上是汪精卫在共产党内的代理人”。这种似曾相识的扣帽子习惯和无限上纲的语言风格，竟然 20 世纪 20 年代共产国际和联共(布)就在使用，真使人感到文化大革命的起源不在中国。

下台后个人反省期间，陈独秀经常念叨的一句话就是：“中国革命应由中国人自己来领导。”

陈独秀之后，第二个想独立自主大干一番的是李立三。

1930 年蒋冯阎大战，李立三认为国民党的统治正在崩溃，中国革命必将发展为全世界最后的阶级决战，于是要求“苏联必须积极准备战争”，“蒙古在中国暴动胜利时，应在政治上立即发表宣言，与中国苏维埃政权联合，承认蒙古是中国苏维埃联邦之一，紧接着大批出兵中国北方”，“西伯利亚十万中国工人迅速武装起来，加紧政治教育，准备与日本帝国主义的作战，从蒙古出来，援助中国，向敌人进攻”。在这一暴动蓝图中，中国革命是世界革命的中心，共产国际只是执行这一计划的配角。

李立三犯了大忌。

共产国际和联共指导中国革命，出发点和归宿点从来是以“世界革命的中心”——苏联的利益为核心，在中国寻找到能够与苏联结盟的力量以分散帝国主义压力，保护世界上第一个社会主义国家苏联的安全。1920 年 4 月维经斯基来华帮助建立中国共产党，共产国际和联共中央政治局给他指示的第一条，即“我们在远东的总政策是立足于日美中三国利益发生冲突，要采取一切手段来加剧这种冲突”；其次才是支援中国革命。即使是给中国国民党和中国共产党提供巨大帮助，推动了北伐革命的有力发展，同样也是出自苏联国家利益的需求。现在突然间跳出个李立三，一口一个“暴动”，指手画脚地要求“苏联必须积极准备战争”，“从蒙古出来，援助中国，向敌人进攻”，要求苏联置自身安全于不顾，全力配合中国革命，真是令共产国际和联共惊讶得目瞪口呆了。

抛开李立三的设想完全脱离实际、给中国革命也带来了严重损失不说，单是既从国际支取经费、又不愿接受其批评和指示、特别是要求苏联放弃五年计划准备战争、要求蒙古加入中华苏维埃联邦等，也的确是太狂妄了。

国际以最快的速度和最根本的手段进行了干预：停发中共中央的活动经费。

这是中共自建党以来所受到的最严厉制裁。

被停发了经费的李立三，便只剩下台一途。

正反两方面的经验都证明：一个政党、一个社团独立与否，并不在其领导人的主观意念如何，而在是否具备客观条件。中国共产党人要想改变这种对共产国际的依存关系，不仅有赖于政治上、军事上斗争经验的日益成熟，更有赖于经济上找到立足之地。后一条更为关键。正是在这个意义上，我们说最终给中国革命开辟独立发展道路的，是毛泽东。

一纸《孙文越飞宣言》，孙中山表明他不相信中国能够产生红色政权。

找到五条结论，蒋介石说红色政权的根源在于“赤色帝国主义者之毒计”。

总想“挤柠檬”的斯大林，又怀疑脱离了国民党的共产党人能否独立存在。

托洛茨基则认为，大革命失败后去农村搞苏维埃运动既不可能，也为时过晚。

但中国的红色政权产生了，独立存在了，迅猛发展了，谁来解释这一切呢?

十月革命一声炮响,给我们送来了马列主义。送来了组织指导。甚至送来了部分经费。但没有送来武装割据,没有送来农村包围城市,没有送来枪杆子里面出政权。

布尔什维克党人最后占领冬宫之前,没有建立自己的政权。列宁在十月革命前夜,还不得不躲藏在俄国与芬兰交界的拉兹里夫湖边一个草棚里。离武装起义只剩下不到20天了,才从芬兰秘密回到彼得格勒。

后来雨后春笋般出现的东欧社会主义政权,基本都是扫荡法西斯德军的苏联红军帮助建立的。当苏联的支持——特别是以武装干涉为代表的军事支持突然消失,厚厚的柏林墙便像一个廉价的雪糕那样融化掉了。

越南,朝鲜,基本上大同小异。

古巴的卡斯特罗游击队也是在先夺取政权之后,才建立政权的。

格瓦拉在南美丛林中和玻利维亚政府军捉迷藏时,也没有首先建立政权。

不是列宁不想。不是胡志明不想。不是卡斯特罗不想。不是格瓦拉不想。是没有那种可能。

为什么偏偏在中国就有这种可能?

1931年11月,中华人民共和国建立以前18年,毛泽东就在中华工农兵苏维埃第一次全国代表大会上宣布“中华苏维埃共和国”诞生。而在“中华苏维埃共和国”诞生之前,星罗棋布的红色政权已经在白色政权周围顽强存在,并有效地履行一个政权的全部职能了。

为什么在中国能够如此?

全世界没有哪一本百科全书能够诠释这个问题。

1975年蒋介石刚刚去世,美国作家布赖恩·克罗泽就出版了一本书《The man who lost China》。书名就不大客气，翻译为“丢失了中国的人”。书中说：

“对蒋介石的一生进行总结，蒋介石有自己的勇气、精力和领袖品质，他不仅是一个有很大缺陷的人物，而且从希腊悲剧的意义上讲，他也是一个悲剧性的人物。他的悲剧是他个人造成的”，“蒋介石缺少那些将军和政治家流芳百世的先决条件——运气。他的运气糟糕透顶”。

蒋介石数十年惨淡经营，竭力奋斗，被仅仅归结为“运气”二字，克罗泽过于轻率。

蒋介石想消灭共产党人的愿望终生不改。十年内战时期有“两个星期”理论，解放战争时期发展为“三个月”理论——“三个月消灭关里关外共军”，兵败台湾后又有“一年准备、两年反攻、三年扫荡、五年完成”，一辈子生活在扑灭燎原烈火的梦境之中。

中国的红色政权为什么能够在艰难困苦中顽强存在？

中国的红色政权为什么能够在白色恐怖中迅猛发展？

中国的红色政权为什么能够在内外干扰中取得辉煌的成功？

蒋介石找过五条原因，但终生也没有弄明白。克罗泽把所有原因归结为一个最终的“运气”，也没有替蒋弄明白。

回答者只有毛泽东。

毛泽东早在 1928 年就作出了解答。

该年 10 月 5 日，毛泽东写了《中国的红色政权为什么能够存在？》，第二部分专门谈“中国红色政权发生和存在的原因”。

毛泽东也列出了五条原因。第一条就是“白色政权之间的战争”，即军阀混战。

毛泽东说：“一国之内，在四周白色政权的包围中，有一小块或若干小块红色政权的区域长期地存在，这是世界各国从来没有的事。这种奇事的发生，有其独特的原因。而其存在和发展，亦必有相当的条件。”什么条件呢？第一条就是“它的发生不能在任何帝国主义的国家，也不能在任何帝国主义直接统治的殖民地，必然是在帝国主义间接统治的经济落后的半殖民地的中国。因为这种奇怪现象必定伴着另外一件奇怪现象，那就是白色政权之间的战争”。

蒋介石在五条原因中，认为“赤色帝国主义者之毒计”是根本的一条。

毛泽东的五条原因中，“白色政权之间的战争”即军阀混战是根本的一条。

毛泽东的认识之所以深刻，就在于他牢牢地根植于脚下的土地。

蒋介石在中国实施最严厉的白色恐怖。

毛泽东却在这最严厉的白色恐怖下，在各个实行白色恐怖的政权连年混战中，为中国共产党人找到了最广阔的发展天地。

这块天地不但摆脱了敌人，也独立于友人。

红色根据地和农村革命政权的广泛建立，在政治上开辟了中国共产党人自己独特的理论领域，军事上建立了中国共产党人自己的武装力量——工农红军，经济上也摆脱了对共产国际的依赖。“打土豪、分田地”既是红色政权政治动员的基础，也是中国共产党人经济独立的基础。

在中国共产党人最为困难的土地革命时期，“砍头不要紧，只要主义真”人人皆知，人人敬佩；但苏区根据地派人一趟一趟给上海的党中央送黄金，不也应该人人皆知人人敬佩吗？

所以中国革命有了这一独特现象：红色首脑最先在先进发达的上海租界建立。红色政权却最终在贫困落后的山区边区扎根。

不集中在最现代化的大城市，中国共产党就不可能获得先进的思想体系，不会获得后来众多的领导精英；不分散到最贫困落后的边区山区，红色武装便没有充足的给养和坚韧顽强的战士，中国共产党也就失去了立足的根基。

如果共产党人没有自己的军队，没有自己的政权，不创造出巩固的根据地，不开辟出自己独立的经费来源，与共产国际和苏联的依存关系便无法根本改变。

不走毛泽东开辟的武装斗争、农村包围城市之路，中国革命不但不能独立于敌人，也不能独立于友人。

1949 年中华人民共和国成立，毛泽东访问苏联，与斯大林会见。周围人没有想到毛泽东第一句话竟然是："我是长期受打击排挤的人，有话无处说。"独立自主带来的艰难曲折溢于言表。斯大林的回答是："胜利者是不受指责的，这是一般公理。"这位以"钢铁"命名并且深刻改变了 20 世纪世界政治进程的历史巨人在胜利的中国革命面前，十分坦然地承认了实践是检验真理的唯一标准。

正因如此，更可见毛泽东道路的可贵。

东方之梦

一、一言难尽的一衣带水

若说中国与哪一个国家的关系最难说清，恐怕当属日本。

历史上没有哪一个国家像中国这样，给日本人以如此巨大的影响。

从汉字到围棋，从《论语》到《法华经》，日本人几乎一成不变地从中国学去了这些文化精髓。

历史上也没有哪一个国家像日本这样，给中国人如此巨大的伤害。

自甲午战争始，哪一次针对中国的战争，都少不了日本；哪一个帝国主义杀人，都不像日本人那样在南京屠城。

中日两国，说不清的关系，说不清的恩怨，皆用这四个字带过：一衣带水。

因为一衣带水，联系方便，影响也方便；

因为一衣带水，掠夺方便，侵略也方便。

日本原本也是被侵略者。而且对被侵略、被掠夺一直比中国有着更多的担心。1837年幕府统治者德川齐昭发出预言：日本将是西方攻击的第一个目标。中国太大，朝鲜和琉球又太小，对大不列颠的炮舰来说，日本恰好不大不小。

他比中国的道光皇帝先预感到危机。

三年以后危机来了，却首先来到躺在床上抽鸦片的中国。

即使如此，鸦片战争的冲击对日本也极大。许多人以鸦片战争为题著书立说，论述西方对东方的野心，慨叹清政府的失败，警告德川幕府如果不速筹对策，必重蹈中国覆辙。

诗人山田芳谷特赋诗一首：

勿峙内洋多礁砂，支那倾覆是前车。

浙江一带唯流水，巨舰泝来欧罗巴。

日本还在不断地向中国学习。这回学到的是危机。

日本的危机也紧随中国之后，很快到来了。

1853年7月8日，美国的东印度舰队司令官佩里率萨斯克哈那号、密西西比号、普利茅斯号和萨拉托加号4艘军舰打开日本国门。

1854年，美国强迫日本签订第一个不平等条约《神奈川条约》，规定日本开放下田、函馆为对美通商口岸。

1855年，俄国强迫日本签订《下田条约》，划定两国在千岛群岛的疆界，并强迫日本开放下田、函馆、长崎三港为对俄通商口岸。

1856年，荷兰强迫日本签署《和亲条约》，片面规定荷兰的权益和领事裁判权。

1857年和1858年，美国又与日本签订两个所谓的《通商友好条约》，不仅夺得了租界和领事裁判权，而且剥夺了日本的关税自主权。

1860年以后，英国、美国也分别强迫日本签订了不平等条约。

1863年至1864年，美、英、法、荷四国组成联合舰队，炮击日本下关，勒索战争赔款，控制日本关税，取得在日本的驻兵权。

日本面临与中国同样的命运。

明治维新以前的日本社会,也是一个超凝固、超停滞的社会。1864年,东京大学前身"开成所"的教授杉亨二读到世界史法国大革命的章节,不禁惊呼:"人类社会之变动竟有如此之剧烈耶?余为之落胆也!"

可见社会的停滞已经给人们的思想意识带来了何等深刻的影响。

真正使日本人睁开眼睛看世界的,一个是西方的坚船利炮,另一个是中国的魏源。

林则徐交代魏源写的《海国图志》《圣武记》《瀛环志略》,在中国没有引起太大反响,鸦片战争后传到日本,却引起了强烈震动。这是日本统治者和知识界首先接触到的洋学知识。魏源在日本的知名度远远超过中国。

合上魏源的书本睁开眼睛看世界时,对岸正火焰熊熊——大清王朝的圆明园被英法联军付之一炬。危机四伏的日本也必须作出选择——怎样避免重蹈中国的覆辙?

于是有了1868年的明治维新。

明治维新之前的6年——1862年,中国已经开始悄悄发生一场洋务运动。

明治维新既受中国危机及魏源思想的启示,也为日本本身的危机所推动,还多多少少带有一点儿效仿中国洋务运动的意思。

中国的洋务运动有曾国藩、左宗棠、李鸿章三个著名人物作为代表。

日本的明治维新也有所谓"三杰":西乡隆盛、木户孝允、大久保利通。

中国的洋务运动核心是“师夷长技以自强”，谋求最终摆脱西方列强“坚船利炮”的威胁。

日本的明治维新提出“尊王攘夷”，也是为了挽救民族危机，驱逐外国侵略势力。

但中国的洋务运动最终败给了日本的明治维新。美国学者玛丽·K. 赖特夫人评价当时中国与日本的改革时说，洋务运动“既不是政变，不是革命，也不是一个新的时代，只不过是依仗全体士大夫的能力与努力，使历史上难以避免的没落过程留下的一个小阳春”，是企图重新建立“中国保守主义的立足点”。

1868 年开始的日本明治维新却并非如此。当时明治天皇以“广兴会议，万机决于公论”和“破除旧习，求知识于全世界”为主导，自上而下开展了一场效仿西方的激进改革：以“殖产兴业”大力促进资本主义在日本的发展；以“文明开化”在日本社会全面推广现代科技和文化教育；以“富国强兵”建立新式军队的军制和警察制度。明治维新涉及日本政治、经济、军事、法律、教育、交通、文化等诸多方面的制度设计与重建。

就是这场激进的改革，使日本最终走上了战争扩张的道路。

中日从此分道扬镳。

在中日分道扬镳进程中，特别值得注意的日本人并不是明治天皇，也不是西乡隆盛、木户孝允、大久保利通这些所谓的“维新三杰”，甚至不是伊藤博文这样的日本近代政治制度设计者，而是一个被誉为“日本的伏尔泰”、“日本国民的教师”的人，其头像至今印在 1 万日元纸币上以接受日本人最高致意的思想家，他叫福泽谕吉。

福泽谕吉 1872 年写《劝学篇》，提出“天生的人一律平等”，在等级森严的日本社会无异于平地惊雷，奠定了其启蒙思想家的地位；

1875年福泽发表《文明论概略》，提出只要以文明发展为目标，不论是什么样的政体，都应当受民众欢迎；不论用什么样的方法，都应当为社会所接受。从这里开始，福泽的思想发生转向了，这种思想最终演变为日本的“战争合理论”。

福泽的名篇是1885年发表《脱亚论》。这篇文章指导了迄今为止一个多世纪的日本政治实践，今天在日本仍然受到极大推崇。该文的核心观点是：“为今日计，我国不能再盲目等待邻国达成文明开化，共同振兴亚细亚，莫如与其脱离关系而与西洋文明共进退。”福泽在文章中特别提出：“支那和朝鲜是日本的邻邦，同他们打交道用不着特别客气，完全可以模仿西洋人的方式处理。”

今天没有一个日本人认为福泽的思想与日本后来奉行的法西斯主义有什么联系。但其《文明论概略》中包含的“侵略战争正义”观点、《脱亚论》包含的弱肉强食观点，皆成为后来日本军国主义思想的源头。

日本统治者很快就从福泽的理论中尝到了甜头。

首先就是肢解琉球。

1875年，即福泽发表《文明论概略》那一年，日本派兵入侵琉球，命令琉球不再使用清王朝年号而使用日本明治年号，不再向清政府入贡。当时日本只有陆军常备军3万余人，海军4000人，军舰15艘，且多破损不能出海，本无力与清王朝全面抗衡。但当时清政府依靠以情理交涉的那套老路被日本摸清了懦弱本性。

1878年4月，日本政府废琉球为郡县。

1879年，日本派出军队和警察进驻琉球，将王室强行迁移到东京。为了让当地人彻底忘记“中山国”这个称号，日本政府将地名改为Okinawa（冲绳）。琉球国就这样变成了日本的冲绳县。

日本肢解完琉球后，便直接向中国开刀。

1894年的甲午战争使日本收获巨大：中国被迫割让台湾和辽东半岛，赔款2亿两白银。后虽经俄、德、法所谓“三国干涉还辽”免除了辽东半岛的割让，但中国又加赔日本3000万两白银。日本学者信夫清三郎在其《日本政治史》（第四卷）中说：“日清战争的赔款成为确立金本位制的资金，提高了日本资本主义在国际经济中的地位。日清战争与日俄战争推动日本由一个潜在着殖民地化危机的国家，转变为领有殖民地的帝国主义国家。”

这就是明治维新后的日本。甲午战争后中国士大夫阶层痛定思痛，终于认识到不是器不如人，而是制不如人。

明治维新导致了日本的甲午海战获胜。甲午战败推动了中国的戊戌变法。1898年康有为将其《日本变政考》呈送光绪皇帝，特别建议中国应该“以强敌为师资”，向日本学习，实行变法，由弱而强。

戊戌变法很快就失败了，但是向日本学习从此成为趋势，一发而不可收：

第一批是保皇党人：康有为、梁启超等人；

第二批是革命党人：孙中山、黄兴、宋教仁等人；

第三批则是未来的共产党人：李大钊、陈独秀、彭湃、周恩来、王若飞等人。

明治维新后的日本成为东方先进思想学说的集散地。毛泽东说，从洪秀全到孙中山，先进的中国人开始从西方寻找真理。西方毕竟离中国太远，一衣带水的日本却很近。于是，向西方寻找真理的中国人便如周恩来所说：“大江歌罢掉头东，邃密群科济世穷”。东渡日本学习新思想。

正因如此，十月革命一声炮响之前，马克思主义已经从日本传入中国。

1960年6月21日，毛泽东和周恩来在上海接见以野间宏为团长的日本文学代表团。毛泽东说了这样一句话：

> 马克思主义的传播日本比中国早，马克思主义的著作是从日本得到手的，是从日本的书上学习马克思主义政治经济学的。

毛泽东说出了一个实情。马克思主义最初是从日本传入中国的。1906年1月，同盟会党人朱执信在东京出版的同盟会机关报《民报》上发表《德意志社会革命家小传》，摘要翻译了《共产党宣言》。马克思恩格斯的著名论断“到目前为止的一切社会历史都是阶级斗争的历史”被朱执信译为：“自草昧混沌而降，至于吾今有生，所谓史者，何非阶级争夺之陈迹乎。”

这是最早介绍到中国的马克思主义。

朱执信翻译的《共产党宣言》是从日文版转译的，取自1904年幸德秋水和界利彦合译的英文版《共产党宣言》。

这一转译意义重大，“共产党”一词在中国第一次出现。

“共产党”一词源于英文 Communist Party。英文 Commune 直译为公社，在法国、意大利、比利时等国家，最小行政区划的市区、村镇自治体也做此称呼；而 Community 则除了“村社，公社”外，还有“共有，共用，共同体”之意，如今“欧共体”用的就是这个词。无论是 Commune 或 Community，都没有和汉字的“共产”发生直接关系。Communist Party 若直译便是“公社分子党”、“公团分子党”。

但幸德秋水和界利彦把它译作了日文的“共産党”。朱执信方便地将日文中的汉字照搬了过来。于是，一个无数人为之抛头颅、洒热血的名词通过朱执信那支不经意的笔，在中国大地产生。怕它的人咒骂它“共产共妻”，爱它的人则敬它“消灭私有制”；未被完全译出来的那部分意思便无人再去细想了。

这都是后来发生的一切。翻译它的朱执信于1919年去世，无从知晓了。

日本比中国早36年知道了马克思主义。1870年，明治维新时代启蒙思想家加藤弘治就把这一学说介绍到日本。介绍的目的不是为了学习，而是为了批判。当时“共产主义的幽灵”已在欧洲徘徊。由于害怕这个幽灵也徘徊到日本，明治政府容许这一学说作为反面材料出现。

所以在日本最早介绍马克思主义的加藤弘治，就是这一学说的坚决反对者。他在《真政的大意》一书中说：“共产主义和社会主义两种经济学说……大同小异，都主张消灭私有财产”，是对社会治安“最为有害的制度”。

哲学家西周在《百学连环》中首次提到社会主义运动，也是为了向天皇献策，“主宰世界者不能不考虑此等事”，“唯防之于未然”。

马克思主义学说在声色俱厉的批判声中传到日本。

明治天皇不了解，马克思主义是空前强有力的批判武器，最不害怕的就是批判。

于是便一发而难收。

1882年被称为“东方卢梭”的中江兆民介绍了空想社会主义、拉萨尔主义和马克思主义；1893年草鹿丁卯次郎写的《马克思与拉萨尔》；1903年片山潜的《我的社会主义》；1903年幸德秋水的《社会主义精髓》；1904年幸德秋水和界利彦合译《共产党宣言》、安部矶雄翻译出版马克思《资本论》第一卷；1907年界利彦等的《社会主义纲要》等，马克思主义在日本获得广泛传播。

1905年8月，孙中山在日本东京成立同盟会，这些最新的理论便被同盟会会员们一批一批翻译介绍到中国。

戴季陶主要介绍马克思主义的经济学说。他将考茨基的《马克思的经济学说》日文版一书的前四章译成中文,译名为《马克思资本论解说》。全书由戴季陶和胡汉民、朱执信、李汉俊四人合译。这是中国人最早了解到的马克思的《资本论》。戴季陶在自述中说:“我对于马克思的经济学说,很想用一番研究的工夫。”还说:“要想免去阶级斗争,只有废除阶级的压迫,只有废除阶级。阶级存在一天,阶级压迫继续一天,阶级斗争就要支持一天。”

胡汉民则将日文版《神圣家族》《哲学的贫困》《共产党宣言》《雇佣劳动与资本》《路易·波拿巴的雾月十八日》《政治经济学批判(序言)》《资本论》等著作中唯物史观部分译成中文介绍给国内读者。胡汉民说:“以上所译述,最主要的为经济学批判序,是马克思唯物史观的纲领。马克思自称他多年研究的结论,后来的学问,都以这个为导线。信从科学社会主义的人,有拿它当做宗教上的经典一样贵重的。”这位后来的国民党右派断言,在人类思想史上,只是到了马克思才“努力说明人类历史的进动的原因”,而唯物史观的创立,使“社会学、经济学、历史学、社会主义,同时有绝大的改革,差不多划一个新纪元”。

早期国民党人从马克思主义中吸取了丰富的营养。他们把这些新思想介绍到中国,在长期沉寂黑暗的中国思想界,确实擦着了几分光亮。

所以瞿秋白 1927 年 2 月说:“戴季陶先生、胡汉民先生及朱执信先生,都是中国第一批的马克思主义者。”

这些国民党元老当初介绍马克思主义如此不遗余力,是后来那些视马克思主义如洪水猛兽的国民党新贵们能想象到的吗?

通过他们的介绍,大量马克思主义的政治、哲学术语由日本传到中国。“社会主义”、“社会党”、“共产主义”、“共产党”、“无政府主义”、“辩证法”、“形而上学”、“唯物主义”、“唯心主义”等词汇，都是从日本传过来的。大革命时期响彻中国的“劳工神圣”和“团结就是力量”等口号，也是日本革命者片山潜、高野房太郎等人在 1897 年从美国带回来的。

西方有学者说，文化的联系意味着一个国家的反应会迅速传递给另一个国家。鸦片战争前的中国曾是日本文明的发源处；明治维新后的日本却成为中国获取新思想的来源地。中国共产党的早期领导人李大钊、陈独秀、李汉俊、李达、陈望道、施存统、沈玄庐、邵力子、周佛海等都是留日学生，后来彭湃、王若飞、周恩来、杨匏安、杨暗公、董必武等也先后留日。

对中国共产党人影响最大的，却不是大久保利通和伊藤博文这样的日本政客，而是经济学家、京都帝国大学教授河上肇这样的日本学者。

中国共产党人中最早宣传马列主义的李大钊，1913 年至 1916 年在早稻田大学留学时就爱读河上肇的著作，通过河上肇的著作接触到了马克思主义。

周恩来在日本留学期间，看到的第一本系统介绍马克思主义原理的理论著作，就是河上肇的《贫乏物语》。当时为了师从河上先生，周恩来特地提出入学申请，想选修京都帝国大学的经济系课程，未成。又去京都南开同学吴瀚涛处住了一段，想见河上肇教授本人，仍未成。后来周恩来归国，箱子里的重要物件就是河上肇的书。

郭沫若则在翻译河上肇的《社会组织与社会革命》一书时，给朋友成仿吾写信道：“这本书的翻译，给我的一生来了一个转折。把我从半睡眠状态下唤醒的是它，把我从歧路的彷徨中拉出来的是它，把我从死亡的阴影中拯救出来的是它。”

没有去过日本的毛泽东，对河上肇也留有很深印象。至今在韶山毛泽东纪念馆里，还陈列着毛泽东早年阅读过的河上肇的《经济学大纲》、河上肇翻译的马克思的《雇佣劳动与资本》。1960 年率日本文学代表团访华的野间宏回忆，毛泽东对他说过："河上肇写的书，现在还是我们的参考书。河上肇在《政治经济学》那本书中写有怎样从旧的政治经济学发展到新的政治经济学，河上先生说新的政治经济学就是马克思主义的政治经济学，因此每年都再版发行。"

也正是这些因素，使共产国际和联共中央最初对日本革命的期望，要远远大于对中国革命的期望。1922 年 1 月 25 日，《真理报》刊载季诺维也夫在远东革命组织代表大会上的演说，称"日本是远东的钥匙"，"没有日本革命，远东的经济革命都是小杯里的小风暴"；认为在日本发生的革命，将会左右在中国乃至在整个远东发生的革命。但是向先进的中国人提供了先进思想武器的日本，却没有走上如中国一样的革命道路。

1901 年，片山潜、幸德秋水、河上清等人发起组织了日本第一个社会主义政党——"社会民主党"；宣言中提出"彻底废除阶级制度"，"只有社会主义才能解决劳动问题"。

在日本政府镇压之下，该党只存在了一天。

1908 年，日本政府捏造了个企图谋杀天皇的"大逆事件"，数百名社会主义者被捕，幸德秋水等 24 人被判处死刑。

1922 年 7 月中国共产党成立一年之后，在第三国际帮助下，日本终于成立了共产党，但发展艰难。

虽然片山潜等日本革命者与俄国革命先驱普列汉诺夫 1904 年就在荷兰第二国际代表大会上建立了联系，但日本革命除了理论探讨，一直不能进入实施阶段。因为日本已经为另外一种主义——法西斯主义聚集了足够的能量。

毛泽东1928年写了《中国的红色政权为什么能够存在?》,却没有任何日本人或共产国际的任何革命者写一篇《日本的红色政权为什么不能够存在》。进而再写一篇:《为什么法西斯主义能够在日本存在并疯狂发展》。

二、清水加饭团,酿成法西斯

看到马克思日复一日地出入大英图书馆、李大钊本人就是图书馆主任、毛泽东也曾在图书馆工作,有人便说:“革命起于图书馆。”

法西斯也起于图书馆。

1904年日俄战争正酣之际,一个21岁的日本青年天天来到东京上野的帝国图书馆,殚精竭虑地苦读。两年之后,他的重要著作《国体论及纯正社会主义》写成,自费出版。

他就是日本法西斯理论之鼻祖北一辉。

北一辉的第一部重要著作,是《国体论及纯正社会主义》。他在书中说,日本必须通过“土地和生产机构的公有及其公共经营”,来实现“共产制度”或“社会的共产制”,这项任务的实现者是“下层阶级”。

其本意是通过天皇的“协治”来完成“社会主义大革命”,但他的倾注心血之作吓坏了日本内阁。虽然自费出版,也被政府禁止发行。

此时的北一辉崇尚民权革命,还不是法西斯主义者。面对禁锢得连书都不能出的日本,他转而为中国革命奔走:支持孙中山,结交宋教仁、张继,而且一听到辛亥革命爆发的消息,便立即前往中国,甚至写了一本《中国革命外史》;并且在中国把他的名字由辉次郎改为了北一辉。

五四运动冲垮了曾立志为中国革命效力的北一辉。他把这一运动看做是排日运动,“眼前所见之排日运动前列并宣传鼓动与指挥者，皆为十年间同生共死有刎颈之交的同志”，他为此绝食。抗议不成，便决心离开中国，“告别十余年间参与的中国革命的生活，返回日本。我看到，这十余年间特别加速腐败堕落的我国，若继续这样下去而不加过问，则无论是对世界政策，还是对华政策或国内政策，都显然要濒于毁灭”。他的结论是“让日本之魂从底层翻腾起来，来担当日本自身的革命吧”。

回国之前，北一辉在上海完成了对法西斯主义的研究。

中国青年志士去日本寻找救国真理，日本法西斯组织却派人来中国寻找其领袖人物。1919 年 8 月，标榜为“国家主义”的日本右翼团体犹存社成立，派大川周明专程到中国寻找北一辉。

大川周明比北一辉小三岁，东京帝国大学的法学博士，后来与北一辉齐名，共为日本法西斯运动的两个思想领袖。大川对中国并不陌生，1918 年就在中国东北“满铁”任职。但当他 8 月 23 日到达上海，在一间破房子里第一次见到北一辉时，还是吃了一惊。他没有料到，后者过得如此清苦，仅靠吃米饭团喝清水，在撰写 8 卷本的巨著《国家改造案原理大纲》。

北一辉把已经写好的前七卷交给大川，约定写完第八卷立即回国。他要在上海完成其法西斯思想的代表作。

北一辉已经从中国五四运动的苦闷中解脱出来了，决心完全效力于日本国家主义。他把革命与扩张合为一体，认为“在国际间处于无产者地位之日本”应成为一个“打败英国，使土耳其复活，使印度独立，使中国自立，其后太阳旗将给全人类以阳光”的“革命帝国”。

在上海亭子间炮制“革命理论”的北一辉虽也主张限制私人资本，雇主和雇员之间利润均分，抑制藩阀财团，但他的“革命”依靠的不是工人，而是军人。他生拉硬扯地将日本军人说成是“有兵卒素质之工人”，主张成立与俄国十月革命工兵代表苏维埃类似的“工兵会”，让最有组织、最有战斗力的在乡军人成为改造国家的骨干力量。于是他在国家主义与军国主义之间搭上了一块方便的跳板。

后来有人说北一辉的理论好像在日本的旧米酒瓶中灌进了马克思主义的新酒，其实说反了。他是在马克思主义的酒瓶中灌进了日本的旧米酒。他说：“如马克思，虽生于德国，然而系无国家而只有社会之犹太人，故其主义虽首先并非筑基于国家而是筑基于社会之上，但若我日本作为社会组织而有所求时，则唯见国家。”所以“社会主义于日本即成国家主义”。

他的服务对象不是具体的哪一个阶级，而是抽象的国家。于是他的国家主义与西方未曾谋面的伙伴一样，很快变成不折不扣的军国主义、法西斯主义。

第一次世界大战结束后的1919年，是世界法西斯运动收获颇丰的一年。

该年5月，墨索里尼在意大利组织“战斗的法西斯”；

该年9月，希特勒在德国加入“国家社会主义工人党”；

同年9月，北一辉在上海完成《国家改造案原理大纲》。

当俄国革命刚刚成功、德国革命正在进行、中国革命行将开始之时，法西斯主义也不约而同，在西方与东方同时呱呱坠地了。

法西斯主义若要生根，必须凭借危机。

日本正因出兵西伯利亚和“米骚动”面临空前之危机。

> 贫困，日本人才伟大，他们又能忍耐；
> 物价无止境地上涨也罢，喝喝开水稀粥照样活。
> 啊！逍遥自在呀！
> 吃南京米又挨南京虫咬，住在猪圈般的房子里；

尽管选举权也没有，说是日本国民也自豪。

啊！逍遥自在呀！

膨胀，膨胀，国力膨胀，资本家的横暴膨胀；

俺老婆的肚子膨胀，贫困也更加膨胀。

啊！逍遥自在呀！

这是一首1918年在日本流行的民谣。

南京米即中国运去的米。南京虫即臭虫。这首民谣传唱很广，是此时期日本两极分化、官僚腐败的真实写照。

第一次世界大战后期，日本政府以解救各国战俘和收回协约国战争物资为借口，出兵干涉新生的苏维埃俄国。此事大大激发了日本的野心，大正天皇和内阁已经在讨论将东西伯利亚并入日本的可能性了。

结果事与愿违。刚刚出兵西伯利亚，国内就发生了“米骚动”，波及32县，70万人加入，日本政府大受震动。害怕日本也出现俄国推翻罗曼诺夫王朝式的革命，天皇和历来反对政党内阁的重臣都不得不同意政党组阁。

于是日本最早的政党内阁政友会的原敬内阁产生。

政党内阁在日本，一开始就是个减压阀和维持会。正因如此，从该内阁起，陆军大臣、海军大臣和外务大臣三个最重要的位置，执政党都不能安排。国家安全问题更在政党管辖范围之外。

政党政治从开始在日本就是个门面。

门面也维持不住。第一届内阁首相就死于非命。

第一次世界大战结束后，中国成为世界上的最后一块肥肉。连列强都担心争夺这块肥肉时，可能引发另一次世界大战。出于这种考虑，1921年8月，由美国出面，邀请英、法、日、意、比、荷、葡以及中国共9国，在华盛顿开会商讨裁军和中国问题。会议达成的《九国公约》规定：各国尊重中国的主权、保全中国领土完整；中国要对各国门户开放、机会均等。该公约虽然是利益妥协的产物，同时要求中国必须实施门户开放，让各国利益均沾，但对当时政治混乱的中国来说，客观上还是限制了列强的殖民活动，对国家保持领土完整起到一定的作用。

在这次会议上，原敬内阁代表日本宣布收回《二十一条》中的部分不平等条约，交还青岛等德国前殖民地，对中国作出一些让步。这一举动立即被日本国内认为是妥协外交，引来强硬派的强烈反对，纷纷指责原敬内阁软弱、卖国。

原敬是平民出身，想结束藩阀政治，搞西方式民主，他的国家却根本不给他这样的机会。1921年11月4日，原敬在东京车站被中冈艮一刺杀。凶手是铁路雇员，19岁，自称为抗议寻欢作乐的松弛风气和日益蔓延的西方化潮流。凶器是在车站附近五金商店买的白鞘短刀。

一把五金店的短刀，便结束了日本刚想冒头的民主政治。

自此，日本政治便有了"暗杀政治"之称。北一辉的国家主义派上了大用场：每一次暗杀都出自"爱国至诚"。热衷于"脱亚入欧"、学西方的日本人忘掉了英国文学家塞缪尔那句话：爱国心在不少场合，是被流氓当做隐身衣来使用的。

三、腾空而起的黑翅

原敬首相被刺前一周，德国莱茵河上游的黑森林贵族城堡区，一个叫巴登巴登的矿泉疗养地举行了一个秘密聚会。三个军衔皆为少佐的日本驻外武官聚集在一起，议论上司，议论国家，目的与7

天后将行动的中冈良一类似:结束国内的腐败。

这三人——永田铁山、小畑敏四郎、冈村宁次在东京陆军小学时就是好朋友。该校许多学生来自名门望族或富裕家庭,他们自视政治经济地位优越,时常结伙欺负别人。为不受欺侮,永田铁山、冈村宁次和小畑敏四郎也结成了自己的团伙。一次,冈村宁次在做木马练习时,与一个来自长州高级武士家庭、叫做龟田的打起架来,龟田有雄厚的家庭背景,平时在学校就是呼风唤雨的一霸,身边总有一帮人跟随;眼看冈村宁次就要吃亏,幸而永田铁山、小畑敏四郎得讯,飞奔而来拳脚齐上,才把冈村宁次救了下来。三人中永田铁山与冈村宁次关系最好,相互亲昵称呼对方"铁"和"宁";小畑敏四郎则与冈村宁次在同一个学员区队。三人从那时起就玩闹在一起、打架在一起,是性格、脾气都合得来的挚友。

后来这三人又一起考进陆军士官学校、陆军大学。在以训练严酷著称的日本军校中,永田铁山的毕业成绩是士官学校第四名、陆军大学第二名;小畑敏四郎的成绩为士官学校第五名,陆军大学第一名;冈村宁次则为士官学校第六名,在陆军大学因成绩优异接受过大正天皇的颁奖。

这三人皆是陆军中的骄子——后来被称为"三羽乌"——日语"三只乌鸦"之意。第二次世界大战后任何一本研究日本军事史的著作,都要提到这三个人的名字。

这三个人成为了日本昭和军阀集团的象征。

但在莱茵河上游巴登巴登矿泉疗养地聚会时,这三个同在欧洲当武官又是陆军小学、士官学校、陆军大学同学的人,还没有后来那么大的胃口。当时他们紧紧盯住的,是日本国内的腐败。

国内腐败在他们眼中首先是政治腐败。政治腐败又首先表现在陆军的人事腐败上。日本历来藩阀门第气息极重。明治维新后海军由萨摩藩把持,陆军则由长州藩把持;山县有朋、桂太郎、田中义一等陆军中坚人物,无一不是出自长州;非长州籍人士休想晋升到陆军高位。

三个泡在蒸汽浴室里的武官谈起这些事情,义愤填膺、慷慨激昂。在陆军小学与长州藩后代龟田打架之事,不知是否也在三人的议论范围以内?

巴登巴登正值旅游淡季,这个清静的地方正好进行他们规划未来的密谋。

三人的核心,是留着普鲁士式短发、嘴唇上胡子修剪得像一只海鸥、具有学者风度的永田铁山。他以优异的服务,自1920年6月起就被授予在欧洲巡回的全权。但即使是他,也不是一个能系统提出自己思想的人。贵族出身的小畑敏四郎最瘦最精明,又最易激动,驻俄国期间正值俄国革命,拼命看了不少马克思主义的书,但除了想通过所谓"部落共产主义"实现与天皇感情沟通这种模糊混乱的概念外,提不出什么像样的政治见解。不修边幅的冈村宁次摘了眼镜,就成了可怜的半盲人,戴上眼镜又像凶猛的猫头鹰,最崇尚像前线指挥官那样直接行动,也不是思想者。

三人在热腾腾的蒸汽中闷了半天,仅想出两条:

第一,从陆军——长州藩的栖身之处打开一个缺口。

第二,走法国的路线以恢复国力。

别的就记不起来还有些什么了。

作为行动纲领来说,这两条确实有点不伦不类。

第二次世界大战结束后,"三羽乌"中的幸存者冈村宁次有过这样的回忆:"有一本《昭和军阀兴亡史》的书,提到了大正十年(1921年)我和永田铁山、小畑敏四郎在德国南部城市巴登巴登点燃了革命烽火。其实,这么说太夸张了。当时我们根本没有考虑到满洲等其他国家的事，只是讨论了日本陆军的革新问题。当时，我们的想法是很认真的。所说的革新，其包括的内容是：第一，当时陆军人事有派系，长州派垄断军队人事安排的做法必须打破；第二，因为日本陆军独立实施统帅权，而使军政、军民关系疏远，这一定要扭转。当时，我们3个人下定决心要改变日本军队这些不正常的东西。因为我们到欧洲后，看到了这些国家的军事状况，认为不这样干不行。那时我们3人都是少佐，事情就是这样开始的。”

三个发誓拿长州藩开刀以开始他们革命的青年军官，照样秉承了日本军队极强的辈分意识。其实巴登巴登聚会有四个人，第四人是东条英机。尽管他后来出任日本战时首相，只因为在士官学校中比“三羽乌”低了一年级，他在巴登巴登除了替永田铁山点烟和站在蒸汽浴室门口放哨，便无别的事可做。既不能被列入“三羽乌”之内，更不能参加他们的讨论。

这两条不伦不类的纲领由谁来实施呢？

除了在巴登巴登这四人之外，“三羽乌”从不属于长州藩且才华出众的同事中又选出7人。11人的“巴登巴登集团”形成了：

巡回武官永田铁山、驻莫斯科武官小畑敏四郎、巡回武官冈村宁次；驻瑞士武官东条英机、驻柏林武官梅津美治郎、驻伯尔尼武官山下奉文、驻哥本哈根武官中村小太郎、驻巴黎武官中岛今朝吾、驻科隆武官下村定、驻北京武官松井石根及矶谷廉介。

巴登巴登聚会内容浅薄。被日本近代史所视甚高，全在会议的三个参加者和他们拟就的11人名单。11人都成为后来日本军界的重要人物。

永田铁山被刺前是日本陆军军务局长，裕仁天皇直到最后决定无条件投降的时刻，还在地下室里挂着他的遗像；

小畑敏四郎为陆军大学校长；

冈村宁次为侵华日军总司令；

东条英机为日本头号战犯，战时内阁首相；

梅津美治郎后来成为日军参谋总长；

山下奉文任驻菲律宾日军司令，率军横扫东南亚，被称为“马来之虎”；

中村小太郎任过陆相；

松井石根为侵华日军华中方面军司令官，南京大屠杀要犯；

中岛今朝吾任第十六师团长，南京大屠杀中最惨无人道的刽子手；

下村定为华北方面军司令官，后接任陆相；

矶谷廉介是后来与中国军队在台儿庄发生血战的日军第十师团师团长。

这 11 人是日本赖以发动第二次世界大战的昭和军阀集团的核心骨干。

巴登巴登聚会之 1921 年 10 月 27 日这天，被视为昭和军阀诞生的第一天。

当被称为“三羽乌”的三只乌鸦从巴登巴登腾空离去之时，他们那张开的黑色翅膀，将给东方带去巨大的灾难。

三个未入日本陆军主流的青年军官能量为何如此巨大？一伙驻外武官如何能够组成一个庞大的、令全世界毛骨悚然的军阀集团？

这既与日本历史相关，又与日本皇室相联。

日本自从 1549 年织田信长上台至 1945 年东条英机自杀，近 400 年的政治，实质就是军阀政治。完成近代日本统一的织田信长、丰臣秀吉、德川家康这三位重要人物，皆是拥兵自重的军阀。在近代日本，要成为有实权的政治家，首先必须成为军人。明治时代的长州藩山县有朋、桂太郎，萨摩藩大久保利通、西乡隆盛等人如此，昭和时代的田中义一、荒木贞夫、永田铁山、东条英机等人也如此。

进入20世纪20年代后，日本军阀政治中出现一种独特的低级军官通过暴力手段左右高层政治的所谓“下克上”现象，更与日本皇室紧紧相连。

1919年，日本大正天皇因脑血栓不能亲政，权力落到皇太子裕仁和宫廷皇族手中。1921年3月裕仁出访欧洲，不经意做的两件事对后来影响巨大：一是皇室长辈、明治天皇的女婿东久迩宫带领一大批日本驻欧武官和观察员前来晋谒，裕仁特意为这批少壮军官举行了宴会；一是在法国，裕仁第一次也是唯一一次微服出游中，亲手购买了一尊拿破仑半身像。

晋谒裕仁的驻欧武官和观察员，后来基本都上了巴登巴登11人名单；拿破仑半身像则被一直放在裕仁书房，一遍又一遍加深着裕仁对武力征服的印象。

裕仁刚刚回国，由东久迩宫负责联系的驻欧青年军官集团首领“三羽乌”便举行了巴登巴登聚会。还未上台的裕仁已获得这伙少壮军官的鼎力支持。

这是一伙不缺乏野心和献身精神、只缺乏思想的青年军官。他们没有谁能像北一辉那样，对国家未来做出框架设计。要为他们补上这一课。裕仁选中了大川周明。

裕仁不喜欢北一辉。北一辉在上海用清水饭团泡制出来的激进思想，甚至要求把皇室拥有的财产也交给国家。但裕仁的弟弟秩父宫却对北一辉兴趣极大。他在北一辉身上看到了巴登巴登11人集团正在寻找的思想。

《国家改造案原理大纲》被秩父宫找人油印出版了。此书一出，影响巨大。日本青年军官们纷纷把它作为策动法西斯活动的理论依据。

能够阅读中文、梵文、阿拉伯文、希腊文、德文、法文和英文的大川周明异常聪明。他和北一辉两人一边喝米酒一边争吵闹了一夜，然后削去了北一辉理论中皇室不能接受的部分。两人最后分道扬镳：北一辉隐匿进智慧寺，大川周明则受命担任了宫内学监。

宫内学监即所谓"大学寮学监"。这是一个秘密去处，连二战结束后的东京审判都很少涉及。

裕仁自1921年11月代替患病的大正天皇摄政后，办的第一件紧要事，便是把以巴登巴登集团为基础的"为理想献身的年轻人"，集中到皇宫东面围有城墙和壕沟的幽静的宫廷气象台，听大川周明讲课。

陈旧的气象台是裕仁小时候放学回来的经常去处。他在这里观看六分仪、星座图、测雨器和18世纪的荷兰望远镜。现在他给它起了一个新名字："大学寮"——大学生寄宿处之意。几乎全部后来昭和军阀集团的骨干成员，都在这里听过37岁的法学博士大川周明讲述大和民族主义、大亚洲主义、法西斯主义。

1922年1月开张的"大学寮"，实际成为日本皇室培养法西斯军官的教导中心。日本后来企图征服世界的那些庞大计划的草图，几乎都是在这里提出最初构想的。

裕仁小时候曾在这里流连忘返。长大了的裕仁只需坐在屋里凝视拿破仑半身像，由未来的昭和军阀集团成员在这里流连忘返了。

皇室权贵的支持，是法西斯主义在日本获得的得天独厚的条件。

北一辉虽然没有出席，但他在上海亭子间熬成的思想却通过大川周明，病毒一般流进讲台下青年校尉的头脑中。

救国与革命，是20世纪最激动人心、最具号召力的口号。在这个口号的影响下，20世纪20年代初期，一伙优秀的中国青年聚集在上海成立中国共产党；聚集在广州加入黄埔军校。另一伙不能不说“优秀”的日本青年却聚集在东京皇宫，完成了钦定的法西斯思想改造。

《战争呼声》杂志 1920 年 7 月发表过大川周明等人的“集体信条”：

> 日本人民必须成为解放人类的旋风的中心。日本民族注定要完成世界的革命化。这一理想的实现以及对日本的军事改组就是我们这一代人的精神产品。我们认为我们的任务是不仅仅以日本的革命或改革而告终的，但我们必须满意地首先进行我国的改革，因为我们对日本解放全世界的使命抱有信心。

打着“革命”与“解放”的旗号，一头法西斯怪物在世界的东方出笼了。

第一个目标便是中国。

第三章

岩　浆

一、领袖·思想·意志

中国有句老话,叫时势造英雄。

还应补充一句:“英雄仍须识时势。”

1911 年 10 月 10 日,孙中山乘火车,在从美国西海岸前往中部东部募捐途中。行前收到黄兴从香港拍发的一封电报。因为密码本已经放在行李中,无法取出译电,所以直到在丹佛下车取出行李后,才知道电报内容。

黄兴告之,武昌革命党人吕志伊向香港报告:“新军必动,请速汇款应急,并前往主持。”

疲惫的孙中山把电报轻轻撂到一旁。他一生不知领导了多少次革命党人的武装暴动和起义,但无一成功。一遍又一遍做的,是失败后设法掩埋烈士的遗体,安抚烈士遗孤,然后满腔悲愤地写下一篇又一篇祭文。眼下他正四处筹款,无任何感官使他意识到:数十年来牺牲奋斗所追求的目标已近在眼前。

既无款可汇,更无法前往主持,这是他看完电报后的第一个念头。本想立即回电黄兴,要武昌新军暂时勿动,因夜已深,旅途又十分劳累，便决定次日晨再回电。

第二天却一觉睡到11点。起床去餐厅用膳，在走廊上购报一份准备入餐室阅看。随走随手展开，立见一则令他浑身血液停止流动的醒目黑体大字专电：

革命党人占领武昌。

辛亥革命爆发。

后来有人说，孙中山看到这条消息时，手中的玻璃杯失手跌落摔碎，杯中的牛奶泼洒一地。不管是否属实，这一点却是无疑：他当时所受震动之大，绝非我们今天所能想象。

延续两千余年的中国封建王朝从此坍塌。

虽然正是他用坚持不懈的努力为推翻清王朝奠定了基础，但最具决定性且唯一成功的武昌暴动，他不但事前未能参与，还几乎去电阻止。

1921年7月，中国共产党第一次代表大会在上海召开。一个如今发展为七千多万党员的世界第一大党就此诞生。但颇让党史遗憾、颇让后人遗憾、也颇让革命博物馆内那些大幅“一大”代表照片遗憾的是，“南陈北李”这两个中共建党的中坚人物，一个也未出席。

陈独秀当时在陈炯明手下任广东政府教育委员会委员长、大学预科校长，未出席的理由是正在争取一笔款子修建校舍，人一走，款子就不好办了。

李大钊时任北京大学图书馆主任，未出席的理由是北大正值学年终结期，校务纷繁，难以抽身前往。

两人当时都忙。但他们的理由与中共“一大”的历史地位相较，无疑是芝麻与西瓜相较。

什么是历史？这就是历史。

并非理想，却是真实的历史。

不是苛求前人。武昌起义并非一经发动就必定成功。其所以成功，毕竟还有其他许多因素。旧中国在剧烈的大变动时期每天成立的组织与散伙的组织一样多，也不能强令"南陈北李"预见到28年后的新中国。

常人也能觉出眼前的量变。但很多时候，伟人也无法立即察觉将要出现或已经出现的质变。

所以孙中山有面对辛亥革命的遗憾。陈独秀、李大钊也有面对中共"一大"的遗憾。

也有例外。

1917年6月16日（俄历6月3日），全俄工兵代表苏维埃第一次代表大会在彼得格勒召开。在1000多名代表中，770人声明了自己所属的党派：

社会革命党人，285名；

孟什维克，248名；

布尔什维克，105名。

布尔什维克在代表中连10%都不到，人数最少。孟什维克党人、临时政府邮电部长策烈铁里在会上高声宣称，在俄国，没有哪一个政党敢于单独掌握全部政权，并对国家今后的命运负责。

代表席上一个身材不高、目光锐利的人站起来，大声回答："有这样的党！"

回答者是布尔什维克党人的领袖，弗拉基米尔·伊里奇·列宁。

俄国敢如此回答的，只有列宁一人。

中国有毛泽东。或许蒋介石觉得自己也算一个。

1924年7月30日，蒋介石对黄埔军校第一期学生演讲。他以丝毫不容置疑的口吻说："试问有谁能想出一个主义来救中国？除了本党总理的三民主义之外，还有第二个主义可以救中国吗？若是没有这个三民主义，我们中国的危险究竟怎样解除，我们的国家究竟怎样建设，我们就是拼命地去革命，究竟从哪里下手，这样想来，几乎要发神经病。像我这样的人，或者因为发了神经病早已死掉，亦未可知。"

蒋介石一直活到88岁也没有发神经病死掉。如果真是如此，中国共产党将有多少优秀的领袖人才能够从屠刀下保存下来？

1930年1月5日，毛泽东给黄埔军校第四期毕业生、红四军第一纵队司令员林彪写信："但我所说的中国革命高潮快要到来，决不是如有些人所谓'有到来之可能'那样完全没有行动意义的、可望而不可即的一种空的东西。它是站在海岸遥望海中已经看得见桅杆尖头了的一只航船，它是立于高山之巅远看东方已见光芒四射喷薄欲出的一轮朝日，它是躁动于母腹中的快要成熟了的一个婴儿。"

这就是预见中国革命未来的名篇：《星星之火，可以燎原》。

俄国的列宁，中国的毛泽东，皆对自己从事的事业、自己担负的使命，表现出一种果敢和不可抑制的自信。

列宁的自信来源于对人类社会发展规律的把握，来源于对过去和未来的透视。

1917年4月，列宁回国，在火车站欢迎会上就喊出"社会主义革命万岁"口号。当时二月革命刚刚成功，临时政府刚刚建立，党内外对这一口号均感到不可思议，怀疑列宁犯了超越革命发展阶段的"左"倾错误。《真理报》声明说："对于列宁同志的总公式，那是我们所无法接受的，因为它的出发点是认为资产阶级民主革命业已结束，指望这一革命立即转化为社会主义革命。"

但列宁言中了。6个月后，震动世界的十月革命爆发。

蒋介石在手中握有杀人的枪杆、膛内压满杀人的子弹之时，他对他的党和他自己是雄心十足的。1927年"四一二"反革命事变后第六天，在《敬告全国国民党同志书》中，他除了表示"伟大任务在于拯救中国"外，还说出了那段广泛流传的名言：

党在，国在，我亦在；党亡，国亡，我亦亡。

毛泽东却并非穿上笔挺的哔叽军装、面对台下肃立的队列和如林的刺刀，才会自信得口若悬河。他的果敢和自信来自他对中国大地的深刻了解。就在他只是一名踯躅于橘子洲头的穷学生时，他也敢宣称：

天下者我们的天下，国家者我们的国家，社会者我们的社会。我们不说，谁说？我们不干，谁干？

果敢自信的蒋介石和毛泽东却都没有见过列宁。

1923年9月，蒋介石率"孙逸仙博士代表团"访苏，列宁正身患重病。"闻俄国革命党首领苏维埃共和国之创造者列宁，积劳成疾，不能谒晤，深致感咨"，蒋介石后来颇为惋惜地写道。没见上列宁是他一大遗憾。

毛泽东直到新中国成立后才第一次访问苏联。1950年1月11日，他在莫斯科红场向列宁墓敬献花圈时，列宁已经去世了26年。毛泽东在成为马克思主义者之前，便极其钦佩"有主义（布尔失委克斯姆），有时机（俄国战败），有预备，有真正可靠的党众"的"列宁之百万党员”，终生对列宁敬仰之至。

未见过列宁的蒋介石和毛泽东又与列宁一样，都曾以极大的热情办刊办报。

1900年列宁西伯利亚流放结束，立即着手实施在流放岁月中酝酿已久的想法：创办一份报纸，让它成为团结俄国地下革命者的组织中心。很快，革命的精英聚集在编辑部里了：列宁、普列汉诺夫、马尔托夫、波特列索夫、阿克雪里罗得、查苏利奇。两年以后又加入了两个后来大名鼎鼎的人物：托洛茨基和加米涅夫。该报的德国莱比锡创刊号上，用十二月党人给普希金回信中的一句诗作报头题词：“星星之火可以燃成熊熊烈焰！”

所以该报命名为《火星报》。

俄国十二月党人写给普希金那句诗，今天翻译即是“星火燎原”。

这几个办报人后来几经分化，果真在俄罗斯土地上燃起了十月革命的熊熊烈焰。

列宁30岁在德国创办《火星报》。

蒋介石26岁在日本创办《军声杂志》，自撰发刊词。当时沙皇俄国诱导外蒙自治，蒋甚愤慨，著《征蒙作战刍议》《蒙藏问题之根本解决》等文，称征藏不如征蒙，柔俄不如柔英；研究外交与军事，甚思“提一旅之众，以平蒙为立业之基”。

毛泽东在长沙创办《湘江评论》时，也26岁，也自撰创刊宣言：“世界什么问题最大？吃饭问题最大。什么力量最强？民众联合的力量最强。什么不要怕？天不要怕，鬼不要怕，死人不要怕，官僚不要怕，军阀不要怕，资本家不要怕。”

都全身心地寻找真理。又都十分自信，手中握有的就是真理。

都不乏对历史的深刻领悟，不乏对未来的精心安排。就各自的政党来说，都是非凡的领袖。

自从人类被划分为阶级以后，阶级的核心就是政党。

政党的核心是领袖。

领袖的核心是什么呢？

是意志，与思想。

有的领袖提供意志，有的领袖提供思想。所以列宁说，需要一个领袖集团。

但列宁本人，既提供了意志，又提供了思想。

毛泽东也是如此。

蒋介石却仅为他的党提供了意志。提供思想的，是孙中山。

仅就此点来说，蒋也不敌。

二、谁人发现蒋介石

马克思、爱因斯坦和弗洛伊德，被认为是对当代世界产生决定性影响的三位思想巨人。

三人又都是犹太人。

对中国革命产生很大影响的，也有来自共产国际和苏联的两位犹太人：鲍罗庭、米夫。鲍罗庭在国民党中发现了蒋介石，米夫在共产党中发现了王明。

被发现的这两人，皆因此居于各自政党的高位。

很多人原以为蒋介石是孙中山选定的接班人。

于是就说，接班人选错了。

蒋介石也常以“总理唯一的接班人”自居。原因据说是孙中山临终时口中直呼“介石”;情之深切,意之难舍,痛于言表。

可惜此说来自蒋介石自己修订的《蒋公介石年谱初稿》。

当年寸步不离孙中山病榻的床前侍卫李荣的回忆是:

> (3月11日)至晚8时30分钟止,(孙)绝终语不及私。12日晨一时,即噤口不能言。4时30分,仅呼“达龄”的一声,6时30分又呼“精卫”一声,延至上午9时30分,一代伟人,竟撒手尘寰,魂归天国。

临终的孙中山呼唤了宋庆龄,呼唤了汪精卫,却没有呼唤蒋介石。

孙中山1925年3月去世。该年7月1日,中华民国国民政府在广州成立。所谓“总理唯一的接班人”蒋介石却既不是其中的常务委员会委员、国民政府委员,也不是国民党中央执行委员会委员,甚至连候补委员也不是,还只是一个没有多大影响力的人物。

孙中山至其临终,也没有指定自己的接班人。

蒋介石于1905年在东京由陈其美介绍就认识孙中山。但孙中山倚为股肱的军事人才是黄兴、陈其美,后是朱执信、邓铿、居正、许崇智和陈炯明。陈其美殉难,孙中山说“失我长城”;朱执信病逝,孙中山说“使我失去左右手”;他对陈炯明寄以厚望:“我望竞存(陈炯明)兄为民国元年之克强(黄兴),为民国二年后之英士,我即以当时信托克强、英士者信托之。”

他依靠的不是蒋介石。所以很长一段时间内,他未委派蒋重要的军事职务。

蒋首次在孙中山面前显露军事才能,是上书陈述欧战情势及反袁斗争方略，这才使孙中山对他有所注意。在陈炯明部任职期间，蒋介石又连向孙中山呈《今后南北两军行动之判断》《粤军第二期作战计划》等意见，也仅使孙中山觉得他是个不错的参谋人才，仅此而已。

于是，孙中山委任给蒋介石的，多为参谋长、参军一类不掌握实际权力的职务。蒋先后担任过居正的参谋长、孙中山总统府参军、陈炯明的作战科主任、许崇智的参谋长和孙中山大元帅行营参谋长。

最先欣赏蒋介石的倒是陈炯明。他发现此人的才能绝非限于参谋方面。蒋介石在陈部干了一段作战科主任，要辞职，陈炯明竭力挽留，向蒋表示“粤军可百败而不可无兄一人”。

陈炯明说对了。最后他果真败于蒋介石之手。

蒋介石与陈炯明关系不错。1922年4月，陈炯明准备叛变，向孙中山辞粤军总司令和广东省长之职。孙中山照准。蒋介石不知陈意，还想找孙中山为陈说情。不成，便也辞职。在回沪船上还给陈炯明写信：“中正与吾公共同患难，已非一日，千里咫尺，声气相通。”

但陈炯明一叛变，蒋立即抛弃与陈的友谊，站到孙中山一边。

孙中山正是因为陈炯明的叛变，第一次对蒋介石留下了深刻印象。他后来在《孙大总统广州蒙难记》序言中写道：“介石赴难来粤入舰，日侍余侧，而筹策多中，乐与余及海军将士共生死。”

孙中山对蒋介石的性格及处事方式却甚感头痛。

蒋介石脾气暴躁，经常与周围人关系紧张；动辄辞职不干，未获批准也拂袖而去，谁去电报也召他不回。

1922年10月，孙中山任蒋为许崇智的参谋长。仅月余，蒋便以“军事无进展”为由离职归家，孙中山派廖仲恺持其手谕都无法挽留。

1923年6月，孙中山命蒋为大元帅行营参谋长。蒋到任不满一月，又以不受“倾轧之祸”为由，辞职返回溪口。

1924年初，孙中山委派蒋为黄埔军校筹备委员长；刚一个月，蒋就以“经费无着落”为由辞筹备委员长之职。9月，再辞军校校长之职。

自1918年7月辞陈炯明部作战科主任，至1924年9月辞黄埔军校校长，6年时间中，蒋介石先后辞而复职竟达14次之多。

孙中山容忍了蒋介石历次辞职，独对其辞黄埔军校之职不能忍受。创办军校建立革命武装，是马林1921年向孙中山建议的。1923年《孙文越飞宣言》签署后，越飞又表示苏俄将提供款项、武器和教练人员，帮助建立军校。孙中山革命奋斗几十年，吃尽了无自己武装的亏，梦寐以求想建立这一武装。直至晚年刚有实现的可能，蒋介石又动辄撂挑子不干，确实大大伤了他的心。他对蒋介石深感失望。

历来极重兵权的蒋介石又何尝不知黄埔军校的重要。他真正不满的，并非仅仅“经费无着落”，而是在1924年1月国民党召开“一大”上，孙中山没有指派他为代表，各省党部亦没有推选他，国民党党史上极其重要的这次大会，他连一张入场券都未弄到。

1924年11月13日，孙中山起程北上。国民党党史记载，北上前两天，“总理令(黄埔)新军改称党军，任蒋中正为军事秘书”。这是孙中山给蒋介石的最后一个职务。孙中山北上至去世4个月时间内，再未给蒋介石任何信函和指令。

蒋介石1963年11月在台湾回忆说：“我是21岁入党的；直到27岁总理才对我单独召见。虽然以后总理即不断地对我以训诲，亦叫我担任若干重要的工作，但我并不曾向总理要求过任何职位，而总理却亦不曾特派我任何公开而高超的职位。一直到我40岁的时候，我才被推选为中央委员。我开始入党，到担任党的中央委员，这中间差不多相距了20年之久……”

言语之间，饱含当年的不遇与委屈。

孙中山不曾派蒋任何公开而高超的职位，何人派蒋任何公开而高超的职位呢？

蒋介石上台就其必然性来说，将是一部现代史著作。就其偶然性来说，则该归于苏联顾问鲍罗庭。

他第一个把蒋介石推上权力高峰。

鲍罗庭也是一个谜。被派到中国来的共产国际或苏俄革命者，没有一人能如他那样，富有创造性地执行共产国际和斯大林的指示；也没有一人能如他那样，对中国革命的进程发挥如此巨大的影响。

他是老资格的革命党人，出生于拉脱维亚，先后投身俄国、西班牙、墨西哥、美国、英国和中国革命运动。他的一生就是一部传奇。

1903年7月30日至8月23日，俄国社会民主工党第二次全国代表大会在布鲁塞尔、伦敦举行。参加会议的共有57名代表。有表决权的43人，一个特殊情况是其中8人享有两票的权力，所以大会的实际总票数是51票。

这些数字枯燥乏味，难于记忆，但对20世纪却有极大意义。

第二十二次会议讨论党章草案第一条关于党员的规定时，分裂发生了。

列宁的草案建议“凡承认党纲、在物质上帮助党并且参加党的一个组织的”人可以成为党员；马尔托夫的草案也认为接受党纲和在物质上帮助党是党员的条件，但认为只要“在党的一个组织领导下经常亲自协助党”就行了，不必非要参加党的一个组织。

分歧由此产生。冗长的辩论之后，列宁的草案以23票对28票被否决。

是马尔托夫而不是列宁首先掌握了多数。在随后大会的每一次争论中，马尔托夫都以优势票数获胜。

一直到第二十七次会议，一个小组委员会把“崩得”的地位问题提交大会讨论时，变化发生了。五名“崩得”代表因他们的自治权被否决，愤然退出大会。两名“经济派”代表则认为他们的组织“俄国社会民主主义者国外联合会”在大会之后便不存在，没有理由再参加会议，也离开了会场。

7名代表突然离去，大会总共只剩下44票。更富戏剧性的是这失去的7票竟然全部是马尔托夫的！

还有一名代表临时改变态度。

列宁的票数由23票上升到24票，马尔托夫则由28票跌到20票；列宁立即获得24票对20票的坚定多数。

大会进程瞬间发生的逆转，是历史性的逆转。

被西方史学家称为“列宁的二十四人集团”控制了大会。

大会之后，列宁一派把自己称为“布尔什维克”(多数派)、把马尔托夫一派称为“孟什维克”(少数派)。四票之差，两个惊动全世界的政治派别就此产生。各种语言的词典都不得不根据翻译音，增添上两个崭新的政治名词。

一部世界革命史便要重写。

在布尔什维克和孟什维克形成过程中起关键作用的“崩得”，来自犹太语Bund，即“联盟”之意，全称“立陶宛、波兰和俄罗斯犹太工人总联盟”。它是俄国早期宣传马克思学说的最大的工人组织。马尔托夫就曾是“崩得”早期组织的领导成员。1900年，一个叫米哈依尔·马科维奇·格鲁森伯格的16岁犹太青年加入该组织。1903年，因“崩得”的退出而产生布尔什维克和孟什维克的那一年，19岁的格鲁森伯格也退出了“崩得”，投向列宁的布尔什维克。

格鲁森伯格就是鲍罗庭。

鲍罗庭是苏联驻华代表加拉罕介绍给孙中山的。

孙中山说，他见过的共产国际人员中，印象最深、最为钦佩的人物，就是鲍罗庭。他称鲍罗庭为“无与伦比的人”。

加拉罕没有叫鲍罗庭去改造国民党。鲍罗庭也想不到，他到中国干的第一件、也是后来影响最为深远的一件事，是主持了对国民党的改造。

鲍罗庭之前，国民党在政治上、组织上和理论上都无法算作一个政党。它没有纲领，没有组织，没有章程，没有选举，也没有定期会议，连有多少党员也是一笔糊涂账。据说有30000，注册的却只有3000。交纳党费又是6000。入党要打手模向孙中山个人效忠，但连孙中山也弄不清到底有多少“党员”，这些党员又都是谁。

鲍罗庭告诉孙中山，作为有组织的力量，国民党并不存在。

孙中山大为震动。此前没有人对他说过这种话。他已经在着手准备对国民党实行改造。《中国国民党党纲》等一系列文件也起草完毕。但以前孙中山多次依靠本党力量改组党，皆收效甚微。这一回他看好了鲍罗庭。他对鲍罗庭说，老党员不行了，新党员还可以。孙中山下决心“以俄为师”，依靠鲍罗庭，运用苏俄无产阶级政党的建党经验改造国民党。

鲍罗庭像一部精细严密、不知疲倦的机器那样高速运转起来。他严格按照俄国共产党的组织模式，依靠中国共产党人和国民党左派，对国民党开始了彻底改造。国民党第一次全国代表大会那份至关重要的“一大宣言”，就是布尔什维克党人鲍罗庭亲自起草、中共党人瞿秋白翻译、国民党人汪精卫润色的。

鲍罗庭死去近40年后，台湾的李登辉成为国民党主席。西方资深评论家称李登辉使国民党彻底摒弃了列宁的建党模式。我们很多人听到后颇为吃惊。他们从来就不知道，几十年来天天喊“打倒共产党”的国民党，竟然也用了列宁的模式建党。

见过鲍罗庭的人都对他印象深刻。他目光敏锐，思想深刻，而且极富个人吸引力。他讲话时手不离烟斗，对任何事物都极其敏感，不管面对什么样的记者，都能以自己的远见卓识将他们征服。只要他一出现，就能控制住在场的人，成为他们的中心。苏联顾问切列潘诺夫回忆说，鲍罗庭能够看到局部现象的历史意义，能够从一系列广泛的、相互交错关联的事件中综合出局势的发展趋向，而别人在这些事件面前却只能感到眼花缭乱。

这正是他最为吸引人的地方。

他又非常注重中国的传统、习惯和礼节。他的房间不挂列宁像，只挂孙中山像。凡与他接触的人，都对他的非凡气质和征服听众的能力长久不忘。他协调不同派系的能力极强。只要他在，广州的各种势力基本都能相安无事。各派的人有事情都愿意找他商量解决，他也总能提出恰如其分的办法，让人满意而去。时间一长，他的住地便自然形成一个人来人往的中心，李宗仁回忆说，当时人们都以在鲍公馆一坐为荣。

鲍罗庭给广州带来了一股清新空气。他的风格深深感染了周围听众。他的名声传遍了远东地区。革命者称他为广州的“列宁”。上海租界则说他是“红色首都”的“红色猛兽”。西方评论家则说他正在广东重复俄国革命的历史。

连宋美龄也为鲍罗庭的个人风采所倾倒。

她后来回忆说，鲍罗庭站在听众中间仿佛鹤立鸡群，他一进屋，你就能听到他那清晰的、不慌不忙的男中音；他讲英语不带俄语口音，很接近美国中部方言。

后来蒋介石翻了脸，全国通缉捉拿鲍罗庭，宋美龄仍然说，鲍罗庭是一位非同凡响的人物。

周恩来也有着鲍罗庭的风范。他表现出的遇事冷静、对棘手问题不动声色的沉着、待人接物的细致周全、迅速行动能力与长期忍耐能力，有效地和背景不同、政见各异的人共同工作的能力，以及事无巨细、每每亲自办理的工作风格，与当年鲍罗庭的做法很像。

如此精明的一位鲍罗庭，在孙中山去世后却被蒋介石弄花了眼。

当时蒋介石要想成为强有力的人物，面前至少有三个障碍：军事部长许崇智、外交部长胡汉民、财政部长廖仲恺。从一般规律上看，他是不可能越过这些障碍的。但不可能发生的事情在几个月内却发生了。

1925年8月20日，廖仲恺被刺于国民党中央党部。当天，国民党中央执行委员会、国民政府委员会和军事委员会召开紧急会议，众人的目光都集中向鲍罗庭。

孙中山死后几个月里，鲍罗庭成了广州主要的掌权人物。表面上所有决议都由几个国民党领导人共同决定，实际是鲍罗庭说了算。他在广州的权势和影响如日中天。他的住宅楼上经常坐满广州政府的部长们、国民党中央执行委员们和中国共产党人；楼下则是翻译们忙碌的天地：将中文文件译成英文或俄文，再将英文或俄文指令译成中文。印刷机昼夜不停，各种材料、报告、指示从这里源源而出。鲍罗庭实际已成为国民党中央的大脑。

他在这个至关重要的会议上，提出了一条至关重要的建议：以汪精卫、许崇智、蒋介石三人组成特别委员会，授以政治、军事和警察全权。

鲍罗庭设想,这是一个类似苏俄“契卡”的组织,目的是用特别手段肃清反革命。他自己则担任特别委员会的顾问。

他的建议实际就是决议。建议被迅速通过。

“授以政治、军事和警察全权”的特别委员会三人中,汪精卫本身是国民政府主席,许崇智是政府军事部长,唯有蒋介石未任过高于粤军参谋长和黄埔军校校长以上的职务,他第一次获得如此大的权力。

魔瓶最先被鲍罗庭开启。

其实此前鲍罗庭就看好了蒋介石,为此和总军事顾问加伦将军发生了很大分歧。

加伦认为应该用许崇智,培植与黄埔并行的军事力量,不能以某个人或某一派系为中心,以防患于未然。鲍罗庭却认为许崇智的粤军为旧军队,不堪大任;蒋介石的黄埔新军有主义为基础,颇具革命性质,可当大任。7 月国民政府成立,加伦再提出要防止军事独裁,主张建立军事委员会制度,以许崇智为军事首脑;鲍罗庭不同意,支持蒋介石。两人分歧日趋严重,只有莫斯科出来裁决。

加伦将军不知道,1905 年在芬兰塔墨尔福斯的布尔什维克党代表会议上,鲍罗庭就认识了比他大五岁的斯大林。当时斯大林还是一个叫柯巴·伊万诺维奇·朱加施维里的格鲁吉亚青年,与来自拉脱维亚的鲍罗庭一样,头一次参加这样的会议。

裁决的结果是不言而喻的:加伦将军被调离广东。

斯大林对蒋介石的信任,很大一部分就是受鲍罗庭的影响。

军事顾问加伦将军提出了颇含政治意义的考虑,而政治顾问鲍罗庭却在关键时刻被蒋介石的军事才能蒙蔽,陷入了个人政治视野的盲区。他亲自把极大的权力交到蒋介石手里。

应了中国那句老话："智者千虑，必有一失。"但这一失失得太大、太关键了，以致以前导致其成功的"千虑"最终被毁于这"一失"。

巴斯德说机遇偏爱有准备的头脑。蒋介石为这一天的到来作了充分准备。他运用这个突然降临到手中的"政治、军事和警察全权"是毫不犹豫的。军事机器立即开动，首先针对几番压制他的许崇智。

利用廖仲恺被刺案，蒋介石指挥军队包围了许崇智住宅，指其涉嫌廖案，许崇智仓皇逃往上海。

然后就是胡汉民。胡汉民之弟胡毅生与廖案有瓜葛，胡汉民先被拘留审查，后被迫出使苏联。

廖仲恺则被隆重地下葬。

廖案处理，蒋介石一石三鸟。三个阻碍夺取权力的障碍一扫而光。

半年以后鲍罗庭才明白自己打开了魔瓶。许、胡、廖三人消失之后，他已经不能照原来设想的那样遏制蒋介石了。

他帮助蒋介石迈出了夺取政权的决定性一步。

鲍罗庭重看蒋介石，与他轻看中国共产党同时发生，而且互为因果。他曾经十分轻蔑地说，中国共产党"总共只有 40 人"，"研究翻译成中文的共产国际提纲是他们的全部活动"；罢工之类的事件"临时把它抛到面上，否则它就会待在自己的小天地——租界里，事后从那里发指示"；他尤其藐视在上海的中共中央。他在中国工作三年，不仅把"国共合作"变成了"国苏合作"，更热衷于把这种合作推向与孙中山、汪精卫、蒋介石个人之间的合作，中国共产党反而成为他与国民党要人讨价还价的筹码。孙中山 1924 年 8 月 21 日召开国民党一届二中全会，讨论"容共问题"，鲍罗庭竟然向孙中山建议成立一个“国际联络委员会”来控制中国共产党。陈独秀闻讯怒不可遏，立即召开紧急会议通过决定，并毫不客气地致电鲍罗庭：一、禁止在国民党会议上进行任何有关共产党问题的辩论，并对此辩论不予承认；二、中共中央拒绝承认国民党下属的、为解决两党间问题而设立的国际联络委员会；三、责成我们的同志在全会上对反革命分子采取进攻态势，从防御转入进攻的时机已经到来。

但是，这个决定传到广州为时已晚。会议上鲍罗庭和瞿秋白为共产党党团问题进行了象征性辩解之后，赞同成立国际委员会监督共产国际和共产党关系的决议。该决议要求共产党将自身活动中与国民党有关者，全部公开通报给国民党。陈独秀得知此结果后极为愤怒，接连几次上书共产国际，表示坚决拒绝国民党全会决议，强烈谴责并抵制鲍罗庭的妥协政策，特别是对其不同中共中央讨论“单独行事”，表示“非常不满”，要求共产国际警告鲍罗庭，并告之其无权领导广东地区中共党组织的工作。

但鲍罗庭在斯大林那里如日中天，共产国际也只有保持沉默。

在广州的苏联顾问也不完全同意鲍罗庭重国民党轻共产党的态度。继加伦之后担任总军事顾问的季山嘉就说：“国民革命军的一切政治成就都应完全归功于共产党人。这一点哪怕以黄埔军校为例也是显而易见的，黄埔军校是共产党人最多的地方，因此也是国民革命军最稳定的一部分。”赶走了加伦的鲍罗庭又开始反对季山嘉。他说：“国民革命运动实际上是一种难以想象的复杂的阴谋勾当”，为此“需要玩弄权术”；鲍罗庭认为1926年初广州的革命形势是他个人以苏联军事援助为钓饵、依靠蒋介石和汪精卫的军政力量、在国民党上层“玩弄权术”的结果，并且以为自己完全控制了广州的局势。1926年2月，鲍罗庭在北京向将赴广州的以布勃诺夫为团长联共政治局使团得意扬扬地说：“当你们去广州时，你们自己会确信,华南的思想势力范围乃是我们的影响……还有什么问题我们解决不了呢?一旦我们宣传什么,一旦我们提出什么建议,人们就会很认真地听取,并将我们的政策、我们的决定,以极大的成功希望来加以贯彻执行。”他十分有把握地说:“军队领导人已完全处在我们的影响之下”,蒋介石等四个军长“完全可靠”。

在鲍罗庭的主观意识主导下,联共中央政治局也认为,中国革命的任务是“强调作为民族解放思想最彻底最可靠的捍卫者的国民党的作用,并将其提到首要地位”,中共必须向国民党右派和中派让步。

但这位权术大师很快要开始尴尬了:他严重低估了蒋介石的能量。

埋葬了廖仲恺,赶走了胡汉民、许崇智后,蒋介石还剩下最后三个障碍:前台的国民政府主席汪精卫、后台的国民政府政治顾问鲍罗庭和心目中的死敌中国共产党。

下一个将是中山舰事件,又是一石三鸟。

蒋介石将这后一个一石三鸟推了7个月。国民党被鲍罗庭由一个松散的组织造就为一个虎虎有生气的组织,在这个组织的全部力量转到自己门下之前,它还需要鲍罗庭的力量和影响。鲍罗庭的话在汪、蒋、鲍三人之中,仍然起决定作用。西山会议派攻击他将鲍罗庭“禀为师保,凡政府一切重大计议,悉听命于鲍”,“甚至关于党政一切重要会议,概由鲍召集于其私寓,俨然形成一太上政府”;他不但不在意,反而说作为总司令,只有法国福煦元帅的地位可同鲍罗庭相比。他反复引用孙中山曾说过的话:鲍罗庭的意见就是他的意见。因此,追随鲍罗庭就是追随孙中山。

他相当客观地把他的擢升归于鲍罗庭的政治提拔及俄国武器装备和军事顾问。

他在等待时机。

时机来临了。

第二次东征大捷使蒋介石的军功威名如日中天。返归广州途中沿途男女老幼观者如堵，道为之塞；至汕头盛况达到空前：社会各团体整齐列队欢迎，民众簇拥，万头攒动；一路军乐悠扬，鞭炮毕剥，工会前导，次枪队，次步兵，次汽车，卫队为殿，连孙中山当年也没有如此之风光。

广州的汪精卫、谭延闿、伍朝枢、古应芬、宋子文联名电蒋："我兄建此伟功，承总理未竟之志，成广东统一之局，树国民革命之声威，凡属同志，莫不钦感。东征功成，省中大计诸待商榷，凯旋有日，尚祈示知，是所祷企。"

国民政府要员站成一列，以前所未有的谦恭，向军权在握的新秀蒋介石致敬。

事情并未到此为止。

1926年1月广州举行国民党"二大"，到会代表256人，选举中执委时，有效票总数249张，蒋介石得票248张，以最高票数当选中央执行委员。

这就是蒋介石后来说的，21岁入党到40岁当上中央委员，相距了20年之久。

这一年蒋介石40岁。

会议代表中共产党员占100人左右，基本都投了蒋的票。

差的一票也许是他未投自己？起码给人以这样的印象。反而显得更加谦虚。

248强于249。

得票245张的宋庆龄在"二大"讲话赞扬东征胜利之后的广东形势："此间一切的政治军事都很有进步，而且比先生在的时候弄得更好。”

一句“比先生在的时候弄得更好”从宋庆龄口中说出来，便是最高的夸赞。

国民党“一大”连张入场券都未弄到的蒋介石，个人声名在“二大”达到顶点。

广州第一公园大门口出现一副对联，上联“精卫填海”；下联“介石补天”。

人们再也不记得还对什么人有过这种夸赞。

声名达到顶点后，他便动手了。

1926年3月发生“中山舰事件”，蒋介石又是一石三鸟。

这回打击的重点变成了中国共产党、苏联顾问团，还有汪精卫。

鲍罗庭恰巧不在。苏联顾问皆被软禁。再用“整理党务案”把鲍罗庭架空。

共产党人也在“整理党务案”后被迫退出国民党中央和第一军。中山舰事件后共产党员退出第一军和苏联总顾问季山嘉被驱逐，长期以来人们一直说是陈独秀对蒋让步的“妥协政策”的恶果，但真相是事件发生后，当时正在广州的联共政治局使团长布勃诺夫在鲍罗庭的协助下亲自处理，妥协让步政策是他们强加给陈独秀的。布勃诺夫事后讲了6条理由，第一条就是怕“吓跑大资产阶级”，否则中共“无论如何不能现在承担直接领导国民革命这种完全力所不及的任务”。事后报告处理“三二〇”中山舰事件的报告中，布勃诺夫甚至认为中共只要做“保证这场革命彻底胜利”的苦力，不要去争领导权，否则“任何过火行为都会吓跑大资产阶级”，“造成广州政府的危机。最终加剧国民革命失败”。

布勃诺夫的高参，当然就是鲍罗庭。

布勃诺夫回国经过上海时，把他的态度告诉了陈独秀。陈独秀对事变情况一无所知，匆忙表态，以中共中央名义发出指令，认为蒋受右派挑拨中，“行动是极其错误的，但是，事情不能用简单的惩罚蒋的办法来解决”；应该“将他从陷入的深渊中拔出来”。

共产党人退出国民党中央和第一军，竟然成了帮助蒋“从深渊中拔出来”。

蒋介石的回报只是赶走吴铁城、孙科、伍朝枢等人，虽然这是蒋追求个人独裁所需要的，鲍罗庭却在 1926 年 5 月 30 日写给加拉罕的信中，十分得意地说这样的交换“使右派蒙受了比共产党人更大的损失……从右派手里夺走了他们用来反对我们的武器”。

蒋介石打击的三方之中，只有汪精卫对“三二〇”中山舰事件保持着明白和清醒。

汪精卫后来回忆：“3 月 20 日之事，事前中央执行委员会政治委员会丝毫没有知道。我那时是政治委员会主席，我的责任应该怎样？3 月 20 日，广州戒严，军事委员会并没有知道。我是军事委员会主席，我的责任应该怎样？”

他斥责蒋介石的行动是“造反”。

但斥责完之后，他也只有闭门谢客，悄然隐藏起来，怎样也不怎样。

4 月初，汪精卫以就医为名，由广州而香港，由香港而马赛，远走高飞。

蒋介石就是指汪精卫与中共串通，想用中山舰劫他去海参崴，所以发动“三二〇”事变。汪精卫倒不用蒋介石劫他，自己老老实实就上了远走他乡的外轮。

自此，没有人能够阻挡他攫取国民党的军政大权了。

革命斗争并不排除充分利用矛盾、施展纵横捭阖之术，但这一切必须建立在依靠和壮大自己力量的基础上，鲍罗庭恰恰丢掉了这一点。中山舰事件再次成为鲍罗庭与蒋介石的权力交易。通过这次交易，表面上鲍、蒋二人之间的信任达到了别人无法代替的程度。蒋在北伐前夕谈到后方留守时，提到两个人可以托付，除了张静江，就是鲍罗庭，称鲍罗庭是“自总理去世以来我们还没有这样一个伟大的政治活动家”。

但这位伟大的政治活动家已经开始预感到情况有些不妙了。

1926年8月9日在广州与共产国际远东局委员会会晤时，鲍罗庭说出了他规划的“让蒋自然灭亡”的策略：当时除第一军军官主要是黄埔军校毕业生之外，其他各军的军官主要是保定军校毕业生，而蒋与“保定派”之间的矛盾是不可调和的；在北伐胜利推进的过程中，“保定派”必定压倒蒋介石，“加速他在政治上的灭亡”。

这时共产国际远东局已经不信任这位权谋大师了。主持远东局工作的维经斯基是列宁派到中国的第一个使者，1920年3月就来华与中国革命者发生关系。1926年9月12日，维经斯基在上海向联共驻共产国际执行委员会代表团报告：北伐虽然在客观上起到了革命的作用，但同时也使蒋介石的军事独裁倾向神圣化了；而这种危机是鲍罗庭自“三二〇”中山舰事件后推行牺牲共产党和左派、在国民党上层对蒋无条件退让和投降的机会主义策略的结果。9月22日，维经斯基再次向莫斯科报告，指出“鲍罗庭同志在如何对待我们总的对华政策为自己制定了一整套相当完整的与总的方针相背离的观点”，明确提出“撤换鲍罗庭”。11月6日，维经斯基在继续给莫斯科的报告中感叹道：“中国的解放斗争是多么的与众不同，在这种斗争中保持真正的革命策略又是多么的困难，一方面要冒陷入机会主义的危险，另一方面又要冒过左和破坏必要的民族革命统一战线的危险。”“中国共产党需要在何等令人难以置信的矛盾条件下进行工作。”

维经斯基的这些报告引起斯大林的震怒。

斯大林于11月11日主持联共政治局作出答复:“对远东局在上述问题上所犯的错误提出警告。”同时决定非但不撤换鲍罗庭,反而加强鲍罗庭的权力,“所有派往中国的同志均归鲍罗庭同志领导”,而“鲍罗庭同志直接听命于莫斯科”,并给鲍罗庭颁发红旗勋章,“责成远东局在就对华总的政策问题、国民党问题和军事政治问题作出任何决议和采取任何措施时,都必须同鲍罗庭同志协商。”

戏剧性的场面很快就出现了:被撤职的不是鲍罗庭,而是维经斯基。1927年3月10日联共政治局改组远东局,任命列普谢为书记,鲍罗庭正式进入远东局。维经斯基还在以远东局书记的身份指导中共筹备第五次代表大会,在远东局内部却已经被撤职。

远东局随后也置于鲍罗庭的领导之下。

此时斯大林还不知道:历史给鲍罗庭的时间已经进入倒计时了。

1927年4月12日,蒋介石在上海发动反革命政变。

5月5日,斯大林在联共政治局会议上提出“在广州组建新的可靠部队”;为此还作出了向广州派遣200人的教官团和提供50万卢布的决定。但让谁去“组建可靠的部队”?共产党还是国民党?斯大林语焉不详。5月13日斯大林讲了另一段话:“在目前用新的军队,用红军来代替现在的军队是不可能的,原因很简单,就是暂时没有什么东西可以代替它。”所以5月5日的决定很快不了了之,转而实行大力加强对“国民党将领”提供军事援助的方针,令共产党到国民党军队中去“保持领导”。

5月21日,许克祥在长沙发动“马日事变”。

斯大林得知此讯坐不住了,于5月30日给鲍罗庭等人发出“紧急指示”:(一)动员2万共产党员,加上5万革命工农,编成几个新军,“组建自己可靠的军队”,“消除对不可靠将领的依赖性”;(二)“成立以著名国民党人和非共产党人为首的革命军事法庭”，惩办叛乱的反动军官。

斯大林不会不知道，4 年来联共政治局推行的“只武装国民党不武装共产党”的政策，根本无法通过一份“紧急指示”改变。而权谋大师鲍罗庭从一开始就根本不是执行武装工农政策的人。他鼓动陈独秀出面给莫斯科一个模棱两可的回复：“命令收到，一旦可行，立即照办。”本来这个紧急指示是发给鲍罗庭等 3 个俄国人的，本应由他们回复莫斯科。但是他们都十分清楚向斯大林说“不”会带来怎样的后果，于是推给了书生气十足的陈独秀，让陈一人独自承担了违抗斯大林指示的责任。

局面已经完全无法靠鲍罗庭的权谋来收拾了。7 月 15 日，汪精卫在武汉决议“分共”，大革命完全失败。

近代中国是个大舞台。这个舞台演绎了多少兴衰、美丑、胜败。原先的默默无闻者可以在这个舞台上大放异彩；大放异彩者最终又在这个舞台上黯然失色。发现、提携蒋介石的鲍罗庭就在 1926 年到 1927 年一年的跌宕演变中，由蒋介石所谓“自总理去世以来我们还没有这样一个伟大的政治活动家”，变成了一个要立即捉来枪毙的“煽动赤色革命企图颠覆政权的阴谋家”。政治人物往往瞬息之间出现沧海桑田的演变，完成让人瞠目结舌的思维转换。

鲍罗庭不像蒋介石想象的那样复杂，蒋介石也不像鲍罗庭想象的那样简单。这个前日本士官生内心深处还是钦佩那些直面反对他的人，却深恶痛绝那些他以为要利用他的人。

当年反对鲍罗庭独用蒋介石的加伦将军回国后，1938 年 10 月在苏联肃反运动中被捕。蒋介石接到驻苏大使杨杰的报告，还想保加伦一命，要孙科以特使身份赴苏转告斯大林，请派加伦至中国做蒋的私人顾问。但苏联的肃反行动太快了，加伦从被捕到被枪决仅有一个月的时间。斯大林告诉孙科的，已是他的死讯。

想保加伦性命的蒋介石，却一直想要鲍罗庭的性命。

加拉罕当年给孙中山的礼物，是鲍罗庭。

蒋介石最后给鲍罗庭的礼物，是通缉令。

三、笔杆子，枪杆子

说到枪杆子，人们马上想到以“枪杆子里面出政权”理论著称于世的毛泽东；以为枪杆子理论出自他的天才创造。

袁世凯最先给中国政治带进来了枪杆子。通过对枪杆子的纯熟掌握运用，满清王朝不得不接纳他，辛亥革命也不得不接纳他。

孙中山则最先给中国革命带进来了军事。同盟会的革命活动，基本就是对武装起义苦心竭虑的策划与发动。

于是中国的革命或反革命，一开始便具有了与别国的革命或反革命截然不同的特色。

把枪杆子用到炉火纯青的地步的，还是蒋介石。

他登上中国政治舞台首先利用了鲍罗庭提供的机遇，其次便是手中的枪杆。

首先也来源于其次。鲍罗庭错以为他是一支革命的枪杆。

毛泽东对枪杆子的认识也经历了一个长期过程。

他最初并不赞成暴力革命。倾向于克鲁泡特金的无政府主义，而不是马克思的无产阶级专政。1919 年受“五四”运动影响，毛泽东在长沙创办《湘江评论》，第一期《创刊宣言》上，即针对“打倒强权”提出了一番颇为温情的理论：

(一)我们承认强权者都是人，都是我们的同类。滥用强权，是他们不自觉的误谬与不幸，是旧社会旧思想传染他们遗害他们。（二）用强权打倒强权，结果仍然得到强权。不但自相矛盾，而且毫无效力。欧洲的"同盟"、"协约"战争，我国的"南"、"北"战争，都是这一类。所以我们的见解，在学术方面，主张彻底研究，不受一切传说和迷信的束缚，要寻着什么是真理。在对人的方面，主张群众联合，向强权者为持续的"忠告运动"，实行"呼声革命"——面包的呼声，自由的呼声，平等的呼声，——"无血革命"。不主张起大扰乱，行那没效果的"炸弹革命"、"有血革命"。

毛泽东当时对一切暴力——包括孙中山的南方政府反对北方北洋军阀政府的暴力——皆表现出极大的忿恨。

他1920年以极大的热心投入湖南自治运动，把各省自决自治看做是拯救中国的唯一方法。他说："胡适之先生有20年不谈政治的主张，我现在主张20年不谈中央政治，各省人用全力注意到自己的省，采省门罗主义，各省关上各省的大门，大门之外，一概不理。"

7年以后，毛泽东说："革命不是请客吃饭，不是做文章，不是绘画绣花，不能那样雅致，那样从容不迫，文质彬彬，那样温良恭俭让。革命是暴动，是一个阶级推翻一个阶级的暴烈的行动。"从主张"呼声革命"、"无血革命"的毛泽东到主张暴力革命的毛泽东，其间经历了怎样由实践支撑的思想历程。

真正教会他认识枪杆子的，是蒋介石。一个1926年的"三二〇"中山舰事件，一个1927年的"四一二"反革命事变，蒋介石在共产党人面前把枪杆子的威力表现得淋漓尽致。毛泽东后来描述说，大革命失败前夕"心情苍凉，一时不知如何是好"，"八七"会议"决定武装反抗，从此找到了出路"。

毛泽东通过蒋介石对枪杆子的运用，真正看清了他的真面目。而从枪杆子身上，看到了共产党人的出路。

教会的又何止毛泽东一人。

1926年7月9日，国民革命军誓师北伐。陈独秀已经看出蒋介石利用北伐实现个人军事独裁的危险，当苏联军事顾问加伦将军问是帮助蒋还是削弱蒋时，也只有回答："是反对蒋介石，也是不反对蒋介石。"

面对刀枪如林的蒋介石，手无寸铁的陈独秀认识到其野心也毫无办法，只有采取这种消极态度。

另一人是张太雷。他是中国共产党中较早认清蒋介石面貌的人。1923年随蒋访苏，他在代表团中就与蒋分歧很大，几乎天天争吵，弄得苏俄方面人人知晓。蒋对他恨之入骨，恨不得立即将其清出代表团了事。这样一个对蒋早有认识的人，在"中山舰事件"和"整理党务案"后，还要发表一篇《关于蒋介石同志对"要不要国民党"误会之解释》的自我辩白，回答蒋的质问。他说："如果我真是说了'国民党是排斥共产党党员'，我自己亦要骂'这简直不知道是什么话！'非但我没有这样说，并且不会有这样的事。"并说，"介石同志是不会排斥CP的，大家都是知道的。"

今天的人已经很难领悟，张太雷在说这些话的时候，内心有多么的痛苦。没有实力又不得不仰仗实力，即使很早就认清其面孔，但直到屠刀举起之前，还要去赔着笑脸说"介石同志不会排斥CP"。

最终，张太雷牺牲在了蒋介石的屠刀之下。

共产党人曾经就这样一忍再忍。对蒋的忍让，实际是对实力的忍让，对枪杆子的忍让。"四一二"政变不久，陈独秀悲痛地说："我们一年余的忍耐迁就让步，不但只是一场幻想，并且变成了他屠杀共产党的代价！"对这一如此明显的事实，连布哈林在中共六大所作的

《中国革命与中国共产党的任务》报告中也不得不被迫承认:“共产国际武装中国军阀而没有帮助中国共产党武装工农;结果,我国无产阶级创造的子弹射进了中国工农的头颅。”

缺乏实力的共产党人,不掌握武装力量、没有枪杆子,即使有再深奥的理论修养,再犀利的政治判断,再庞大的民众组织,在一个只凭实力说话、谁力量大谁就嘴巴大、声音大的社会里,也难于成事。批判的武器永远代替不了武器的批判。

所以有了1927年8月7日党的紧急会议,有了会上毛泽东激动的发言:

> 从前我们骂(孙)中山专做军事运动,我们则恰恰相反,不做军事运动专做民众运动。蒋唐都是拿枪杆子起(家)的,我们独不管。现在虽已注意,但仍无坚决的概念。比如秋收暴动非军事不可,此次会议应重视此问题,新政治局的常委要更加坚强起来注意此问题。湖南这次失败,可说完全由于书生主观的错误。以后要非常注意军事,须知政权是由枪杆子中取得的。

这段话后来被总结为一个石破天惊的理论:“枪杆子里面出政权。”

知道了枪杆子里面出政权,不等于就知道了武装割据,知道了农村包围城市。

共产党人并非不喜欢城市。打响武装反抗国民党第一枪的八一南昌起义,原定目标是南下广东,二次北伐。

开辟工农武装割据道路的秋收起义,原定目标也是会攻长沙。

最先打出苏维埃旗帜的广州起义,则几乎一步不改地走十月革命城市武装暴动之路。

南昌起义队伍转战到广东，还未立足就被打散了。秋收起义队伍则连个浏阳县城也蹲不住就被迫后退。广州起义只搞了三天，范围没有超出广州城。

毛泽东最早将失败的起义队伍转向罗霄山脉。这是在黑暗中面对失败思索的结果。它不是神的选择。是踏踏实实的中国革命者面对中国革命的特殊性，立足于现实的选择。

是人的选择。

在“八七”会议上毛泽东被选为政治局候补委员。留他在中央工作他不肯，说是要去搞“土匪工作”。结果秋收起义队伍没有攻打长沙而上了井冈山，国际代表罗明那兹提议开除毛泽东政治局候补委员，中共中央负责人瞿秋白照办。消息传到根据地就变成了开除党籍，毛泽东很长时间连组织生活都不能参加。

这些都没有阻止他在罗霄山脉扎根立足，建立农村根据地。

毛泽东的根基在井冈山，不在白区，更不在共产国际。不能设想他在大城市租界内外压低帽檐东躲西藏，更不能设想他像小学生一样端坐在共产国际会议厅里背诵冗长的决议。他属于那片实实在在的土地。只有在武装割据的中国农村中，他才如鱼得水，游刃有余。

第一个上山搞起工农武装割据、在井冈山游刃有余的毛泽东，用武器的批判给中国共产党人提供了最有力的批判的武器，也为世界革命开创了一条“毛泽东道路”。

仅此一点，功在千秋。

毛泽东不是共产国际指定的领袖。

由于特定的历史条件，作为共产国际的一个支部，相当一个时期内中国共产党的领袖选定必须得到莫斯科批准。“一大”选陈独秀为书记，事先得到共产国际代表马林的同意。陈独秀以后的负责人瞿秋白，是鲍罗庭一手包办。“六大”总书记由向忠发出任，因为斯大林看中了他的工人身份。六届四中全会后王明掌权，则完全出于他背后的国际特派代表米夫。

唯毛泽东无任何国际背景。

共产国际很长一段时间并不了解毛泽东其人。

一直以为共产国际最早系统介绍毛泽东的文章是1935年《共产国际》第33、34期合刊上发表的《勤劳的中国人民领袖毛泽东》。结果新近发现不是这篇，是1930年3月20日《国际新闻通讯》一篇共产国际官方公报：

> 据中国的消息：中国共产党的奠基者，中国游击队的创立者和中国红军的缔造者之一的毛泽东同志，因长期患肺结核而在福建前线逝世。毛泽东同志是大地主和大资产阶级最害怕的仇敌。自1927年起，代表大地主、大资产阶级利益的国民党就以重金悬赏他的头颅。毛泽东同志因病情不断恶化而去世。这是中国共产党、中国红军和中国革命事业的重大损失。
>
> ……
>
> 作为国际社会的一名布尔什维克，作为中国共产党的坚强战士，毛泽东同志完成了历史使命。中国工农群众将永远铭记他的业绩，并将完成他未竟的事业。

这篇讣告，就是共产国际最早介绍毛泽东的文章。

有人说，讣告表明远在莫斯科勒克斯大厦里的共产国际总部对中国革命实情隔膜之甚，否则不会闹出这样的笑话。

还不能这样简单。中国共产党也曾经为李立三开过两三次追悼会，每次都由他的战友周恩来主持。并非中共中央和周恩来不了解李立三，而是在武装的革命反对武装的反革命时期，残酷的斗争环境中随时包含着这种不可预测性。

共产国际发表的这份官方公报也是如此。

但以一篇讣告作为最早介绍一位著名领导人的文章，不能不说是国际共运史上一个极大的遗憾。

其实共产国际 1927 年就注意到了毛泽东。

1927 年 5 月国际执委会第八次全会上，为反驳托洛茨基所说北伐加强了资产阶级力量、削弱了工人阶级力量，布哈林专门引用毛泽东的《湖南农民运动考察报告》作为批驳。国际机关刊物《共产国际》在同月出版的第 22 期转载了毛泽东这篇报告。布哈林说，“这是一篇非常好的、很有意义的报告”，从中可以看出，“北伐对于革命的最重要成果是唤醒了广大的工农群众，自己组织起来，逐渐成为一支新的巨大的社会力量。北伐中群众的力量成长壮大了，从革命发展的观点看，这对于我们是最重要的。托洛茨基同志忽略了这一点”。

这位共产国际总书记实用地用毛泽东去驳托洛茨基，颇像后来中国大地上对毛泽东语录的用法：只想去驳倒对手，却并不在意毛泽东的立场、观点和方法。

但从此共产国际也便知道了中共有个毛泽东。

知道了距离承认还有很远。毛泽东当时提出了一种与共产国际传统理论不同的理论，但还没有证实这一理论的实践，也还没有支持这一实践必不可少的实力。

后来有了实践了，也有了实力了，国际开始重视，也只是几次致电中共中央，要与毛泽东搞好团结，发挥他的作用和影响，仅此而已。

就如列宁在中国革命中首先看好的人物是孙中山而不是李大

钊和陈独秀一样，斯大林在中国革命中首先看好的人物也是蒋介石而非毛泽东。

斯大林曾对蒋介石给以长久的信任。开始说蒋介石是国民党左派。1926年“三二〇”中山舰事件后，仅把对蒋介石的认识由“左派”调整为“中派”；蒋介石的反苏反共面目已经十分明显了，也只承认其是“中间偏右”。最后大家都公认蒋介石是右派了，斯大林还说：“目前我们需要右派，右派中有能干的人，他们领导军队反对帝国主义。蒋介石也许并不同情革命，但是他在领导着军队，他除了反帝而外，不可能有其他作为。”直至“四一二”事变之前，还把一张有亲笔签名的相片寄给了蒋介石。

“四一二”事变让斯大林看到了他以为蒋介石不可能有的“其他作为”，令斯大林伤透了心。

被蒋介石伤透心的斯大林却对毛泽东抱有长久的怀疑。他以为以毛泽东为首的中国共产党人仅是一些“土地革命者”；1944年6月，斯大林对美国特使哈里曼说：“共产党人，中国共产党人吗？他们对共产主义来说就像人造黄油对黄油一样。”

即使在中华人民共和国成立之后，还怀疑毛泽东是否会走南斯拉夫道路，成为中国的铁托。

直到朝鲜战争爆发，中国人民志愿军出兵朝鲜与美军直接作战，这种看法才开始改变。

此时，离斯大林去世只剩下不到三年。

对中国共产党的认识，对中国共产党领袖毛泽东的认识，这是一张艰难的、连共产国际和斯大林也没有答好的问卷。

对毛泽东的选择不是共产国际的选择，而是历史的选择。

对蒋介石的选择也不是孙中山的选择，而且归根到底超出了鲍罗庭掌控之外，同样也是历史的选择。

毛泽东、蒋介石二人，心头皆有主义，手中皆有枪杆，历史选择他们代表各自的阶级和政党，用手中的枪杆和心中的主义，用对历史的感触和对未来的憧憬，在现代中国猛烈碰撞，用一场又一场生死拼杀演出一幕又一幕威武雄壮的活剧来。

蒋介石在相当一段历史时期内所向无敌。他通过辞职、下野、收买、驱逐、行刺、战争等手段，使如此众多的对手如多米诺骨牌一般纷纷倒地。他赶走许崇智，软禁胡汉民，孤立唐生智，枪毙邓演达，刺杀汪精卫，用大炮机关枪压垮冯玉祥、阎锡山、李宗仁、白崇禧、陈济棠，用官爵和袁大头买通石友三、韩复榘、余汉谋；中国政治舞台上从古到今那十八般武器，他样样会使，而且每一件都烂熟于心。原本不太拿这个奉化人当回事的众多风云人物，纷纷被他如挑滑车一般弄翻在地。

1930 年 9 月 8 日，蒋、冯、阎大战之间，阎锡山在北平第八次总理纪念周上给反蒋派打气，说蒋介石有四必败：

一曰与党为敌；

二曰与国为敌；

三曰与民为敌；

四曰与公理为敌。

被称为“十九年不倒翁”的阎锡山所言极是。很长时间之内，没有人比阎锡山对蒋介石的总结更为准确、更为精辟、更为深刻的了。

但蒋纵横捭阖，就是不败。

这对众多北洋老军阀和国民党新军阀来说，此谜也是终身不解。

从客观因素看，他们不明白蒋代表着比他们更为先进的势力；与衰亡的封建残余更少粘连，与新兴的资产阶级更多关系。

从主观因素说，他们也忽视了这个人的精神底蕴。

1906年，蒋入陆军速成学堂（保定军官学校前身），有日本军医教官讲卫生学，取一土块置于案上，说："这一块土，约一立方寸，计可容四万万微生虫。"停片刻该医官又说："这一立方寸之土，好比中国一国，中国有四万万人，好比微生虫寄生在这土里一样。"话音未落，课堂内一学生怒不可遏，冲到台前将土击飞，大声反问道："日本有五千万人，是否也像五千万微生虫寄生在1/8立方寸土中？"军医教官毫无所备，稍许缓过劲来，发现是学生中唯一不留辫子的蒋介石，便指其光头大声喝问："你是否革命党？"该事在陆军速成学堂掀起轩然大波。

1908年，蒋第一次读到邹容的《革命军》，而邹容已在5年前被清廷处死；蒋对《革命军》一书"酷嗜之，晨夕览诵，寝则怀抱，梦寐间如与晤言，相将提戈逐杀鞑奴"之句，对革命与造反的情怀难以言表。

1912年，蒋在日本创办《军声》杂志社，自撰发刊词，并著《征蒙作战刍议》一文。当时沙俄引诱外蒙独立，蒋十分愤慨，"甚思提一旅之众，以平蒙为立业之基也"。

不可否认，这个人青年时代一以贯之的极强的精神气质。

1924年6月24日，蒋给黄埔军校学生作《革命军人不能盲从官长》的讲话，说："十三年来，中国的军人被袁世凯辈弄坏了，他们专用金钱来收买军人，军人变为他们个人的利器，专供他们做家狗"，"官长权限一大，便可卖党卖国"；又说："我们革命是以主义为中心，跟着这个主义来革命，认识这个主义来革命的，决不是跟到一个人，或是认识一个人来革命的。如其跟到一个人，或是认识一个人来革命，那就不能叫做革命，那就是叫做盲从，那就叫做私党，那就叫做他人的奴才走狗了。中国人的思想习惯到如今，仍旧是几千年前皇帝奴隶的恶劣思想。"

这篇讲话的思想甚为解放，后来的人们却有不同解读：据称讲话前半部分在说陈炯明，后半部分在说孙中山。因为陈炯明在广东搞军阀割据，也因为孙中山在广东搞个人崇拜。

也许当年蒋介石真如所指。但同样不可否认的是，能够这样讲的人，必定具有一些信念的底蕴和精神的力量。

不爱钱，不怕死，是他不离口的革命军人二信条。

蒋介石1923年访苏，至彼得格勒参观冬宫。五彩大理石建造的金碧辉煌的沙皇宫殿，没有给他留下太深印象，他觉得“所谓金间、银间、翡翠间者，皆不过镀饰其外表，无足珍贵者”；而“惟新立一历史馆，标树其革命党过去之伟迹血状，皆足怵目悚魂，殊令人兴感也”；后来赴莫斯科城苏维埃参加纪念活动，“听加米涅夫、布哈林等演说，又见海军革命发难二官长及一水手，登台表述其勋劳光荣，心颇感动”。

他胸中曾澎湃过怎样的激情。

所以黄埔军校门口有一副铿锵作响的对联：

升官发财，请走别路；贪生怕死，莫入此门。

蒋介石的力量不仅仅来源于兵力和金钱。这些方面，冯玉祥、阎锡山、唐生智、李宗仁皆不敌。

苏联军事顾问契列潘诺夫1968年在莫斯科出版回忆录《中国国民革命军的北伐：一个军事顾问的笔记》中这样描写蒋介石：“在军事工作人员中，他与我们关系最密切。懂政治，自尊心强得可怕。读日文版的拿破仑著作……能很快作出决定，但经常考虑欠周，于是又改变主意。倔犟，喜欢固执己见。他在政治进步中应该会走到合乎逻辑的极点。”

这是共产党人遇到的前所未有的对手。

自1927年4月18日南京国民政府成立，至1949年4月23日南京解放，蒋介石在大陆统治22年零5天，三次上台三次下野，可谓“三上三下”，回回依靠枪杆起死回生。

第一次下野是1927年8月14日，因为国民党内各派系的争夺权位；但不到5个月便被请回来上台。

第二次下野是1931年12月15日，因为“九一八”事变东北三省被占和“剿共”不力，仅44天就重返南京中枢。

下野成为蒋介石的一种聚集力量的策略。枪杆子在手，自会有人来请。结果每一次上台都比原来的实力更加强大，手段更加老辣。国民党把能够把蒋赶走的时间越来越短。越来越离不开这个非同寻常的人物。

但毛泽东让他第三次下台。

1949年1月21日，蒋介石在南京总统官邸宣布“引退”。这一次是他统治大陆22年的结束，真的是流水落花春去也。

遇上了毛泽东，蒋介石便也遇上了前所未有的共产党人。

他早就知道毛泽东。“三二〇”中山舰事件后，通过“整理党务案”被赶出国民党中央的，就有宣传部代部长毛泽东。

毛泽东不是蒋介石面对的第一位共产党领袖。毛泽东之前，蒋介石用法庭审判了陈独秀，用死亡压垮了向忠发，用子弹射穿了瞿秋白。对付这三个共产党的第一把手，他甚至不用亲自出马，部下们就把审讯陈独秀的记录、枪毙向忠发、瞿秋白的照片，规规矩矩放到了他的案头。

使蒋介石真正认识毛泽东的，是他亲自发动的对中央苏区的五次“围剿”和举世震惊的中国工农红军二万五千里长征。

他最终也是通过朱毛红军对枪杆子的运用认识了毛泽东。

所以不得不于1945年在重庆恭敬地请毛泽东吃饭，还举杯互祝健康。

对手之间本不用互相尊重。蒋介石从第一次“围剿”起便以5万大洋悬赏毛泽东的人头。毛泽东1934年7月在江西苏区写《目前时局与红军抗日先遣队》一文，也嬉笑怒骂道：“试问蒋介石这个蠢货懂什么？”

对手之间又是相互尊重的。

悬赏了毛泽东人头的蒋介石，1945年抗战胜利后3封电报请毛泽东到重庆商讨“举凡国际国内各种重要问题”，两次留毛泽东下榻于自己的林园官邸。抵达重庆的毛泽东得知蒋不抽烟后，虽然自己烟瘾很大，一天能吸几十支，但只要有他当年骂为“蠢货”的蒋介石在场，便一根烟不吸。会谈连续达4个小时之久，也是如此。以后他对任何政要皆无这种特殊的礼遇。

双方通过各自的方式，表达出各自对对方的尊敬。

这种尊敬与其说是对个人的尊敬，不如说是对实力的尊敬，对各自的历史地位的尊敬。抛开各自信仰的主义和各自行进的道路，有一点是两人共同的：皆以为自己必定且注定要完成某种不可言喻且不言而喻的历史使命。

蒋介石最终败给了毛泽东。毛泽东去世前说他一生办了两件事，头一件便是把蒋老先生赶到一个海岛上去了。

为何而败？是败于主义，还是败于枪杆？是败于对历史的把握，还是败于对未来的规划？蒋终生不解。

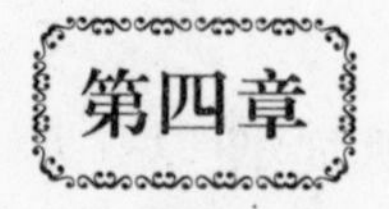

“围剿”

一、李立三惊醒了蒋介石

中国革命中最惊心动魄的搏击，莫过于蒋介石的“围剿”与毛泽东的反“围剿”。

1927 年 4 月 12 日得手以后，蒋介石没有想到对付共产党人还需要“围剿”。

而且是一而再、再而三、三而四、四而五的“围剿”。

后三次不得不亲任总司令。连“九一八”事变、“一·二八”事变都无暇顾及。一心一意、专心致志地“先安内而后攘外”、“攘外必先安内”。

最后一次不得不动用其所能动用的全部力量。

直到被张学良“兵谏”于西安了，闹到如此大之不可收拾的局面，还感叹最后就差两个星期。

“剿共”不成，对蒋来说确实是痛惜之情溢于言表。

与共产党的对抗最初却颇为顺利。从 1926 年“三二〇”中山舰事件到 1927 年“四一二”反革命事变，他屡屡得手，没有费多大的心思。

“中山舰事件”后，共产党人被迫退出第一军、退出国民党中央，接受“整理党务案”，全面退让。

“四一二”，“清党”，“宁可错杀，不可错放”，共产党人更是尸横遍野、血流成河。彷徨的、动摇的纷纷脱党，还有的公开在报纸上刊登反共启事，带人捉拿搜捕自己的战友。

陈延年因手下的交通员出卖而被捕。

赵世炎则被中共江苏省委秘书长带领包探上门抓获。

叛徒何芝华出卖罗亦农，仅为弄到一笔美金和两张出国护照。

部分共产党人的信仰在这个非常时刻，变得如此廉价。

也如此昂贵。

蒋介石几乎是不加怀疑地认为：共产党垮掉了。当初他在黄埔军校归劝学生们信仰三民主义的时候也算苦口婆心，不厌其烦；现在面对潮水一样的“投诚者”，他连见都不要见。

那是蒋总司令空前成功的一年。紧接着海陆丰起义、南昌起义、秋收起义、黄麻起义、广州起义又相继被镇压，他更认为共产党作为一支有组织的力量基本被消灭，剩下钻山为“匪”的小股队伍已不足为患了。

于是他腾出手来，1927 年下半年到 1930 年下半年，收拾张作霖、张宗昌，收拾唐生智、李宗仁，收拾冯玉祥、阎锡山，三年时间用于军阀混战。

湖南总工会委员长、中共湖南省委代书记郭亮的头颅被高悬在长沙城门口示众之时，鲁迅就说过：“革命被头挂退的事是很少的”，“不是正因为黑暗，正因为没有出路，所以要革命的么？”

蒋介石不懂这些。所以他万万想不到，在其军事力量空前壮大、政治权势空前膨胀的这三年，那些被他驱赶到偏远山区的星星之火，却成为他真正的、最终的掘墓人。

最先惊醒他的，是计划“会师武汉，饮马长江”的李立三。

李立三革命之坚决与脾气之暴烈，尽人皆知。

1920年初赴法国勤工俭学，别人不愿干的炉前翻砂工，他干，出大力流大汗。师傅是法共党员，21岁的李立三从师傅那里接受了共产主义思想，积极参加到学生运动和争取华工权利的斗争之中，而且情绪激昂，感染力极强。提到反动势力，就喊：“推翻！打倒！杀掉！”因敢闯敢拼，留法学生送他个绰号叫“坦克”。

1922年春节，李立三回家探亲。其父李镜蓉以为他刚刚从法国回到国内，便问：“你留学回来准备做什么事？”

李立三答：“我要干共产！”

李镜蓉不知道，此时他的儿子正在安源路矿发动工人大罢工。

他听了李立三的回答暴跳如雷：“这纯属胡来！是自己找死！人家督军有那么多兵，那么多枪，你们几个小娃娃，一千年也搞不成！”

李立三答：“军阀有枪，我们有真理，有人民，我们死了不要紧，牺牲了一些人，一定有更多的人起来革命，革命一定成功！”

整个春节在父子的争吵中度过。

李镜蓉后来逢人便说：“这个儿子是舍出去了，只当是没生他吧！”

李镜蓉害怕督军的暴力。几天前湖南劳工会领导人黄爱和庞人铨刚刚被赵恒惕杀害于长沙浏阳门外。其实李立三也是一样，如果没有工人保护，李镜蓉的这个儿子也必被舍在了安源。

当时安源煤矿总监工王鸿卿探知路矿俱乐部主任李立三是罢工首领，出600大洋找人刺杀李立三。工人们得知，从早到晚把李立三团团围住，必须出面的时候，也总是跟随几十个工人把他围在中间，谈话超过十分钟就动手把他拥起就走，使对方无条件下手。

李立三用暴力回应暴力。罢工谈判最关键的阶段，路矿当局完成“草约”十三条后又想要弄阴谋。李立三站起来说，“我们让步已到最大限度，当局接受此条件就复工，否则我就离开矿区，听凭工人们自由行动。”路矿当局一听“自由行动”，想必就是暴动。矿长李寿铨在日记里说：“事急如此，设有暴动，千数百万之产业，即不能保……唯有姑订条件开工以息其风。”

对安源罢工的胜利，刘少奇说“这实在是幼稚的中国劳动运动中绝无仅有的事”。

这一胜利对全国工人运动影响巨大。京汉铁路罢工失败后，各地工会组织全遭封闭，被迫转入地下，唯有组织严密的安源路矿工人俱乐部工人阶级势力强大，反动当局不敢贸然镇压。邓中夏在《中国职工运动简史》中说，安源路矿是硕果仅存的世外桃源。

李立三为中国工人运动作出重大贡献。但他并不因此飘飘然。后来在给要求他留任俱乐部主任的工人们的一封信中，他说：“群众终有力量，团结终有力量，个人决没有力量。”“只要认识了社会主义，就不要认识哪个人了。”

成功的安源煤矿大罢工使党的组织得到很大发展，1924 年末中国共产党只有党员 900 人，其中安源煤矿的党员就达 300 人。

李立三 1926 年又到武汉领导工人运动。在武汉，船工出身的向忠发只是名义领袖，实际主持工作的是李立三。当时人们说，只要向忠发、李立三一声令下，武汉三镇 30 万工人要进可进，要退可退。

李镜蓉少了一个叛逆的儿子，革命却多了一员不妥协的猛将。

这员猛将对中国革命贡献决不仅仅止于工人运动。20 世纪 90 年代出版的《中国共产党历史大辞典》在“李立三”一条中评价说：“蒋介石、汪精卫相继叛变革命后，参加了八一南昌起义，并担任中共前敌委员会委员、革命委员会委员和政治保卫处处长。”

打响武装反抗国民党第一枪的八一南昌起义，李立三决不仅仅是个参加者，更是这一起义的最早提出者。

大革命失败后，他坚决主张用革命暴力回击反革命暴力。

1927年7月12日，中共中央根据共产国际指示改组，陈独秀停职，鲍罗庭指定张国焘、张太雷、李维汉、李立三、周恩来五人组成中央常委，代行政治局职权。

开始并没有南昌起义计划。临时中央的主要工作是部署党组织转入地下和中央机关经九江撤退到上海。为此李立三和中央秘书长邓中夏被先期派去九江，部署中央撤退的同时，考察利用张发奎的“回粤运动”打回广东以图再举的可能性。

李立三到九江后，三下两下把筹划撤退的任务变成了组织武装起义。

7月20日，他与谭平山、邓中夏等在九江举行会议，认为依靠张发奎的“回粤运动”很少有成功的可能。即使回粤成功，也由于我党开始实行土地革命的总方针，同张发奎的破裂同样不可避免。因此应该搞一个自己的独立的军事行动，“在军事上赶快集中南昌，运动二十军与我们一致，实行在南昌暴动，解决三、六、九军在南昌之武装。在政治上反对武汉、南京两政府，建立新的政府来号召”。

这是举行南昌起义的最早建议。

第一次九江会议举行前，中央已经确定了武装反抗国民党的总方针。但如何武装反抗，在何时、何地举行何种起义，没有进一步的计划。李立三在这次会议上果断提出南昌暴动，是一个不可抹杀的重大历史功绩。

会议一结束，李立三、邓中夏立即上庐山，向刚刚到达的鲍罗庭、瞿秋白、张太雷汇报。

鲍罗庭沉默不表态。瞿秋白、张太雷则完全赞成。

此时共产国际新任代表罗明那兹到汉口,汉口传来要召开紧急会议的消息。李立三立即请准备去汉口开会的瞿秋白将此意见面告中央,请中央速作决定。

中央指示未到,李立三照样行动。他 7 月 24 日下山后立即搞了第二次九江会议,决定叶、贺部队于 28 日以前集中南昌,28 日晚举行暴动。然后再次电请中央从速指示,大有箭在弦上不得不发之势。

今天回过头来看,如果没有第二次九江会议,不但起义时间很难说,起义地点也很可能不在南昌。

周恩来在武汉首先得到李立三的报告。中共中央两次召开会议讨论南昌起义问题。最后同意举行暴动,但对暴动地点提出另一种意见。认为可将地点选在南浔,而不是南昌;同时派周恩来立即自汉口赴九江。

7 月 25 日周恩来到九江,召集第三次九江会议。在会上传达:中央常委和国际代表同意在南浔一带发动暴动,然后由江西东部进入广东会合东江农军。

李立三不同意把暴动地点选在南浔。认为九江地区军阀部队聚集,于我不利;同时叶、贺部队已经陆续开往南昌,南昌起义势在必行。

周恩来最终同意了李立三在南昌而不是在南浔举行暴动的意见。

至此,南昌起义被最后确定下来。周恩来、李立三等从九江出发奔赴南昌成立前敌委员会。前敌委员会决定 7 月 30 日晚上举行暴动。

一波刚平一波又起。排在第一号的中央常委张国焘于 7 月 27 日晨到达九江,带来中央最新意见,要起义推迟。30 日晨,前敌委员会在南昌一所女子职业学校举行紧急会议，由张国焘传达中央精神，要求对起义重新讨论。

张话音未落，李立三蓦地第一个站起来，兴奋地说："一切都准备好了，哈哈！为什么我们还要重新讨论？"

周恩来接着说："国际代表和中央给我的任务是叫我来主持这个运动，你的这种意思与中央派我来的意思不符。不准起义，我辞职不干了！"周恩来事后对别人说，这是他一生中第一次拍桌子。

张国焘看出李立三是门大炮，扳倒他就好说服别人，会后便立即与他个别谈话。说来说去李立三就是一句："一切都准备好了，时间上已来不及作任何改变！"

无奈的张国焘最后只得服从多数。起义时间定到8月1日凌晨举行。

八一南昌起义是中国革命处在生死存亡的危急关头，中国共产党人不能不毅然拿起武器、反抗国民党血腥屠杀政策的武装暴动。它是中国共产党独立领导武装斗争的开始，也是局势最为黑暗、中国共产党人最为困难的日子。毛泽东描述自己当时"心情苍凉，一时不知如何是好"；李立三在此时刻，决然提出并果断坚持南昌暴动，率先实践用武装的革命反对武装的反革命，对中国革命贡献巨大。

敢于一意孤行的李立三，后来却一意孤行出一个"立三路线"来。

1928年冬到1930年秋，李立三成为中共中央主要领导之一。他不同意毛泽东实施工农武装割据、建立广大农村根据地的做法，亲自起草《中央致四军前委信》：

你们现在完全反映农民意识，在政治上表现出来的机会主义错误。你们的错误:(一)站在农民的观点上来作土地革命,如像你们认为"农村是第一步,城市是第二步"的理论……(二)你们割据的观点,这同样是一个农民观点,如像你们认为先完成三省边境割据,再打南昌……

他看不起毛泽东的农村根据地。认为"乡村是统治阶级的四肢,城市才是他们的头脑与心腹,单只斩断他的四肢,而没斩断他的头脑,炸裂他的心腹,还不能制他的最后的死命。这一斩断统治阶级的头脑,炸裂他的心腹的残酷的争斗主要是靠工人阶级的最后的激烈争斗——武装暴动"。

正是在这一点上,20 世纪 20 年代末期就主张"斩首"理论的李立三,脱离了中国革命现实。

1930 年 6 月以后李立三成为中央工作的实际主持人。他把舵的船,立即成为一艘既勇猛奋进、又剧烈摇摆的船。

当时正值蒋、冯、阎展开中原大战,31 岁的李立三认为"空前的世界大事变与世界大革命的时机,都在逼近到我们面前了",中国革命已经到了一蹴而就的时刻。他一面部署中心城市武装暴动,一面重新编组全国红军,攻打大城市。

李立三的计划是:

以红四军、红十二军、红三军编为红一军团,由朱德、毛泽东指挥,攻打南昌、九江,切断长江,掩护武汉的胜利;

以红五军、红八军、红十六军编为红三军团,由彭德怀、黄公略、滕代远指挥,占领大冶,切断武(汉)长(沙)铁路,进迫武汉;

以湘鄂西地区红军编成红二军团,由贺龙、周逸群指挥,帮助地方暴动,进迫武汉;

鄂豫皖地区红一军由许继慎、徐向前指挥,切断京汉铁路,进迫武汉；

广西的红七军、红八军由邓小平、张云逸指挥攻击柳州、桂林，进逼广州，然后北上合攻长沙；

各路红军的攻击箭头，最后皆指向中国的心脏，"会师武汉，饮马长江"。

李立三在上海制订这个空前庞大的军事进攻加武装暴动计划时，一定热血澎湃。

如果蒋介石看到这份《中央军委长江办事处工作计划》，定要惊出一身冷汗。因为"计划"表明，中国工农红军在蒋介石与各路军阀混战的三年之间，已经发展到了十万余人。

1930年7月27日，彭德怀率红三军团袭占长沙。杀共产党不眨眼的国民党第四路军总指挥何键，在城内贴一张"市民住户不要惊慌，本人决与长沙共存亡"布告，便只身逃向湘江西岸。

十年土地革命战争中，这是工农红军攻下省会的唯一战例。

据说李立三嘴巴很大，大到能把自己的拳头塞进嘴里。攻陷长沙更使他声若宏钟。8月6日，他在中央行动委员会上报告《目前政治形势与党在准备武装暴动中的任务》：

"同志们！目前中国革命的形势，正在突飞猛进的向前发展，已经显然表示着到了历史上伟大事变的前夜。"

"如果不了解中国实际情形的人，他必然以为这是共产党人的夸大狂，或者布浪基主义。假使现在跑到工厂中去，问工友是否需要暴动，工人一定答复需要暴动。许多工人都说：'暴动的时候，你们要来通知我。'"

"这回红五军攻打长沙，红军的兵力只有三四千人，何键的兵却有七团以上，但红军与何键部队接触的时候，何键部队都水一样的向红军投降。……现在红军进攻武汉的时候，又安知不会遇着这样的形势？假使是可能的——的确不仅是可能而且是必然的，我们为什么不能领导红军进攻武汉呢？让红军在远远的等候武汉工人暴动，恐怕只有书呆子会这样想。……”

其实敌人并没有“水一样地向红军投降”。红三军团总指挥彭德怀说，每次消灭白军，都是红军硬打死拼。红军的军事技术也还非常落后。占领长沙前在岳阳缴获了几门野炮和山炮，全军上下除了彭德怀和一名朝鲜族干部武亭，竟然无人会用。结果只好由军团总指挥彭德怀和武亭亲自操炮。

要总指挥亲自发炮的红军，也总算建立了自己的炮兵。有了炮兵的红军攻占长沙，不能不使中外震惊。

震惊的副产品便是满天飞的流言。

挨了李立三代表中央的批评的毛泽东和朱德，只有率领红一军团进攻南昌。他们在南昌周围示威而退，并未真正攻城，也误传成南昌被红军占领。

1930年8月4日，《国闻周报》头版醒目的大字标题《共产党陷长沙南昌》：

“近来中原鏖战，各省军队多征调前方，防务俱感空虚，共党乃乘机大起，于27日晚占领长沙，30日占领南昌。同时鄂北共党，更在花园方面截断平汉路，进占孝感，于是武汉亦感恐慌矣。”“三数日间，陷落两大省会，设武汉再有不幸，则长江上游均属共有矣。”

同期《国内一周大事记》则记载："7 月 30 日，星期三，共党占领南昌，各机关领馆均被焚，又向九江进攻。"

子虚乌有之事 6 天时间不得校正，臆想中之杀人放火也上了堂堂正正的"大事记"，国民党方面也确实慌张到了风声鹤唳、草木皆兵的地步。

战场上的对手阎锡山、冯玉祥抓住时机，立刻给蒋介石扣上"放任共匪"、"纵共殃民"的帽子。

真真假假的消息和压力掺和一起，极大地震动了蒋介石。

就在李立三沉湎于"会师武汉，饮马长江"之时，蒋介石从河南前线向南京发出密电，要求立即任命武汉行营主任何应钦为"鄂、湘、赣三省剿匪总指挥"。同时嫡系教导第三师首先抽调南下。

中原大战尚未结束，蒋介石开始准备"剿匪"战争了。

对苏区旷日持久的"围剿"，由此拉开帷幕。

帷幕还未拉开，"立三路线"已经宣告结束。共产国际和斯大林对这位要求苏联停止五年计划准备支援中国的革命战争、要求外蒙古回归中国的李立三进行了快速而坚决的反击。

蒋介石不知道这些。也不需要知道。在中共中央忙于清理"立三路线"之时，他开始了他的"围剿"。

一发而不可收。

第一次"围剿"，兴兵 10 万，以江西省主席鲁涤平为总指挥，长驱直入，分进合击。

第二次"围剿"，以军政部长何应钦为总指挥，兴兵 20 万，稳扎稳打，步步为营。

第三次"围剿"，用兵 30 万，蒋亲任总司令，分路围攻，长驱直入。

第四次“围剿”，蒋自任“鄂豫皖剿匪总司令”，委何应钦任“赣闽粤湘剿匪总司令”，先以30万兵力围攻鄂豫皖苏区，10万兵力围攻湘鄂西苏区，得手之后再集兵50万进攻中央苏区；军政并进，逐步清剿。

第五次“围剿”，则集兵百万，几乎倾全国之兵；其中用于中央苏区50万。其嫡系部队倾巢而出。蒋自任总司令，三分军事，七分政治；严密封锁，发展交通；以静制动，以守为攻。

为了剿共，兴兵不可谓不多，战略战术不可谓不周密。确实是倾注了心血，确实是有十八般武艺就用上了十八般武艺，有十八般兵器就用上了十八般兵器。

第一次“围剿”，他便悬赏五万光洋，缉拿朱德、毛泽东、彭德怀、黄公略。同时宣称“期以三月，至多五月，限令一律肃清”红军。似乎仍是当年在上海滩完成一笔期货交易。

1930年12月5日，蒋介石亲乘军舰由南京赴九江，指挥“剿共”。

样子是做出来了，但内心仍然对朱毛彭黄红军瞧不起。

蒋介石收买地方军阀，出手就是数十万、上百万；拉拢阎锡山这样的大军阀甚至一次以上千万元相赠。相比之下，对红军领袖，他的出价是不高的。

此时他业已制服拥兵20万的唐生智，压垮拥兵30万的李宗仁、白崇禧，收编拥兵近40万的张学良，又刚刚打败拥兵70余万的冯玉祥、阎锡山；普天之下，眼空无物，根本不把赣南的3万红军放在眼里。他只到江西草草转了一圈，带领幕僚游了一趟庐山，便将指挥大权交给鲁涤平，返回南京坐等胜利消息了。

胜利消息没有等来。等来的是顺赣江漂流而下的“围剿”主力、第十八师师长张辉瓒的首级，以及总指挥鲁涤平一封悲痛万分的电报："龙冈一役，十八师片甲不归。"

何应钦、鲁涤平在南昌泪水涟涟、凭棺哭吊；蒋介石也在南京大叹"呜呼石侯（张辉瓒别号），魂兮归来"；第一次"围剿"在葬礼中悲悲戚戚地结束。

第二次"围剿"开始，便想"以生力军寒匪之胆"。于是除原有部队外，特增调王金钰第五路军、孙连仲第二十六路军入赣参战。

"生力军"却不愿生力。

王金钰左推右挡，迟迟不动。直到蒋介石许以江西省主席，才勉强带领其北方部下开拔。一路说是有共军骚扰，走走停停，甚为迟缓。

孙连仲的部下则开始破坏南下的铁路和车辆。该部半年前还在中原战场与蒋军血战，现在调头去充当蒋军炮灰，转变实难。

待蒋介石、何应钦软硬兼施，将王、孙两部连哄带压弄到指定地点，原定作战发起时间已经仙逝了半个月。

以非嫡系军队剿共，本是心中暗自盘算的一箭双雕。但有时候心思算计过精了，反而搬起石头砸自己的脚。

第二次"围剿"又是惨败。

到这时蒋介石还以为是杂牌军队"围剿"不力。于是开始动用其核心主力。

从第三次"围剿"开始，蒋军嫡系赵观涛第六师、蒋鼎文第九师、卫立煌第十师、罗卓英第十一师、陈诚第十四师压了上去。这五个师十万人都是蒋介石黄埔起家的老本，可见决心之大。

如此之大的决心仍然不能换来成功，蒋介石才真正认识到问题的严重性。他用一个晚上就可以摧垮共产党人在城市中的组织。面对武装割据的工农红军，三次"围剿"却无损朱、毛一根毫毛。

他头一次感受到了一种莫名的无奈。

就在毛泽东告诉林彪“星星之火，可以燎原”之后，把共产党人从城市赶向乡村的蒋介石，也开始发现“星火燎原”的问题了。

他颇感沉痛地说：“瑞金成立‘苏维埃临时中央政府’，并且开辟了鄂豫皖区、鄂中区、鄂西区与鄂南区，包围武汉。其扰乱范围，遍及于湘、赣、浙、闽、鄂、豫、皖七省，总计面积二十万平方公里以上，社会骚动，人民惊惶，燎原之火，有不可收拾之势。”

取代鲁涤平为国民党江西省主席的熊式辉，也在1933年4月1日密电蒋介石：“现在匪势益张……小股逐渐蔓延，坐视其大而莫能止。资溪、黎川为赣闽浙间要地，失陷数月不能收复，近且进扰南城、金溪、赤化民众，如火燎原。”

国民党人虽然不情愿，也不得不开始直面星火燎原的中国革命局面。

所以第五次“围剿”便倾全国之兵。各地除留守部队外，凡能机动的部队都调来了，嫡系部队更是倾巢而出。堡垒封锁，公路切割。远探密垒，薄守后援。层层巩固，节节进逼。对峙则守，得隙则攻。

眼看得手，将红军压向一块狭小地域围而歼之了，共产党人又有了长征。

一条红色铁流，蜿蜒逶迤二万五千里。任围追堵截，始终不灭。

蒋介石遇到了一个前所未有的对手。

尽管这个对手自己也没有想到前方还会有雪山草地、泸定桥、腊子口，还需要二万五千里长征。

二、战场与战将(一)

平心而论，“围剿”不成，并非蒋介石的部下不能打仗。

国民党方面不乏善战之人。蒋介石手下就有著名的“八大金刚”：何应钦、钱大钧、顾祝同、刘峙、陈继承、陈诚、蒋鼎文、张治中。

人们皆知中国共产党领导的工农红军有“朱毛”之称，却鲜知中国国民党领导的黄埔党军也曾被称为“蒋何”。

一度与蒋介石并列的何应钦，生于贵州兴义县泥荡村。1906年贵州开办陆军小学，规定每县保送一人，何应钦时16岁，以兴义县第一名成绩保送。陆小毕业再保送武昌陆军第三中学。1909年秋，陆军部从三个陆军中学考选20名学生赴日深造，何应考入选，进入东京振武学校。

何应钦是以优异成绩开路的，却不知道振武学校有一个高他两年级叫蒋志清的同学也是如此。1906年，蒋志清报考陆军部全国陆军速成学堂（即后来的保定军校）。当时浙江省报名者千余人，仅招收60人，其中还有46名由武备学堂保送，自由招考名额仅有14人。蒋志清被招生甄试挑选出来，入千分之十四以内。

蒋志清即后来的蒋中正，字介石。

何在振武学校不认识蒋志清。蒋受“坚船利炮”的现实影响，选学炮科；何则以传统的“步战决胜”为信条，选学步科。后来辛亥革命爆发，两人返国，皆在沪军都督陈其美手下任事，蒋任沪军第五团团长，何任都督府训练科一等科员，两人仍然不识。历史的这两个交汇点，蒋、何都没有相遇。

两人知遇是在黄埔军校。

黄埔军校兴办之日，却正是何应钦落魄之时。

何由日本返国后回其家乡贵州寻求发展。初被黔军总司令王电轮宠信，后与贵州督军刘如周之外甥女结婚。贵州两大实力人物皆与何有缘，可谓是春风得意，大树乘凉，前途无限光明。当时黔军一共有三个混成旅,何出任第五混成旅旅长,后又任贵阳警备司令。

但好景不长。1920年,贵州政局突变。黔军总司令部特务团团长孙剑峰发动政变,何被迫辞去所兼各职,被挤出贵州,赶到云南。

在昆明又遇行刺,身中两枪。一枪在胸,一枪在腿。胸部子弹幸未贯穿,留下一条性命。黔军这两枪让何应钦在昆明的法国医院住了半年。自幼立志从军报国,但最先尝到的枪伤,竟是来自自己人的子弹,这不能不使他受到极大的震撼。

也彻底破灭了他对贵州事业的梦想。

出院后他即去上海,闲住将近两年。所携不到一万元的旅费,不够过长期公寓生活,不得不为前途打算。想去广州,但眼见陈炯明叛变、孙中山失势,粤局前途不妙;想去北京,又苦与北洋系实权人物无甚机缘。焦灼之间,得悉建立黄埔军官学校,蒋任校长。他与蒋虽无深交,却与王柏龄相熟。于是托王向蒋介绍。

本来黄埔党军是应该称为"蒋王"而不是"蒋何"的。

王柏龄与蒋介石关系非同一般。两人在保定军校同时考取留日生,一同赴日,且同学炮科。1916年5月,居正在山东青岛成立中华革命党东北军,蒋任总司令部参谋长,王柏龄任参谋;后蒋出任孙中山大元帅府行营参谋长,便电邀王到广州,任大元帅府行营高参;后来成立黄埔军校筹备委员会、军校入学试验委员会,王柏龄的排名皆仅次于蒋。军校正式开办,他立即被委任为少将教授部主任。

当时蒋苦于人手不够,正在极力网罗日本士官同学协助。听了王柏龄的介绍,便以军校筹备委员会委员长身份,电召何应钦赴广州;何到后即被委以重任,先是主持考选军校干部,后出任军校总教官,兼教练部主任,成为仅次于王柏龄的人物。

历史偏爱有准备的头脑。挨过两枪的何应钦,在一番跌荡起落之后,对历史的机缘作好了充分准备。

黄埔党军之所以未能称为“蒋王”，而被称“蒋何”，问题皆在王柏龄自身。

王是蒋介石在黄埔军校视为心腹股肱的头号人物。但他对教学兴趣不大，成天不务正业，去广州吃喝嫖赌，抽鸦片，每每有事找不着。他完全没有意识到处在怎样一个历史关口，处于一个怎样有利的地位；而在这个关口这个地位，稍微谨慎一些、敬业一些、“每每有事”找得着一些，历史将会向他提供多么丰厚的报偿。

何应钦与王柏龄的不一样，恰恰集中在这里。他无不良嗜好，且以军校为家，勤勤恳恳，兢兢业业，无论上班下班，一找必到。于是蒋对何日加信任，开始把托付王柏龄的事交他去办。何见蒋对自己如此信任，大为感激，带领属下刘峙、顾祝同、钱大钧、陈继承等一批军事教官越干越出色。蒋则更欣慰地认为总教官没有选错，两人关系愈加密切。1924年年底，黄埔组建党军，第一期毕业生编为两个教导团，蒋任命何为第一团团长，王为第二团团长，何之地位开始超过王。

蒋的视线由王转向何的关键，还是通过实战。

1925年1月，陈炯明分兵三路进攻广州，大元帅府成立东征联军，分路迎击叛军。何应钦率领教导第一团沿广九铁路开进，担任攻击淡水城之主力，王柏龄率领教导第二团作为预备队。这是黄埔学生军成立以来首次投入实战。何应钦为消除官兵紧张心理，率部一面行军，一面搞野外演习，每天只走一二十里，部队还以为是实弹演习。结果攻击淡水城第一团打得勇猛又放松。攻击拂晓发起，正午突入城内，全歼守军一个旅，缴枪千余支。

第一团城内告捷，第二团却城外败北。王柏龄率领第二团没用上攻城，却与后续增援之敌遭遇。战斗一展开，王柏龄临阵脱逃，第二团部队立即败退。何应钦得知城外战况危殆，立即命令本团第二营营长刘峙率全营出城反攻。此时已是黄昏,敌军在昏暗中以为出城部队是逃出来的自己人,及至跟前才看清是黄埔学生军端着雪亮的刺刀冲锋,措手不及,纷纷溃退。

第一团完成了攻城任务又挽回第二团的颓势,何应钦首战告捷,名声大振。

淡水一仗,使蒋介石看出来,领兵打仗,靠王柏龄是不行的。于是以教导一团一营长钱大钧接替王柏龄,出任教导二团团长职务。

何应钦漂亮地完成了事业开局。

但真正奠定何应钦在蒋介石心目中的地位的,是棉湖之役。

此役是黄埔军生死存亡的关键。何应钦率领教导一团为决战主力,于3月12日在棉湖西北山地与陈炯明部林虎之主力相遇。战斗从拂晓直到下午4时。第二团由于行动迟缓,未能及时攻击敌人侧背,结果敌军全力对付第一团。第一团迎击十倍于己之敌,压力巨大。双方不顾一切,都将总预备队全部投入战场。至午后,何部官兵伤亡三分之一以上,整个战线开始动摇。一位营长见官兵伤亡将尽,失声痛哭。几股敌人冲到了指挥所附近。何应钦当年的司书回忆说:

> 此次战役,存亡之机,间不容发!假如何先生,不决心牺牲自己,则阵线动摇,教导第一团,势必全被敌人消灭;敌人便乘势进攻我孤立无助的第二团,第二团亦被各个击破,无法幸存。于是黄埔训练数年的成绩,殆不免同归于尽,革命的前途,也就不可得而知了。

何也认识到不是鱼死就是网破,只有拼死一战。他一面严令部队不论伤亡多大,都须坚持,不容稍退;一面亲率卫士队机枪排反击突入的敌军。双方犬牙交错，险象横生，战况甚为惨烈。幸而钱大钧的第二团于下午5时绕过敌后，攻入敌司令部，直入夜幕，敌军终于渐渐不支而退。

当然，关键还是黄埔军能打，教导一团能打。作为预备队的粤军许济旅中午赶到，一个团拥上去，才不到半小时就被敌人打瘫了。教导一团却连打带顶带反击，任伤亡再大也坚如磐石。而黄埔学生军的英勇善战，从此威名远扬。

棉湖之役当天，蒋介石和苏联顾问加伦将军皆在何应钦的指挥所。蒋事后云："棉湖一役，以教导第一团千余之众，御万余精干之敌，其危实甚。万一惨败，不只总理手创之党军尽歼，革命策源地亦不可复保。此战适当总理逝世之翌日，盖在天之灵有以默相其成也。"

此战若败，党军尽歼，那么也就绝对没有了后来的蒋介石。于是蒋将3月12日作为纪念他与何应钦同生死、共患难的纪念日。

党军的"蒋何"之称，由此役后广泛传开。

蒋介石最念何应钦的是棉湖之役，何应钦自己最得意的则是龙潭之役。

1927年8月蒋介石第一次下野，孙传芳率部反攻南京。当时南京只有警备师及第二十一师守卫，顶不住孙军攻势，3天下来溃兵便到了麒麟门。何应钦深知此战一败，不但江浙闽赣皖5省重归孙传芳，北方的阎锡山也不会加入北伐行列，甚至北伐军能否回广东重整旗鼓也大成问题；于是率不满300人的特务营亲临前线。溃败官兵见何应钦来了，大呼："总指挥到了！怕什么？冲回去！"居然一举夺回东阳镇，稳定住已溃败之局面。这时恰逢白崇禧从上海筹款返回，因铁路破坏受阻于无锡车站，临时用车站的民用电话指挥沪杭一带部队反击，形成对孙传芳的前后夹击之势，孙部攻势大挫。

龙潭一役为北伐成败关键。此役全歼孙军 50000 人，缴枪 40000 支，何应钦获“捍卫党国”奖旗一面。

何应钦用兵谨慎细致，颇有眼光和头脑，在国民党新军阀混战中也表现不凡。令蒋颇为头痛的桂系第四集团军，几乎就崩溃在他手里。

1929 年 3 月蒋桂战争爆发，何应钦任讨逆军总参谋长，帮助蒋介石运筹方略，一举打败桂系。同年 11 月，张发奎与桂军联合反蒋，何应钦又主持讨伐张桂联军。12 月张桂联军刚被平定，驻郑州之唐生智与驻安徽之石友三又兴兵反蒋，何应钦再度走马武汉，主持讨唐一事。1930 年 1 月唐通电下野，何应钦获一等宝鼎勋章。

1930 年 5 月中原大战爆发后，蒋介石率全部主力北上与冯、阎作战，何应钦在武汉行营坐镇后方，指挥一堆杂牌军对付倾巢出动、骁勇善战的桂军。桂军占领长沙、直逼武汉时，形势一度非常紧张。他蹲在满铺军用地图的作战室地上用铅笔勾勾画画，冥思苦想，把个军用地图标得五颜六色，不向蒋要增援就拿出了解决办法。

他以夏斗寅部死守岳阳，将火车全数开往武汉，否则就地炸毁；又命溃败的何键部退入湘西而不退向武汉，既免武汉受溃兵之扰，又使桂军侧翼受到威胁，不敢长驱直入；最后以粤军精锐蒋光鼐、蔡廷锴两师，跟踪追击桂军后尾，以湘军李蕴珩部支援蒋、蔡两师，共同夹击桂军战略重地衡阳。

衡阳被占，李宗仁、白崇禧的桂军被迫掉头回击粤军。何键部乘势从湘西进袭长沙。东、北两路也有何应钦指挥的军队压向桂军。衡阳一役，桂军遭建军以来空前大败，只有少部分部队逃出何应钦布置的三面夹击，避免了全军覆灭。但也几乎因此丧失了老本，从此一蹶不振。

独自对付了桂军的何应钦，不但不要蒋介石增兵，还能抽出手来，调三个师到津浦线支援北线蒋军主力作战。

享有“干才”之誉的何应钦，当之无愧地坐在蒋介石“八大金刚”中的头一把交椅。

所以蒋介石调兵遣将开始“围剿”红军时，头一个想到的，便是何应钦。

就在蒋、冯、阎的中原大战尚未结束之时，蒋介石便从河南前线向南京发出密电，要求立即任命何应钦为“鄂、湘、赣三省剿匪总指挥”。

北伐与新军阀混战中无役不与、无往不胜的何应钦，三次指挥对红军的“围剿”作战，却三战败北。

何应钦在第二次“围剿”中担任总司令，亲自制定“稳扎稳打、步步为营”的战略方针，集中4个军、11个师共计20万兵力，组成一条800里长的弧形战线拉网推进，席卷红军。结果却被红军横扫700里，损失30000人，丢枪20000支。

第三次“围剿”他担任前敌总指挥，用“长驱直入”方针连连扑空，始终找不到红军主力所在，陷入盲人骑瞎马的苦境；不经意之中又被红军消灭17个团，俘虏20000余人。

第四次“围剿”何应钦任赣粤闽边区总司令，实际是“围剿”中央苏区的总指挥，却弄得三个主力师被歼，两个师长被俘，连蒋军精锐十一师也未逃脱覆灭命运，败得最惨。蒋介石因此雷霆震怒，撤前敌总指挥陈诚之职杀鸡儆猴，还叹曰：“唯此次挫败，惨凄异常，实有生以来唯一之隐痛。”

何应钦找了个借口回南京，再不参加这样的“围剿”。一想起与红军作战和蒋介石怒不可遏的训斥，“惨凄异常，实有生以来唯一之隐痛”的首先便是他。

虽同是蒋介石“八大金刚”，但刘峙与顾祝同最得何应钦信任，又被人称作何应钦的“哼哈二将”。

顾祝同与共产党有两笔账。

一是第五次“围剿”中任北路军总司令，直接指挥蒋军主力进攻中央苏区。先抢占黎川，切断中央苏区与闽浙赣苏区的联系；继在浒湾战斗使红三军团、红七军团严重受损；三在大雄关使红一军团、红九军团蒙受重大伤亡；四则强攻广昌、建宁、古龙冈；血战高虎脑、万年亭；最后再陷石城，迫使中央红军提前长征。

红军突围长征后，在后尾紧追不舍的薛岳、吴奇伟、周浑元部共9个师，皆为顾祝同的北路军部队。

二是抗日战争中发动皖南事变。蒋介石原以为需两至三个月、最少也需一个月才能吃掉项英、叶挺率领的9000余新四军精锐部队，结果实际战斗只用了7天。其中与项英、叶挺的先后指挥失误有关，也与顾祝同的精心谋划和指挥相联。

如果说顾祝同与共产党最少有两笔账，那么刘峙最少就有三笔。

第一笔是1926年中山舰事件，刘峙任党军第二师师长，蒋介石召集卫戍部队讲话，他紧跟着宣读要逮捕的共产党人名单，随即扣押了第二师和海军中所有党代表及共产党员。当晚，包惠僧质问刘峙为何如此，刘回答说：“我也不完全了解，我是以校长的意思为意思，校长命令我干什么，我就干什么。”

第二笔是1927年“四一二”反革命事变。事变前蒋介石问上海警备司令白崇禧需要多少部队，白答：“只要调出薛岳之第一师，留下刘峙之第二师及周凤歧之二十六军便够了。”蒋、白皆认为刘峙是反共最坚决的力量。第二师旋即进入上海，原第一师驻防的闸北兵工厂、吴淞口一带，均被第二师接防。

第三笔是1932年6月，对鄂豫皖根据地的第四次“围剿”，刘峙任中路军副司令官（司令官为蒋介石），指挥6个纵队和一个总预备队计16个师另2个旅，“纵深配备，并列推进，步步为营，边进边剿”，攻占鄂豫皖根据地的心脏新集和金家寨。蒋介石高兴异常，以刘峙的字改新集为“经扶县”，以刘峙麾下第六纵队司令卫立煌之名改金家寨为“立煌县”。

其实，攻占金家寨的原本应该是蒋介石的另一个金刚：陈继承。

陈继承长期为刘峙部下。1926年中山舰事件，他在刘峙的第二师任第四团团长，将该团官兵集中于北校场，党代表、政工人员和中共党团员一律被缴械拘禁。后来参加对鄂豫皖根据地第四次“围剿”，担任刘峙的中路军第二纵队指挥官，指挥四个师担任主攻。陈继承8月13日占黄安；9月上旬占新集，14日克商城，三处皆为鄂豫皖根据地的核心地带。唯有在金家寨遭到顽强阻击无法前进，让卫立煌抄小路立了头功，否则蒋介石就不会叫金家寨为“立煌县”而要叫“继承县”了。

因陈继承作战异常卖力，甚至不惜拼光，蒋介石调他参加对中央苏区的第五次“围剿”。陈继承率领第三纵队，1933年11月在阳新、紫金山一带布置伏击阵地，使红九军团第三师陷入伏击，部队损失达三分之二。1934年4月，蒋又令陈继承任湘鄂赣“剿匪”总指挥。陈到任后指挥部队包抄龙门山区的中共湘鄂赣省委，省委几次突围未成，机关和部队一千多人大部分牺牲。

红军长征突围后，蒋介石让陈继承当上了国民党中央执行委员。

攻下鄂豫皖苏区首府新集的是刘峙，攻下中央苏区首府瑞金的是蒋鼎文。

国民党军队战史评价蒋鼎文“勇敢善战”，属于能打敢拼的人。但首先发现他的不是蒋介石，而是苏联顾问加伦。一次黄埔军校学生野外演习，观操的加伦将军当场就战术上的几个动作，连续向担任连指挥的学生队区队长蒋鼎文发问，一旁的蒋介石都为他捏一把冷汗。但蒋鼎文应付自如，对答如流；加伦对蒋介石说了一句"这人可以重用"，从此奠定了蒋鼎文飞黄腾达的军事生涯。

苏联顾问首先发现了他，他对苏联顾问却并不客气手软。1926年中山舰事件发生，率第五团包围苏联顾问团和省港罢工委员会、强行收缴顾问团卫士和罢工委员会枪械的，就是这位加伦将军发现的蒋鼎文。

关系黄埔党军生死存亡的第一次东征棉湖之役，蒋鼎文接任教导团第一营营长，于棉湖西北山地向林虎部主力发起勇猛冲击时，胸部中弹，被送进医院抢救。蒋介石当即犒赏5000元，并在撰写黄埔一期同学录时，亲笔在前言提及"蒋营长鼎文等十余人尚在危病中，死生未卜"。

何应钦不信蒋鼎文如此奋勇，怀疑是怯敌背逃时为流弹所伤。派人验明，子弹是从左肋穿入。枪伤也不争气，侧面穿入的子弹，即可说明伤者在进，也可说明伤者在退。独蒋介石宁愿相信其忠勇，因此在医院伤期内，蒋鼎文就被升任教导第一团中校副团长，很快又调任第二师五团团长。

如此英勇的蒋鼎文，却在"围剿"红军中被打怕了。

1931年6月，蒋介石对中央苏区发动第三次"围剿"，蒋鼎文任第四军团总指挥，率第九、第五十二两师从南城地区进犯。蒋介石原想压迫红军于赣江东岸消灭之，7月底发现红军主力转移到兴国地区，便命蒋鼎文率部向兴国急进。红军以一部伪装主力向赣江方向佯动，主力却于8月4日晚，穿过蒋鼎文部和蔡廷锴部之间20公里的空隙，跳出合围。待蒋鼎文反过身来对君埠以东的红军集中地取大包围姿势，第九师二十七旅却在老营盘突遭红军奇袭。他急令二十六旅驰援，中间一道山又被红军占领，增援不及。激战数小时，二十七旅遭全歼，八十一团团长王铭被俘。第九师是蒋鼎文的基本部队，这一损失使其分外心痛。一波未平一波又起，9月15日第五十二师又在方石岭受红军袭击，全师倾覆，连师长韩德勤也被俘虏。幸亏韩德勤滑头，隐瞒了身份化装成伤兵，才侥幸逃回；蒋鼎文自己则在黄土坳陷入红军三面包围，幸逢蔡廷锴率军及时赶到，才得解围，惊魄稍定。

蒋鼎文指挥作战，在此之前一直是占便宜不少、吃亏不多。第一次参加“围剿”就差点儿当了俘虏，对他刺激很深。后来他虽然在进犯赣东北方志敏的红十军时频频得手，甚至还因向蒋介石提出“步步为营，步步推进”的战法受蒋夸奖，但心劲已大不如前了。他对红军作战有了戒心，常常托故避居上海。在私下里对好友说：“今后打算积资百万，在上海消磨20年岁月，就可结束此生。”

蒋鼎文想退，蒋介石却不让。第五次“围剿”中又被作为干将拉上第一线。让他干了两件自己也意想不到的事。

第一件想不到之事是平息“闽变”。1933年11月21日，陈铭枢、蔡廷锴等第十九路军将领在福州成立“人民政府”，通电倒蒋；蒋介石命蒋鼎文以左路军总指挥身份，入闽镇压。

蒋鼎文与陈、蔡二人都有不错的交情。“一·二八”淞沪抗战中，陈铭枢为京沪铁路方面的左翼军总指挥，蒋鼎文为沪淞铁路方面的右翼军总指挥，一起指挥部队对日军作战，配合得很好。蔡廷锴对蒋鼎文更有救命之恩，蒋鼎文自己也说，第三次“围剿”中在黄土坳若非蔡廷锴鼎力相救，他怕是早成了朱毛红军的阶下囚。

现在，蒋鼎文却率领15万大军入闽，对其并肩抗日的战友和救其于危难的同事作战了。

如果因私人感情对蒋介石的命令打了折扣，蒋鼎文也就不是蒋鼎文了。当年对苏联顾问就是如此，今天对陈铭枢、蔡廷锴也不会例外。其受命当天，他就在总指挥部对消灭第十九路军和推翻福建人民政府做出了部署。他最害怕红军支援十九路军。后来听说红军没有与蔡廷锴合作，便如释重负，大打出手。军事进攻的同时贿买十九路军六十一师师长毛维寿在泉州倒戈；收买地方武装及地痞流氓在十九路军后方捣乱，一口气把十九路军搞垮。

第二件想不到之事是攻占瑞金。

1934年2月“闽变”结束，蒋鼎文部改为东路军，从福建方向进攻中央苏区。

但出师不利。第一路陈明仁的八十师刚进入沙县，就遭到红军的围歼，官兵伤亡近半，辎重损失殆尽；第二路李玉堂的第三师第八旅又在连城方向被红军全歼，师部直属部队亦有损失。蒋鼎文气急败坏，一面亲临前线督战，一面急电南昌行营。蒋介石接电，立即派顾祝同飞往闽西，帮助其重新部署作战计划，并将陈明仁撤职，李玉堂降为上校师长，留职“立功”。

在别处作战就很顺利、偏偏对红军作战极不顺利、直到红军出发长征前仍在吃亏的蒋鼎文，最后占领了一座空空如也的瑞金城。

还是在红军长征出发整整一个月之后。

还有三个金刚。

钱大钧善战，也善谋。领兵打仗时，曾对南昌起义部队造成过很大危害。做高级幕僚、调任军事委员长南昌行营主任了，便又出谋划策，帮助蒋介石制定第四次“围剿”的方略。

八大金刚中，七个金刚都参与了对红军作战，唯独剩下个张治中。土地革命战争期间他未和红军作战；抗日战争期间与中共十分友好；解放战争时被人说成是和平将军。虽然他不在战场上与共产党交手，但作为蒋介石的首席代表，在谈判桌上与共产党人的交锋之中，张治中也是攻势凌厉、咄咄紧逼的。1945年重庆谈判的记录便是明证。涉及共产党军队的削减，张治中就和在战场上交手一样，寸步不让。

否则，怎能算成蒋介石的金刚。

最后一个便是陈诚。

中国共产党方面，没有听说毛泽东夸赞过哪个国民党将领。中共中央军事部、中央革命军事委员会资格最深的领导人周恩来，曾夸过陈诚、胡宗南。

1936年7月，周恩来在陕北白家坪对美国作家埃德加·斯诺说，国民党将领中，陈诚算得上是个“比较高明的战术家”、“最有才干的指挥官之一”。

这是对中央苏区的“围剿”作战中，给红军造成最大伤害的对手。

在蒋介石由黄埔党军集团组成的八大金刚中，就资历而论，陈诚排倒数第二。

1924年黄埔军校成立时，陈诚仅是一名没有适当职业的候差军官，任上尉特别官佐。而何应钦是军校的少将总教官；钱大钧是中校兵器教官；顾祝同、陈继承是中校战术教官；刘峙是少校战术教官；张治中稍晚一些来，也被任命为第三期入伍生总队的上校副总队长。只有蒋鼎文的军衔低于陈诚，任第一期中尉区队长。

但蒋介石八大金刚的核心，是何应钦和陈诚。在大陆，称“蒋何”，到了台湾，便称“蒋陈”。其实自何应钦在南方三次“围剿”红军失败溜回南京，赴华北主持北平军分会受不了日本人的压迫又溜回南京，蒋介石骂他“怕死就不要穿军服”起，国民党军队的核心便已经不再是“蒋何”而是“蒋陈”了，只不过到了台湾才正式叫出来而已。

看戏时，演戏时，好的节目，好的演员，都要放在最后，曰“压轴”。

八大金刚中，蒋介石每每用陈诚压轴。收拾不了的烂摊子，让陈诚去收拾；啃不动的硬骨头，让陈诚去啃；实在丢不起人了，蒋介石也不丢这个人，而让陈诚去丢人。

1933年年初对江西苏区的第四次“围剿”，陈诚任中路军总指挥，虽然名义上“围剿”总指挥是何应钦，但主力部队全部掌握在陈诚手里，陈事事越级直接向蒋请示，何应钦也奈何不得。

结果出师不利：2月底陈部第五十二师、五十九师在宜黄南部被红军歼灭；五十二师师长李明和五十九师师长陈时骥双双被红军俘虏。3月，陈诚指挥罗卓英、吴奇伟两纵队打算长驱直入，进攻广昌，十一师又被红军围歼。该师为蒋军嫡系中的嫡系，是陈诚的起家部队，在此以前从未败北。师长肖乾自恃战斗力强，罗卓英警告他地形不利，并通过侦察得知红军主力有可能前来包围，肖乾硬是要“拼一拼”，最后几乎全军覆灭。

罗卓英纵队在由乐安向东到黄陂集中的途中，也被红军截击，损失惨重。

仗基本都是按照蒋委员长的意思打的，包括十一师师长肖乾坚持主张的战斗，陈诚事前都有请示，事后也有汇报。但仗打败了，承担责任的却不是委员长了。

1933年4月10日，国民政府军事委员会颁布决定，以中路军总指挥陈诚“骄矜自擅，不遵意图”，降一级，记大过一次；军长罗卓英“指挥失当，决心不坚”，革职留任；第十一师师长肖乾“骄矜疏失”，记大过一次。

处分了一系列人，唯军事委员会委员长蒋介石以“实有生以来唯一之隐痛”便解脱干净，只留下陈诚站在那里成为何应钦、熊式辉等人的靶子，连声“觉得非常惭愧”、“不能辞其咎”，头埋得快缩进了胸脯。

能屈能伸的陈诚，从军也有一番独特经历。据台湾官方介绍，1918年，陈诚21岁，自杭州体育专科学校毕业，正为前途彷徨，有同乡前辈杜志远当选北平政府国会议员，北上就职时路过杭州，陈诚经人介绍与他谈话。杜发觉此人稳重有礼，且有志气，不甘平庸，遂带其北上进京。在北京逢“五四”运动发生，热血青年无人不思救国，陈诚也不例外。杜志远便托人介绍陈诚去投考保定军校。当时想从军报国的青年很多，军校条件严格，初试录取40名，复试只取3人。3人之中，便有陈诚。

官方修订的“正统”历史，自然无比优异。

但当年陈诚的英文秘书陈应东却有不同说法：当年一帮浙江同乡在车站送杜志远北上时，因杜的卫队中多青田同乡，陈诚在车上与他们攀谈忘了下车，被糊里糊涂拉到北京。杜志远问明情由，才知道陈诚是青田同乡，又是同科秀才陈希文的儿子，这才将陈诚留下。后来杜志远向同属皖系的保定军校校长曲同丰保送陈诚投考八期炮科，因身材矮小，考试成绩又差，未被录取。再经杜向主考官、北洋政府陆军部军学司司长魏宗翰疏通，才以备取资格入学。

从陈诚的英文秘书口中透露出来的这些曲折，恰恰说明，正统的历史从来不一定就是信史。

陈诚倒从来对蒋介石忠心不贰。与他关系再深的人，只要与蒋不睦，他必弃之从蒋。

其一是邓演达。

邓演达与陈诚关系极深。1922年，邓演达奉孙中山之命，到上海物色军事人才。选中的人当中，便有陈诚。陈诚随邓演达南下广州，邓担任警卫广州大元帅府的粤军第一师第三团团长，陈诚任该团三连连长。1924年5月，孙中山创办黄埔军校，邓演达任黄埔军校教练部副主任，兼入伍生总队长。陈诚又被邓演达带进黄埔军校，担任上尉特别官佐。

陈诚一生的第一次关键转折由杜志远引路，第二次和第三次，引路的皆是邓演达。

其二是严重。

严重对陈诚的人格影响极大。陈诚在粤军第一师第三团任连长时，营长就是严重。后来邓演达去黄埔军校任职，严重也进入军校。先任中校战术教官，很快接任邓演达的入伍生总队长，后来担任军校训练部主任，并调陈诚为训练部炮兵科长。广东出师北伐前夕，国民革命军总司令部成立，严重由训练部主任调任第二十一师师长，陈诚便也由炮兵科长调任该师六十三团团长。

从粤军、黄埔军校到党军，严重一直是陈诚的直接上级，两人相交很深。严对陈期望殷切，督教又严。他每天写日记，某日在日记中写到："陈诚来谒，畅谈二小时……将来救中国，必此人也。"足见他当时对陈诚的器重。

邓演达、严重二人一旦反蒋，陈诚便与他们分道扬镳。

"四一二"反革命事变前，严重辞职，将二十一师交陈诚代管。蒋召见陈诚，问其对国内形势的基本态度。陈诚只一句话："绝对服从蒋总司令。"

就这一句话，陈诚在事变前一天之4月11日，被蒋任命为二十一师师长。

陈诚与蒋介石如何相识的，说法也不同。

一说黄埔时期某日陈诚从市内玩耍归来，夜不能寐，索性起床挑灯读书。适逢蒋介石查夜，寻灯光而来，见陈诚夜读，拿过一看是画有很多杠杠的《三民主义》，从此留下深刻印象。

另一说某日陈诚到广州市区玩耍，第二天清早就乘头班轮船回黄埔军校，到操场上翻单杠。恰巧这天蒋介石很早到校巡视，走到单杠旁见地上放有一本《三民主义》，拿起翻阅，书上圈圈点点写满小字，连夸阅读认真，留下深刻印象。

两种说法差别不多。都是圈圈点点的《三民主义》，都是蒋校长亲自发现，都是从广州玩耍返回。不同的是一个发生在半夜，一个发生在清晨。一个在读书，一个在翻单杠。如果只有这两种说法，那么倒可以说，前一种说法可能性小，后一种可能性大。因为蒋当时并不住在黄埔军校内。他的住地与军校有一段距离，半夜起来到军校查哨再返回去，可能性不大。蒋有早起的习惯，清晨早早到校倒是极有可能。

不过蒋、陈相识，的确发生在黄埔军校以前。

1923 年 5 月，担任大元帅府警卫事宜的上尉连长的陈诚随同孙中山出征西江，在肇庆与冯葆初部队作战，陈胸部中弹受伤。住院治疗期间，新锐军人、大元帅行营参谋长蒋介石到肇庆，顺便到医院慰问伤患，两人在病床前第一次相识。从此一直到 1965 年陈诚在台湾去世，追随蒋介石的政治态度终生不改。

陈诚自身也是一个矛盾体。政治上忠蒋不贰，感情上又与邓、严藕断丝连。

蒋介石通缉邓演达，陈诚明知邓隐居上海租界也不报告，还悄悄给邓送消息。后来邓演达被蒋介石抓住枪毙，陈诚着实难受了好几天。

严重辞职后隐居庐山犁头尖，平房三间，生活拮据，陈诚便暗中接济。一遇机会就在蒋面前保举严重。"九一八"事变后，天津《大公报》发表严重隐居庐山的专题报道，指蒋介石国难当头，弃北伐名将不用。陈诚立刻抓住机会与陈布雷一起向蒋进言，起用严重，他本人还急匆匆上庐山想拉严重下山。

与忠蒋和反蒋的人都还关系不错，是陈诚独立摸索出来的一套政治模式。

这种模式被他用到指挥作战与部队训练中，变成对民情、对兵心的极端重视。

陈诚与蒋介石、何应钦不同的是，蒋、何皆以优异成绩考取军校和从军校毕业，陈诚却不然。当年若无杜志远连连保荐，他也只能返回家乡做一名体育教师。

所以他的军事素养大部分来自后来的战争实践。陈诚之善战，且不易为国民党其他将领学去，确有不少步兵操典之外的东西。功夫在战外，对他来说不为之过。

他一直对共产党的政治工作推崇备至。

二十一师是一支受共产党影响很深的部队。从广东出发北伐时，师长严重提出“官长士兵化、士兵民众化、民众革命化”口号，作为该师官兵守则。陈诚身体力行，贯彻全团。陈团连以下军官都肩背马枪行军，与士兵同吃同住。不仅官兵纪律严明，而且每到一处，即召开军民联欢大会，宣传北伐革命道理。故所到之处，声威大振，备受民众拥戴与协助，当时在苏浙一带被称为模范师。

二十一师的革命作风对陈诚产生很大影响。他第一次看到一支精神振作的军队是多么强大的军队。陈诚以后凡事以身作则。说禁止赌博、吸烟，自己先做到，其助手郭忏、周至柔都不敢在他面前吸烟。要求服装整齐，即使在酷暑盛夏，起床后他即打好绑腿，直到晚上就寝才解脱，从团长当到总指挥都是如此。夏日行军他顶着烈日不戴斗笠。在江西苏区的第五次“围剿”作战中，山地行军也从不骑马，和士兵们一样，穿草鞋步行。他指挥的部队机动性高，一天能行军百里，是蒋军中少数能与飘忽不定的红军做急行军追逐的部队。

1929 年 12 月，陈诚率十一师，在河南确山东南与唐生智部的刘兴第八军激战，雪深及膝，战斗持续三昼夜，陈诚亲在第一线督战，终将第八军压垮。全部缴械前，胜利者陈诚却派其军需科长携亲笔信和现款5000元给刘兴，说："自相残杀，实为痛心，请速逃走，来日国家当有用你之处。"

这一点，确实是陈诚与蒋介石大不相同之处。

接款逃走的刘兴，抗日战争初期出任长江江防总司令。

一面卖力为蒋作战，一面也知道是"自相残杀"。陈诚颇具几分政治家的清醒。

内心深处不以自相残杀为然的陈诚，对生擒敌方主将这类历来是战场指挥官的最高荣誉，竟然兴趣不大。

但为什么后来又以极大的兴趣投入了对江西苏区的第三、四、五次"围剿"？这就不仅是其性格之谜了。

特别是第四次"围剿"失败，受到降一级、记大过一次的处分后，蒋介石为振作"丧失革命精神"、"缺乏信仰"、"贪生怕死"的军队，开办庐山军官训练团，陈诚全身心都投入了为消灭红军而进行的严格训练。

第一期至第三期庐山军官训练团，全称是"中国国民党赣粤闽湘鄂北路'围剿'军官训练团"，主要训练担任第五次"围剿"的主力军——北路军排以上军官。

陈诚任训练团团长。副团长二人：跟随陈诚有年的刘绍先和碉堡政策的规划者柳善。

他在庐山用了心血，把红军的战术主要归结为四种形式：诱伏、腰击、正面突破、抄后路。认为就是这些战术使国民党指挥官"束手无策"。

为了对付红军这些战术，陈诚领头搞出"一个要诀、两项要旨、三个口号、四大要素、六项原则"。

一个要诀是"服从命令"；

两项要旨是"战术上的分散与集合"；

三个口号是“受伤不退，被俘不屈，临难不苟”；

四大要素是“确实、迅速、静肃、秘密”；

六项原则是“搜索、联络、侦探、警戒、掩护、观测”。

陈诚认为深入研究、熟练运用这套方针，就能战胜红军。

实兵演练中，陈诚特别重视的两件事就是射击、爬山。

在射击上，陈诚还有一套奇妙的演算。

其一，假定用10发子弹打死一个红军，每个国民党士兵带200发子弹便可打死20人，每团以1000支枪计算，便可打死两万名红军。这样，中央苏区的红军还不够他三个团打，最高限度用十团人，也就可以全部消灭红军了。

其二，每5分钟放一枪打死一个红军，一小时放12枪，可打死12人，3000人用6小时便可打死216000人。因此消灭红军只要有千把个战斗兵就可以说绝对不成问题。

双方的作战行动被陈诚变成一场单方打靶。而且是固定目标、任随你怎么开枪的胸环靶。沙场宿将瞬间变成一个掰指头演算的劣等生。能够明白的倒是：当年放跑刘兴的陈诚所说的“自相残杀”，不包括“围剿”红军。

在爬山训练上，陈诚的理论就不那么离谱了。

汲取前四次“围剿”的教训，陈诚从红军山地游击战运动战的特长中总结出应对的四点：

一、练习爬山。国民党兵尤其是北方士兵不会爬山，见山就害怕，成为“围剿”军的致命弱点。所以，必须练就“超巅越绝”、“缒兵钻隙”的本领，不但不为“地形道路所支配限制”，而且要“利用一切的地形道路”。

二、娴熟地掌握“六项原则”、“四大要素”，练就过硬的、基本的战术技术。

三、为对付红军“出没无常、飘忽不定，以寡击众、以零击整”和“独来独往”的游击战术，要能“便装远探、轻装急进；秘密敏捷、夜行晓袭”。

四、使用炮兵。许多高山，人爬不上去，步枪打不到，把炮兵运用上去，就大为有利。

令陈诚翻身的，就是这个庐山军官训练团。

1933 年 10 月，第五次“围剿”正式开始。陈诚被任命为第三路总指挥兼北路军前敌总指挥。记在蒋介石另一个金刚、北路军总指挥顾祝同名下的那些账，实则皆是陈诚所为：

抢占黎川，切断中央苏区与闽浙赣苏区的联系；在浒湾战斗使红三军团、红七军团严重受损；三在大雄关使红一军团、红九军团蒙受重大伤亡；四则强攻广昌、建宁、古龙冈；血战高虎脑、万年亭；最后再陷石城，迫使中央红军提前长征。

三、战场与战将(二)

对工农红军一次又一次的反复“围剿”中，打怕了蒋介石的八大金刚。

对蒋介石屠杀政策的武装反抗中，却走出来一大批威震华夏的红军战将。

第一枪 1927 年 8 月 1 日在南昌城头打响。

第一枪打得如此响亮。1955 年授衔的中国人民解放军十位元帅和十位大将中，八位元帅和六位大将与南昌起义紧紧相连。八位元帅是：朱德、贺龙、刘伯承、聂荣臻、林彪、陈毅、叶剑英、徐向前；六位大将是：陈赓、粟裕、许光达、张云逸、谭政、罗瑞卿。

八一南昌起义的主力，是国民革命军第二方面军的部队。中国共产党人在大革命时期所能掌握或影响的武装力量，主要集中在这支部队里。该方面军下辖第四军、第十一军、第十二军、第十三军、暂编第二十军。共产党所能掌握和影响的，是叶挺兼任师长的第十一军二十四师，以原叶挺独立团为骨干扩编成的第四军二十五师以及贺龙任军长的暂编第二十军，共两万余人。

颇值得历史记载的是，中国人民解放军十位元帅中的五位、十位大将中的六位，1927年都集中在第二方面军内。

五位元帅是：第二方面军暂编第二十军军长贺龙；第二方面军第四军参谋长叶剑英；第二方面军总指挥部上尉参谋徐向前；第二方面军第四军二十五师七十三团三营七连中尉连长林彪；第二方面军教导团特务连准尉文书陈毅。

六位大将是：第二方面军第四军二十五师参谋长张云逸；第二方面军第四军直属炮兵营见习排长许光达；第二方面军第十一军二十四师教导队学员班长粟裕；第二方面军第四军十二师三十四团少尉排长徐海东；第二方面军总指挥部特务营文书谭政；第二方面军教导团二连副班长罗瑞卿。

以上十一人，除贺龙于南昌起义南下途中入党、谭政在秋收起义中入党、罗瑞卿1928年年底在上海转为党员外，当时都已经是中共党员。除徐海东于大革命失败后脱离第四军，返回家乡搞农民自卫军外，南昌起义前都在第二方面军编制序列之内。

一支旧式军队内，竟然集中如此众多未来新型军队的高级将领，无论古今中外，都是一种罕见现象。它在一定程度上说明，虽然共产党人当时还未能直接掌握军队，但对武装斗争并非毫无准备。

8月1日起义当天，在南昌城头指挥战斗的有后来人民解放军的三位元帅：起义代总指挥、暂编第二十军军长贺龙；暂编十五军军长、协助贺龙实施指挥的刘伯承；第三军军官教育团团长兼南昌市公安局局长朱德。

贺龙寻找共产党经过了长期过程。1923年，时任川军第九混成旅旅长的贺龙问他的参谋刘达五："我走的路子对吗？"刘达五答："你常讲要为受苦人打天下，谁能说这路子不对？不过打来打去，还没有打出天下来，你也还在摸夜路呀！"

贺龙说："你说对了。清朝倒了，袁世凯死了，全国还是乱糟糟的。大小军阀各霸一方。我们在四川打了三年，真是神仙打仗，凡人遭殃，吃亏的还是四川老百姓。中国地方这么大，为什么这么穷，这么弱？就是给这帮军阀、官僚搞乱了。不打倒这些人，老百姓还能指望过好日子吗？可是困难哪，这么大一个烂摊子，哪个能够收拾？"

在共产党人身上，贺龙看见了能够收拾这个摊子的力量。

1927年7月是中国共产党最困难的时刻。继蒋介石发动"四一二"事变后，汪精卫又发动了"七一五"事变，共产党人到处被通缉、被屠杀、被囚禁。就在这样的时刻，贺龙作出了自己的选择。7月23日，贺龙率部到达九江。谭平山找贺龙谈话："共产党人要在南昌举行武装暴动，希望率二十军一起行动。"贺龙当即表示："感谢党中央对我的信任。我只有一句话，赞成！"

7月28日，贺龙见到前敌委员会书记周恩来。周恩来就起义基本计划询问他的意见。贺龙说："我完全听共产党的命令，党要我怎么干就怎么干。"周恩来点点头，说："共产党对你下达的第一个命令，就是党的前委委任你为起义军总指挥！"

在天空最为黑暗、共产党人最为困难的时候，共产党找到了贺龙，贺龙也找到了共产党。起义部队南下途中，由周逸群、谭平山介绍，贺龙在瑞金加入中国共产党。

刘伯承在南昌起义中协助贺龙实施指挥。这位老军人对共产党的寻找与认识，经历了与贺龙不同的过程。1923年秋，在吴玉章、杨暗公等人指引下，刘伯承的思想开始转向马克思主义。但他素以“深思断行”为座右铭，凡事独立思考，不随波逐流。有人劝他加入中国共产党，他回答了这样一句：“当今中国向何处去？哪一种主义最合乎中国国情？还应当深思熟虑才稳妥；如果一见旗帜就拜倒，我觉得太不对了。准备极力深研，将来才能确定自己的道路。”

对刘伯承这番话，杨暗公在当天的日记中赞叹道：“这是何等的直切，何等的真诚哟！比起那因情而动、随波而靡的人来，高出万万倍。”1926年5月，刘伯承完成了自己的选择。经杨暗公、吴玉章两人介绍，加入中国共产党。当时他已是有“军神”之称的川中著名战将。

南昌起义前，中国共产党人没有独立地领导过武装斗争。所以对起义的组织领导者、中共前敌委员会书记周恩来来说，迫切需要一个政治上可靠、军事上可资的得力助手。此人既要有秘密组织大规模兵暴的经验，又要有丰富的作战指挥经验。

周恩来选中了刘伯承。

刘伯承不负众望。他首先根据周恩来的指示，到二十军军部协助贺龙拟制起义计划，并协助指挥二十军攻占朱培德的第五方面军总指挥部。起义成功后，他又出任参谋团参谋长，直接指挥策划起义部队随后的行军作战行动。

南昌起义后成立的参谋团，成员有周恩来、贺龙、叶挺、朱德、刘伯承等人。在确定参谋团领导的问题上，周恩来回忆说：“参谋团当时没有人任主任。后来我就指定刘伯承同志来做参谋长，他起初谦虚，不肯答应；后来我说一定要你来做，他才担任参谋长职务。”

后来在起义部队南下、连日行军作战的情况下，参谋团实际成为起义军的指挥核心和领导中枢。刘伯承在其中发挥了重要作用。

8月2日拂晓，从马回岭又赶来了后来人民解放军的两位元帅：前委军委书记聂荣臻；第四军二十五师七十三团三营七连连长林彪。

聂荣臻、林彪两人没有赶上8月1日南昌城的起义。因为第四军第二十五师当时未驻南昌城，而驻在南昌以北靠近九江的马回岭。为使这部分力量加入南昌起义队伍，起义发动前，周恩来派聂荣臻去马回岭，任务是向第二十五师周士第等人传达前委武装起义的决定，并领导该部起义。聂荣臻当时在中共中央军事部工作，南昌起义前经周恩来指定任前敌军委书记。他到马回岭之后，立即开展紧张的起义发动工作。8月1日中午，马回岭地区第二十五师的两个团又一个连计3000人，在聂荣臻、七十三团团长周士第、七十五团副营长孙一中率领下，脱离张发奎的控制，向南昌开拔，参加起义。

这支队伍的行动坚决果断。当第二方面军总指挥张发奎、二十五师师长李汉魂率领卫队营乘火车追赶上来、想把队伍拉回去的时候，担任殿后任务的七十三团立即猛烈射击，张发奎、李汉魂跳车狼狈逃走，火车被俘获，张发奎的卫队营也全部被缴械。

北伐作战中初露锋芒的林彪，当时就在担任殿后的队伍之内，任七十三团三营七连连长。

这支队伍于8月2日拂晓赶到南昌，当聂荣臻向周恩来汇报时，周恩来高兴地说："行动很成功！我原来没想到这样顺利，把二十五师大部分都拉出来了。"

这部分力量的加入，使南昌起义部队力量得到大大加强。

陈毅加入南昌起义队伍，比聂荣臻、林彪费了更大周折。

8月1日南昌暴动当天，陈毅在武汉。他当时表面的职务是第二方面军教导团准尉文书，实际是该团内中共党团的负责人。教导团奉命"东征讨蒋"，正准备开拔。陈毅虽然不知南昌起义已经发生，却感到了山雨欲来风满楼的气氛。他在汉口向好友辞行时说：

"以前清朝政府骂孙中山是土匪,现在国民党又骂我们是土匪。好,我偏要去当这个'土匪'!"

乘船东进的教导团到九江后被张发奎包围缴械。全体徒手上岸,分别站队,清理共产党人。陈毅就在这天晚上决然脱离教导团,星夜追赶南昌起义军。8月10日,终于在抚州追上起义队伍。周恩来、刘伯承见到从九江追赶上来的陈毅,派他到二十五师七十三团任团指导员。周恩来说:"派你做的工作太小了。你不要嫌小!"陈毅只一句:"什么小不小!叫我当连指导员我也干。只要拿武装我就干!"

陈毅一句"只要拿武装我就干",道出了大革命失败后多少共产党人的心声。过去无武装饱受摧残之苦、与用武装的革命反对武装的反革命之志,都包含于这句铿锵有力的话语之中了。

叶剑英在南昌起义中的重要作用,相当一段时间内不为人知。他当时任张发奎为第二方面军第四军参谋长。在白色恐怖气氛越来越浓重的1927年7月上旬,被中共中央特批为正式党员。为了保密和特殊的工作需要,党组织让他保持秘密身份,只与少数党员保持联系。

起义发动前,叶剑英利用与张发奎等人的关系,探知贺龙、叶挺等第二方面军将领将要被扣留,解除兵权。他立即连夜找到叶挺告之此讯,并约叶、贺、廖乾吾、高语罕四人到甘棠湖划船,共商对策。他们在甘棠湖的小划子上迅速作出三项决定:

一、贺、叶不上庐山;二、不接受张发奎调贺、叶部队到德安集中的命令,部队立即开往南昌;三、叶挺部队先行,贺龙部队随后。

这次甘棠湖聚会,在党史上被称为"小划子"会议。它对保证起义领导人的安全和将起义的主力部队及时开往南昌,起了重要作用。同时,这个在关键时刻通报的重要情报,也促使叶、贺定下起义的最后决心。

起义发生后，张发奎的不少亲信将领主张派兵前后夹击起义军，一举将暴动扑灭。叶剑英又以第四军参谋长的身份站出来反对。他利用张发奎一直想重回广东的意图，对张发奎说："我们原来商量好的，到广东重新做起，如果尾追贺、叶，徒耗兵力，我军仍无立足之地，又怎样实现总理遗训、重新北伐呢？"他向张发奎建议：跟随叶、贺部队进入广东，以"援师讨逆"旗号夺占广东地盘。

张发奎采纳了叶剑英的建议，使南昌起义军减少了尾追，得以迅速打开南下广东的通道。

国民党方面编辑的《国民革命军战史初稿》这样描写张发奎当年的追击行动："叶、贺等遂东去抚州。张发奎率师追之。嗣忽分途，叶、贺等由闽粤边境趋潮汕，张发奎部则改由南雄入粤。"

一个"嗣忽分途"、"改由南雄入粤"，活脱脱再现了叶剑英当年的作用。

如果张发奎当时率部追击起义军，起义军必将面临前后夹击的危险，后果难以设想。

1927年3月入党的徐向前，未能赶上南昌起义。但共产党人在南昌城头打响的这第一枪，对他影响重大。他当时在第二方面军总指挥部任上尉参谋，回忆说，入党时刻"印象最深的是共产党员要为共产主义流尽最后一滴血"。1927年7月底，徐向前随方面军总指挥张发奎一起移驻九江，在新地点没能和组织接上头。但正是南昌起义爆发的消息，使他于茫茫黑夜中看到了一线希望和光明。起义爆发后，张发奎集合方面军指挥部全体军官，宣布："CP分子三天以内保护，三天以外不负责任！"徐向前当时虽然并未暴露身份，但决意离去。他当天晚上就悄悄离开九江去寻找党组织，从此脱离旧军队，结束了在国民革命军中的生涯。

南昌起义的发生成为徐向前革命生涯中的一个重要转折。他后来参加了广州起义。

中国人民解放军与南昌起义紧紧相连的六位大将中，三位大将直接参加了南昌起义；一位大将以隐蔽的身份从旁协助起义；两位大将因南昌起义影响从此走上革命道路。

直接参加南昌起义的三位大将是陈赓、粟裕、许光达。

陈赓大将1926年9月被党派往苏联远东，学习群众武装暴动，1927年2月返回上海。上海发生“四一二”事变后去武汉，武汉又发生“七一五”事变，于是他随周恩来奔赴南昌，参加组织武装起义。在起义中陈赓负责政治保卫工作，南下途中出任贺龙第二十军三师六团一营营长。

粟裕大将当时是第十一军二十四师教导队学员班长，南昌起义中所在中队负责警卫设在江西大旅社的革命委员会。

徐光达大将当时是第四军直属炮兵营见习排长。他在宁都加入南昌起义部队，任起义军第二十五师七十五团十一连排长、代理连长。

以隐蔽身份协助南昌起义的大将是张云逸。他当时任第四军李汉魂二十五师的参谋长，根据组织要求，未暴露身份公开参加起义，却做了两件极为重要的工作。一件是说服第二方面军总指挥张发奎，让共产党人卢德铭出任第二方面军警卫团团长；该团未赶上参加南昌起义，遂转入湖南，成为了秋收起义的主力，卢德铭本人还担任了秋收起义部队的总指挥。第二件是8月1日当天，在马回岭二十五师师部掩护七十三团团长周士第不被师长李汉魂扣留，使二十五师两个多团部队顺利加入南昌起义队伍。

张云逸后来与邓小平一道，参加并领导了广西百色起义。

因南昌起义而走上革命道路的另外两位大将是谭政、罗瑞卿。

谭政当时在第二方面军警卫团特务营任文书。南昌起义第二天，警卫团根据党的指示，乘船离开武汉东下，准备与南昌起义大军会合。张发奎当时已经封锁了九江口。为防备张发奎在九江截击，警卫团于行驶途中在湖北阳新弃船上岸，改由陆路奔赴南昌，追赶起义部队。因起义部队已大踏步南撤，谭政所在的警卫团未能赶上，便根据党的指示留了下来，后来成为毛泽东领导的秋收起义中的主力。

谭政所在的方面军警卫团躲过了张发奎的堵截，罗瑞卿所在的方面军教导团却在九江被张发奎截获。罗瑞卿后来回忆说："船到黄石港后，我们听到了南昌八一起义的消息。""船到九江，部队一上岸即被第二次缴枪。先把枪架在马路上，等了很久，又命令大家把枪背到一个据说是总指挥部的地方。缴枪后，全部人员被关在一医院的草坪上，电灯都没有。"张发奎就在这个电灯也没有的地方，向他认为问题很大的教导团训话，要大家不要跟共产党走，跟他走。

罗瑞卿没有跟张发奎走。他断然离队，返回武汉寻找党。南昌起义的发生成为他脱离旧军队的起点。如此众多的未来高级将领会聚于南昌起义，决不仅仅是历史的巧合。

"文化大革命"中，造反的红卫兵提出中国人民解放军建军节不应该是8月1日，而应该是秋收起义的9月9日，或三湾改编的9月30日。

这不仅仅是要把八一军徽改成九九军徽或九三〇军徽的问题。这些初出茅庐便以为历史是自己写就的红卫兵，轻率在根本不清楚南昌暴动是中国共产党独立领导武装斗争的开始，不清楚中国人民解放军如此多的高级将领与这场暴动紧紧相连。

与国民党军队鏖战中打出来的红军将领，首推朱德。

1927年9月初，南昌起义军在三河坝兵分两路。主力由周恩来、贺龙、叶挺、刘伯承等率领直奔潮汕；朱德率领部分兵力留守当地，阻敌抄袭起义军主力后路。

这就是著名的“三河坝分兵”。

当时朱德率十一军二十五师和九军教育团，共计4000余人。三天三夜的阻击伤亡很大，撤出三河坝只剩下2000余人。

路遇溃败下来的二十军教导团参谋长周邦采带领的200多人（粟裕就在这支队伍内），才得知起义军主力已经在潮汕失败。

10月3日前敌委员会的流沙会议，是轰轰烈烈的南昌起义的最后一次会议。

会议由周恩来主持。他当时正在发高烧，用担架抬到会场。郭沫若回忆说，周恩来“脸色显得碧青。他首先把打了败仗的原因，简单地检讨了一下。第一是我们的战术错误，我们的情报太疏忽，我们太把敌人轻视了。其次是在行军的途中，对于军队的政治工作懈怠了。再次是我们的民众工作犯了极大的错误”。

可以想到，当时周恩来是怎样一种心情。

别人的心情也是同样。周恩来报告后，被称为“叶、贺部队”的叶挺说：“到了今天，只好当流寇，还有什么好说！”党史专家们后来解释，叶的所谓“流寇”，是指打游击。贺龙则表示：“我心不甘，我要干到底。就让我回到湘西，我要卷土重来。”

这样的表态也没有搞完，村外山头上发现敌人尖兵，会议匆匆散了。

分头撤退途中，队伍被敌人冲散。连给周恩来抬担架的队员也在混乱中溜走，身边只剩下叶挺和聂荣臻。三个人仅叶挺有一支小手枪，连自卫的能力都没有。若不是遇到中共汕头市委书记、周恩来的老朋友杨石魂搭救,真是生死未卜。

聂荣臻回忆这段经历时说:“那条船,实在太小,真是一叶扁舟。我们四个人——恩来、叶挺、我和杨石魂,再加上船工,把小船挤得满满的。我们把恩来安排在舱里躺下,舱里再也挤不下第二个人。我们二人和那位船工只好挤在舱面上。船太小,舱面没多少地方,风浪又大,小船摇晃得厉害,站不稳,甚至也坐不稳。我就用绳子把身体拴到桅杆上,以免被晃到海里去。这段行程相当艰难,在茫茫大海中颠簸搏斗了两天一夜,好不容易才到了香港。”

新中国成立后,周恩来在总结南昌起义的经验教训时,讲过几段话:“南昌起义后的主要错误是没有采取就地革命的方针,起义后不该把军队拉走,即使要走,也不应走得太远,但共产国际却指示起义军一定要南下广东,以占领一个出海口,致使起义军长途跋涉南下,终于因优势敌兵的围攻而遭到失败。”“它用国民革命左派政府名义,南下广东,想依赖外援,攻打大城市,而没有直接到农村中去发动和武装农民,实行土地革命,建立农村根据地,这是基本政策的错误。”

这就不仅是当年所说的“战术错误”、“情报疏忽”、“政治工作懈怠”和“民众工作犯了极大的错误”了,而且还涉及方向和道路的选择问题。

1965年毛泽东会见印度尼西亚共产党主席艾地时,也谈到南昌起义。他对周恩来说:“你领导的那个南昌起义,失败以后,部队往海边撤退,想得到苏联的接济,那是‘上海’,不是‘上山’,那是错了。”周恩来马上接过来说,是错了,主席上了井冈山,是正确的。

应该再补充一句:幸亏南昌起义的部分部队也上了井冈山。

想得到苏联接济的起义部队主力,在“上海”过程中失败了。但“上山”的那部分力量,则成为了中国工农红军战斗力的核心。

当年四散撤退的南昌起义领导人，哪一个能想到留在三河坝担负殿后任务的朱德，最终组织起南昌起义部队的“上山”力量，成为中国人民解放军的第一号军人！

从极端之处说：恰恰是起义部队南下广东的失败，使朱德面临历史的机遇。

八一南昌起义仅仅是朱德威望和地位起始的低点。起义部队对朱德的认识，经历了一个不短的过程。

不论是起义之前还是起义进行中，组织指挥起义的核心领导成员中没有朱德。起义当天晚上，前敌委员会分派给朱德的任务，是用宴请、打牌和闲谈的方式，拖住滇军的两个团长，以保证起义顺利进行。陈毅说，朱德在南昌暴动的时候，地位并不重要。也没人听他的话，大家只不过尊重他是个老同志罢了。

朱德没有基本部队。起义军主力十一军辖8个团，由叶挺指挥。二十军辖6个团，是贺龙部队。朱德是九军副军长，九军当时就是个空架子，没有军长，参加起义的只有军官教育团3个连和南昌公安局2个保安队，500人不到，只能算1个营。

朱德说：“我从自南昌出发，就走在前头，做政治工作，宣传工作，找寻粮食……和我在一起的有彭湃、恽代英、郭沫若，我们只带了两连人，有一些学生，一路宣传一路走，又是政治队，又是先遣支队，又是粮秣队。”

他率领的不是战斗队。

在三河坝完成阻击任务时，真正是他从九军带出来的人员，已经没有几个了。基本力量是周士第的二十五师，还有周邦采带回来的部分二十四师人员。三河坝这个摊子，已经是个损兵过半、四面都是敌人、与上下左右皆失去联系的烂摊子，思想上和组织上都相当混乱。

到底怎么办，只能由临时负责的朱德作出决断。

朱德就是在这个非常时刻，面对这支并非十分信服自己的队伍，表现出了坚强的领导能力。

在商量下一步行动方针的会议上，一些同志觉得主力部队都在潮汕散掉了，起义领导人也都撤离了，三河坝这点儿力量难以保存，提出散伙。朱德坚决反对解散队伍。他提出隐蔽北上，穿山西进，去湘南。

这真是一个异常严峻的时刻。没有基本队伍、说话没有人听的朱德，接过了这个几乎没有人再对它抱任何希望的摊子，通过他异乎寻常的执著，为困境中和混乱中的队伍指明了出路。

茫然四顾的人们，听了他的话。

三河坝还不是谷底。谷底在天心圩。

部队虽然摆脱了追敌，但常受地主武装和土匪的袭击，不得不在山谷小道上穿行，在林中宿营。同上级党委仍无联系。时近冬天，官兵仍然穿着单衣，有的甚至穿着短裤，打着赤脚，连草鞋都没有；无处筹措粮食，官兵常常饿肚子；缺乏医疗设备和药品，伤病员得不到治疗；部队的枪支弹药无法补充，战斗力越来越弱；饥寒交迫，疾病流行，部队思想一片混乱。杨至诚上将后来回忆说："每个人都考虑着同样的问题：现在部队失败了，到处都是敌人，我们这一支孤军，一无给养，二无援兵，应当怎样办？该走到哪里去？"

各级干部纷纷离队。一些高级领导干部，有的先辞后别，有的不辞而别。

七十五团团长张启图后来在上海写了一份《关于七十五团在南昌暴动中斗争经过报告》，向中央陈述当时情况："师长、团长均皆逃走，各营、连长亦多离开。"

南昌起义在军、师两级设立了党代表；团、营、连三级设立政治指导员。这一体制到1927年10月底崩溃。所有师以上党的领导人均已离队。只剩一个团级政治指导员陈毅。

军事干部也是如此。在天心圩不仅师长周士第、党代表李硕勋离队，七十三团团长黄浩声、七十五团团长张启图也离开了部队。师团级军事干部只剩一个七十四团参谋长王尔琢。

领导干部如此，下面更难控制。营长、连长们结着伙走。还有的把自己部队拉走，带一个排、一个连公开离队。

剩下来的便要求分散活动。林彪带着几个黄埔四期毕业的连长找陈毅，说："现在部队不行了，一碰就垮；与其等部队垮了当俘虏，不如现在穿便衣，到上海另外去搞。"

后来人们把这段话作为林彪在关键时刻对革命动摇、想当逃兵的证据，其实言之过重了。在当时那种局面下，地位比林彪高且不打招呼就脱离队伍的人比比皆是。很多走的人都如林彪所想，不是去上海，便是去香港"另搞"的。若说都对革命前途悲观失望也许太重，起码对这支行将溃散的武装能有多大作为不抱信心。

部队面临顷刻瓦解、一哄而散之势。南昌起义留下的这点儿革命火种，有立即熄灭的可能。

关键时刻，站出来的还是朱德。

在天心圩军人大会上，朱德沉着镇定地说："大家知道，大革命是失败了，我们的起义军也失败了！但是我们还是要革命的。同志们，要革命的跟我走；不革命的可以回家！不勉强！"他还说："1927年的中国革命，好比1905年的俄国革命。俄国在1905年革命失败后，是黑暗的，但黑暗是暂时的。到了1917年，革命终于成功了。中国革命现在失败了，也是黑暗的。但黑暗也是暂时的。中国也会有个'1917年'的。只要保存实力，革命就有办法。你们应该相信这一点。"

队伍中没有几个人知道俄国1905年的革命。

不知道也没有关系。人们已经从朱德那铿锵有力、掷地出声的话语中，感受到了他心中对革命那股不可抑制的激情与信心。

朱德胸中的信心与激情像火焰一般迅速传播给了剩下来的官兵。

陈毅后来说："朱总司令在最黑暗的日子里，在群众情绪低到零度、灰心丧气的时候，指出了光明的前途，增加群众的革命信念，这是总司令的伟大。"

什么叫力挽狂澜？这就叫力挽狂澜。

朱德的话语中已经包含两条政治纲领：共产主义必然胜利；革命必须自愿。这两条纲领后来成为人民军队政治宣传工作的基础。

西方领导科学认为领导力的形成依赖三大要素，一曰恐惧，二曰利益，三曰信仰。恐惧迫使人们服从，利益引导人们服从，信仰则产生发自内心的服从。1927年10月底，在中国江西省安远的天心圩，朱德这个最初"地位并不重要，也没有人听他的话"的指挥者，在关键时刻向即将崩溃的队伍树立起高山一样的信仰。通过信仰认识利益，再通过信仰和利益驱散恐惧，真正的领导力和领导威望，在严重的危机中凤凰涅槃一般诞生。

朱德讲话之后，陈毅也上去讲了话。他说："一个真正的革命者，不仅经得起胜利的考验，能做胜利时的英雄，也经得起失败的考验，能做失败时的英雄！陈毅当时去上海、去北京、去四川都有很好的出路，但他哪都不去，坚决留在队伍里，实行自己'只要拿武装我就干'的决心。"

黄埔一期毕业的王尔琢则蓄起胡须，向大家发誓：革命不成功，坚决不剃须！

火种保留了下来，再也没有熄灭。

为了反抗国民党的屠杀政策，从1927年4月中旬的海陆丰农民起义开始，中国共产党人先后发动了八十余次武装起义。历次起义——包括规模最大、影响最大的南昌起义都失败了。但因为保留下来了革命火种，它们又没有失败。

保留火种的工作，首推朱德。在最困难、最无望因而也最容易动摇的时刻表现出磐石一般的革命坚定性，使朱德成为这支部队无可争议的领袖。仅存的两位团职干部——团级政治指导员陈毅，团参谋长王尔琢成为他的主要助手。

部队被改编为一个纵队。朱德任纵队司令员，陈毅任纵队政治指导员，王尔琢任纵队参谋长。下编一个士兵支队，辖三个步兵大队；还有一个特务大队。剩下一门82迫击炮，两挺手提机关枪，两挺重机关枪合编为一个机炮大队。多余下来的军官编成一个教导队，直属纵队部，共计800人。

这就是全部家底。

可以想象在当时的条件下，天心圩留下来的这800人的队伍中，没有几人能想到共产党人22年后夺取全国政权。但每一个自愿留下来的人，内心深处都从朱德、陈毅、王尔琢身上感受到了共产主义一定胜利的信念。

这支部队后来成为中国人民解放军建军的重要基础，战斗力的核心。蒋介石兵败大陆，其军事力量主要被歼于东北战场和华东战场。指挥东野的林彪，指挥华野的粟裕，1927年10月皆站在天心圩被朱德稳定下来的800人队伍中。

粟裕回忆说，当时队伍到达闽赣边界的石经岭附近隘口，受敌阻击。朱德亲率几个警卫员从长满灌木的悬崖陡壁攀登而上，出其不意地在敌侧后发起进攻;“当大家怀着胜利的喜悦,通过由朱德亲自杀开的这条血路时,只见他威武地站在一块断壁上,手里掂着驳壳枪,正指挥后续部队通过隘口。”

是朱德而不是别人,为这支失败的队伍杀出了一条血路。

对这支队伍的战略战术,朱德也作出了极大贡献。天心圩整顿后,他便开始向部队讲授新战术,讲授正规战如何向游击战发展。

朱德对游击战争的认识和实践都很早。辛亥革命后,率部在川、滇、黔同北洋军阀部队打仗时,他就摸索出一些游击战法。1925年7月,他从德国到苏联的东方劳动大学学习。几个月后去莫斯科郊外一个叫莫洛霍夫卡的村庄接受军事训练。受训的有40多名来自法国、德国的中国革命者,主要学习城市巷战、游击战的战术。教官大多是苏联人,也有来自罗马尼亚、奥地利等国的革命者。朱德当队长。教官问他回国后怎样打仗,他回答:“我的战法是‘打得赢就打,打不赢就走,必要时拖队伍上山’。”

十六字诀游击战术的核心出现了。

南昌起义部队南下攻打会昌时,朱德奉命指挥二十军第三师进攻会昌东北高地。他首先命令三师教导团团长侯镜如,挑选几十人组成敢死队,追击正向会昌退却的钱大钧部。他向大家动员说:“你们都是不怕死的中华健儿。可是,今天我要求你们一反往常猛打猛冲的常规,只同敌人打心理战。你们要分作数股,分散活动,跟在敌人后面或插到敌人两翼,向敌人打冷枪。要搅得敌人吃不下,睡不着,这就是你们的任务。”五十多年后,侯镜如回忆这一段战斗经历时说:“会昌战斗中,朱总指挥我们和钱大钧作战,就采用了游击战法。敌人退,我们跟着进;敌人驻下了,我们就从四面八方打冷枪,扰乱敌人,不让敌人们休息。这就是‘敌退我追,敌驻我扰’。”

“在这一点上,我起了一点儿带头作用。”朱德自己后来只说了这么一句。

不说，也是无法否认的历史地位。

1955年人民解放军授衔，朱德名列十大元帅之首。天心圩离队的师长周士第授衔上将，他手下的七十三团三营七连连长林彪名列十大元帅之三，七十三团政治指导员陈毅名列十大元帅之六，七十四团班长粟裕名列十大将之首。《中国人民解放军战史》评价说，这支队伍在极端困难的情况下能够保存下来，朱德、陈毅“为中国革命事业作出了重大贡献”。

没有朱德，南昌起义的最后火种能够保留下来吗？没有三河坝分兵，朱德也跟着南下潮汕，又会是什么结局？

历史中确实有很多东西难以预测。南昌起义诸领导者1927年10月底纷纷分散撤退的时候，很难有人想到，留在三河坝的朱德与毛泽东一道成为中国人民解放军的主要创建者和领导人。起义部队的主力都在潮汕溃散了，更难设想留在三河坝殿后的“部分兵力”，最后成为中国人民解放军建军的中流砥柱。

历史又正因为不可预测，所以才充满机会。

面对不可预测的历史，能够凭借的，只有自身的素质与信念。领导者的素质与信念，最终汇聚成历史的自觉。

历史是一条奔腾不息的长河，给予个人的机会极其有限。朱德从南昌起义队伍的边缘走到了“朱毛红军”的核心，最后成为中国人民解放军总司令，没有义无反顾投身革命、舍生忘死追求真理的精神世界，无法获得这样深刻和敏锐的历史自觉。

一句名言说：“人的一生虽然漫长，但关键时刻只有几步。”个人如此，集团、国家同样如此。能够在关键时刻支持领导者做出关键判断、采取关键行动的那种发自内心召唤的历史自觉，不但是伟人之所以成为伟人的必备条件，更为见风使舵者、见利忘义者、投机取巧者所永远无法获得。

文化大革命中，朱德上天安门。休息室内的军队领导干部见朱老总进来，纷纷起立。一位红极一时的学生造反派首领稳坐不动，说："什么总司令，给他起立？"

什么总司令？相当长的一段时间内，人们有这个疑问。除了那根"朱德扁担"，对总司令便知之不多。更何况是头上长角身上长刺的造反派。

当年的造反派，现在也白发苍苍了。那位见总司令不起立的人，白发苍苍了也许还不知道，1928 年 4 月朱、毛井冈山会师时，心情兴奋的毛泽东特地换下穿惯的长布衫，找人连夜赶做灰布军装，只为能够穿戴整整齐齐，会见大名鼎鼎的朱德。

萧克上将回忆井冈山斗争时说，朱德在部队中有很高的威信，部队对朱德带点儿神秘式的信仰。

这种"很高的威信"和"带点神秘式的信仰"，印证着总司令的地位。它不仅来源于中央军委一纸简单的任命，也不仅来源于红军将士在军纪约束下的服从。共产党人在最为困难的时刻，在被追杀、被通缉、被"围剿"环境中锻造出来的坚定性，是那些不知天有多高、地有多厚、人能吃多少碗干饭的人永远感悟不出来的。

红军初创时期的杰出将领，还应提出这三人：王尔琢、黄公略、伍中豪。

三人都牺牲太早。

与朱德、陈毅一道，王尔琢对保留"八一"南昌起义火种所作的重大贡献，前面已有所述。建国初期，周恩来视察筹建中的革命历史博物馆，发现没有王尔琢的照片，便对工作人员说："要千方百计征集王尔琢的照片。”现在革命历史博物馆内那张照片，就是在周恩来关怀下找到的。

王尔琢是红四军二十八团第一任团长。二十八团正是朱德从三河坝保存下来的南昌起义部队，全团一千九百多人，在红军中军事素质最高，战斗力最强，最能打仗。1928 年 5 月和 6 月，在五斗江、草市坳和龙源口的战斗中，王尔琢率二十八团三战皆捷，为井冈山革命根据地的巩固和发展作出了重要贡献。毛泽东派何长工去二十八团担任党代表，何长工认为该部是正规部队，北伐中就战功赫赫，人又都是黄埔一、二、三、四期毕业的，思想上还颇有顾虑；萧克也在回忆录中说到，他初入二十八团工作时，心中充满进入正规主力部队的兴奋；可见这支部队在红军中的分量。

王尔琢 1928 年 8 月死于其麾下二营营长、叛徒袁崇全的子弹。牺牲时 25 岁。他是黄埔一期生，在黄埔学习期间加入中国共产党。毕业后周恩来将他留下，连续担任第二期、第三期的学生分队长和党代表。北伐时，周恩来派遣他担任第三师党代表兼政治部主任、二十六团团长。部队攻入上海，蒋介石叛变革命，王尔琢被迫转入地下，后来随周恩来参加南昌起义。三河坝部队天心圩整顿后，成为朱德在军事上的主要助手。

王尔琢牺牲后，陈毅说是“红军极大损失”；朱德不得不心痛地兼起了该团团长。一直到 1928 年年底，才把这副担子放到林彪身上。

第二个是黄公略。

蒋介石一直把红军看做两股：一股为“朱毛”，一股为“彭黄”。第一次“围剿”刚刚开始，他亲自悬赏 5 万元，缉拿朱德、毛泽东、彭德怀、黄公略四人。蒋介石有自己的一套判断共产党人价值的方法，他的直觉告诉他，谁对他的威胁最大。一年后在上海悬赏缉拿王明，价码便由5万元跌到了500元。

黄公略与彭德怀一样，湘军出身，毕业于湖南陆军讲武堂，但比彭德怀早一年加入共产党。与彭德怀、滕代远一起领导发动平江起义后，一直担任红军重要领导职务，战功卓著。第一次反“围剿”指挥红三军，在龙冈直捣张辉瓒的师部；第二次反“围剿”与林彪率领的红四军配合，歼灭敌二十八师和第四十七师一个旅大部；第三次反“围剿”又率领红三军独战老营盘，歼敌蒋鼎文第九师一个旅。红三军在黄公略率领下，与林彪的红四军、彭德怀的红五军并称为红军中的三大主力部队。1930年7月，毛泽东在《蝶恋花·从汀州向长沙》词中，以“赣水那边红一角，偏师借重黄公略”一句，使他成为毛泽东在诗词中赞颂的第一位红军将领。

1931年9月15日，黄公略率部转移，途中遭敌机袭击，重伤牺牲。年仅33岁。

第三个是伍中豪。

黄公略与彭德怀关系很深，伍中豪却与林彪很像。

两人同是黄埔四期生。不同的是伍中豪编在步兵科第一团八连，林彪编在步兵科第二团三连。从第四期开始，黄埔军校按成绩将学生编入军官团与预备军官团。伍中豪所在的第一团是军官团，林彪所在的第二团为预备军官团。

可见伍中豪在黄埔的成绩优于林彪。

两人都是叶挺部队出身。林彪在第四军二十五师七十三团当排长、连长，七十三团的前身是叶挺独立团。伍中豪则在第十一军二十四师的新兵营当连长，二十四师师长就是叶挺。

林彪参加南昌起义，伍中豪参加秋收起义。南昌起义部队编为红四军二十八团，林彪为该团一营营长；秋收起义部队编为三十一团，伍中豪为该团三营营长。

两人又一起当团长——林彪为二十八团团长，伍中豪为三十一团团长。

两人又一同当纵队司令——林彪为第一纵队司令，伍中豪为第三纵队司令。

两人又一同当军长——林彪任红四军军长，伍中豪任红十二军军长。

伍中豪长林彪两岁，两人都是红军中年轻优秀的指挥员。

萧克将军回忆说：伍中豪没有林彪那种架子，他是北京大学文科三年级学生，是学文学的，有较好的文学功底，被誉为"第四军的文学家"。后来叛变的二十八团二营长袁崇全也爱好文学诗歌，与伍中豪唱和；伍中豪回信说，作诗要意境好，还要音调铿锵。伍中豪讲话从容，温文尔雅。他的军事水平也高，能把一支部队带好，训练好。任三十一团团长之后，该团战斗力有提高，能攻又能守，特别是在守的方面，比林彪的二十八团还要强些。二十八团能攻善战，但有时稳不住。当时，我们都认为他俩都是将才，可惜伍中豪"出师未捷身先死"。

1930年6月伍中豪任红十二军军长，因病在闽西长汀福音医院治疗。10月出院归队，途经安福县遭地主武装袭击，在战斗中牺牲。年仅25岁。

王尔琢、黄公略、伍中豪这三位杰出红军战将，皆牺牲过早。

就整个土地革命战争来说，红军中最重要的野战将领，还是彭德怀和林彪。

彭德怀是一团烈火。毛泽东一句"谁敢横刀立马,唯我彭大将军",把彭德怀烈火一般盖世无双的勇气,描写得淋漓尽致。

这是毛泽东用诗词赞颂的最后一位将领。

1928年9月,红五军取消团、连番号,编为五个大队和一个特务队。在三个多月的转战中,部队减员一千余人,张荣生、李力英等骨干牺牲,意志薄弱者或投机者也相继离队或叛变。四团团长陈鹏飞忍受不了艰苦,告辞还家。四大队长李玉华以打民团为由,拉着全队逃之夭夭。一大队长雷振辉在彭德怀集合部队讲话时,突然夺过警卫员薛洪全的手枪,瞄准彭德怀就要开枪。

在众人皆惊呆的千钧一发之际,新党员黄云桥一手扳倒雷振辉,一手拔枪,将雷击毙。

彭德怀面不改色,继续讲话。他说,我们起义是为了革命,干革命就不能怕苦,也不能怕流血牺牲,今天谁还想走,可以走。又说,就是剩我彭德怀一个人,爬山越岭也要走到底!

一声号令发出,无人离队。

彭德怀与毛泽东第一次会见,是在宁冈县茨坪一家中农的住房里。彭德怀走进屋内,看到一个身材颀长的人向他伸出手,用和自己一模一样的湘潭口音:"你也走到我们这条路上来了!今后我们要在一起战斗了!"

从这句话起,开始了他们31年共同战斗的历史。

一直到1959年。

井冈山斗争初期,毛泽东揣两本最宝贵的书:《共产党宣言》《三国演义》。彭德怀也揣两本最宝贵的书:《共产主义ABC》《水浒传》。

有人说大智才能产生大勇。彭德怀则是大勇产生大智。

1930年7月,彭德怀率红三军团猛攻长沙。国民党第四路军总指挥何键在城内出示布告:"市民住户不要惊慌,本人决与长沙共存亡”，并亲到城外督战。后来见红军攻势如排山倒海，湘军溃兵似洪水决堤，想逃跑时两腿软得连马背都爬不上去了。最后由马弁架着扶着，才逃到湘江西岸。彭德怀率兵 8000 人，何键率兵 30000 人。30000 人败于 8000 人，被彭德怀俘去 4000 多人，枪 3000 多支，轻重机枪 28 挺，迫击炮 20 多门，山炮 2 门，还丢掉了省会长沙。从未如此狼狈的何键几乎精神崩溃，猫在船舱里见到岸上有胸系红兜的进香人，也以为是彭德怀的部下，连连惊呼红军追来了，随从再三劝解也不能稍安。

此役彭德怀不仅创下红军史上以少胜多、以弱胜强的光辉战例，而且创造了十年土地革命战争中，红军攻下省会的唯一战例。毛泽东 1936 年在陕北对斯诺说，此役“对全国革命运动所产生的反响是非常大的”。

从此一提彭德怀，便令何键胆寒。

大革命中共产党人最恨的，除了蒋介石，便是何键。蒋介石反共最著名的，是“三二〇”中山舰事件和“四一二”反革命事变；何键反共最著名的，也有“五二一”马日事变和“六二九”通电“清党”；两湖革命青年和工农群众死于何键之手者，不计其数。对罗霄山脉的工农武装割据，何键比蒋介石早两年多就开始“清剿”。他向浏阳县长彭源瀚说，对共产党人“宁可错杀，不可错放”；向宁远清乡督察员欧冠说，“不要放走一个真正的共产党，如遇紧急情况，当杀就杀；若照法定手续办事，上面就不好批了，共产党的祸根就永远不能消灭。”

当时各省之中，唯何键在湖南设立“铲共法院”。

甚至还专门派人挖了毛泽东的祖坟。

如此一个反共的凶神恶煞，却被彭德怀弄得魂飞魄散。

对何键这个屠杀工农和共产党人的刽子手，彭德怀却未完全解恨。三十多年后彭德怀自己身陷囹圄，挨完造反派拳打脚踢的批斗回到囚室，仍然用笔写下当年未了之恨："何键这只狼狗只身逃于湘江西岸。没有活捉这贼，此根犹存！"

即使成了囚徒，仍令对手胆寒。

大将雄风，气贯长虹！

蒋介石也很快认识了彭德怀。

1931 年 5 月，蒋介石委任黄公略的叔父黄汉湘为江西宣抚使，进驻南昌，想策反黄埔军校高级班毕业的黄公略；再通过黄公略动摇彭德怀。黄汉湘派黄公略的同父异母兄黄梅庄，携蒋介石写给黄公略的亲笔信进入根据地。彭德怀与黄公略在湘军即情同手足，对黄梅庄摆宴招待。席间套出口风，知道其为蒋招降而来，随即下令将黄梅庄处决。砍下的脑袋用石灰腌上，盛在篮子内封严，交其随从带回。随从还以为黄梅庄到苏区会其弟去了，不知道带回了他的人头。

蒋介石从此除了提高对红军高级将领的缉拿价码外，再不搞什么"宣抚"。

对敌斗争狠、毫不留情，是彭德怀一大特点。红三军团善攻坚，善打硬仗，在恶劣条件下也具有坚强的战斗力，无一不打上彭德怀的烙印。他与何键血战，与蔡廷锴血战，与陈诚血战，与蒋鼎文血战，与每一个深入苏区的敌军将领血战。哪一个国民党将领，也没有被他放在眼里。

对自己的战友却不然。

例如对林彪。

1929 年年初，彭德怀率部坚守井冈山，部队损失很大。4 月与红四军会合后，根据彭德怀的要求，红四军前委会议决定，调拨部分干部和枪支补充彭德怀部。

林彪调给了彭德怀一部分坏枪。

毛泽东严厉批评了林彪。

彭德怀却并不念念不忘这类事情。对红四军中的八一南昌起义骨干，特别是前身为“铁军”的叶挺独立团部队，他充满敬佩。1928年12月11日，在红四军与红五军新城胜利会师大会上，彭德怀就提出红四军是红五军的老大哥，号召自己率领的红五军向红四军学习。

一言九鼎。即使后来比自己小9岁的林彪出任红一军团总指挥，彭德怀对以红四军发展起来的一军团仍以大哥相称。

1933年年底第五次反“围剿”中的团村战斗，一军团执行其他任务未能参加，使战果不能扩大。带病参战的彭德怀万般遗憾，赋诗一首：

> 猛虎扑羊群，硝烟弥漫；人海翻腾，杀声冲霄汉。地动山摇天亦惊，疟疾立消遁。狼奔豕突，尘埃冲天，大哥未到，让尔逃生。

大哥，即指红一军团。

作为一位著名战将，彭德怀还有一大特点：终生不改其本色。

师哲在其自述中有一段精彩回忆，记述解放战争时期的彭德怀：“一个炎热的下午，押解一批俘虏军官的队伍在村边树下休息，从西边走来两个人：前者为青年，身背短枪，牵着马；数十步外为中年，50岁左右，光着头，帽子抓在手里，脚上的布鞋破烂不堪，用麻绳绑在脚面上，走路却非常稳健有力。一挑水农民正在树下歇息，中年人笑呵呵走近问：‘你给家里挑水啦，我想喝你几口水行吗？’农民说：‘你尽量喝吧。’中年人便倾下身去，从桶里狠喝了几口水，然后谢过农民，继续赶路。路边坐的俘虏中有认出中年人者，指背影说：‘那就是彭德怀，西北野战军司令员。’其他国民党将校俘虏大惊失色，起来呆视半晌，直到背影不见，感慨万分地挤出一句话：‘他们怎能不胜利！我们怎能不失败！’”

对彭德怀来说，爱他的、恨他的、敬他的、毁他的都应记住这句话：本色最无敌。

彭德怀与林彪相较，说勇林不如彭，说谋彭不如林。彭德怀是一团火，一团从里烧到外、随时准备摧枯拉朽的烈火；林彪则是一潭水，一潭深不可测却含而不露的静水。“泰山崩于前而色不变，麋鹿兴于左而目不瞬”，前半句可形容彭，后半句可形容林。彭、林配合，相得益彰，成为毛泽东指挥中国革命战争十分得力的左膀右臂。

林彪比彭德怀资格浅。红四军与红五军新城会师大会上，朱、毛、彭都在主席台上讲话，林彪还只能坐台下听。听着听着，讲台塌了。台下人都说刚会师就坍台，不吉利。朱德站到台架上大声一句：“不要紧，台坍了搭起来再干嘛！”大家一起鼓掌，才把热烈的情绪又恢复过来。

林彪也在台下鼓掌。彭德怀坐在台上看不见他。他却把这个人未到威名先到的彭德怀看了个真切。

从此开始了红军中这两位名将不错的配合作战历程。

第五次反“围剿”中的广昌战斗，李德指挥红军与敌人正面硬拼，三军团伤亡两千七百余人，占军团总兵力的四分之一；彭德怀当面骂李德“崽卖爷田心不痛”。翻译伍修权考虑到领导之间的关系，没有全翻，彭德怀便把三军团政委杨尚昆拉过来一字一字重新翻译，硬是把李德气得暴跳如雷。

林彪则有另外一种方法。广昌战斗前夕，林彪个人署名写了《关于作战指挥和战略战术问题给军委的信》：

“对于敌人在五次‘围剿’中所用战略战术，这是一个非常值得我们研究的问题。过去有许多同志曾研究了这个问题，有些文章上也曾发表过这个问题。但有些同志对这个问题的观察，还有些不充分不确实的地方。”林彪认为“敌人在战略上虽是进攻，而在战术上则属于攻势防御，或为固守防御”。他将敌人的推进方式归纳为“缓进形式”、“跃进形式”和“急进形式”；具体用何种形式，“主要根据他当时对我军主力行踪的了解如何而定”；而坪上圩、乾昌桥、下罗泊港战斗都说明“短促突击”使我们成了“守株待兔”、“没有一次收效”。

他直指军委在指挥上存在四大缺点：

一、“决心迟缓致失了不少可以取得胜利的机会”，“这是军委最大的”、“最严重的缺点”；

二、“决心下后在对时间的计算是极不精确的”，致各部队“动作不能协同”，“像这样的事实多得很”；

三、“军委对各部任务的规定及执行的手段过于琐细，使下级无机动的余地，军委凭极不可靠的地图去规定部队的位置……一直干涉到很小的战术布置，则是无论如何不适用的”；

四、“军委对于战术原则还未能根据实际情况灵活运用，未充分去分析当时当地情况上的特点，而总是一套老办法到处一样的照搬”。

在信的最后，林彪写到：“有些重要的负责同志，因为他以为敌人五次‘围剿’中所用的堡垒政策是完全步步为营的，我们已失去了求得运动战的机会，已失掉一个战役中消灭（敌）几个师的机会。因此遂主张我军主力分开去分路阻敌，去打堡垒战，去天天与敌人保持接触，与敌对峙，去专门求小的战术胜利，以削弱敌人，想专凭在长期无数小的胜利中(每回消灭敌人一连或一营),就地把敌人的五次'围剿'完全粉碎,这种意见我是不同意的。事实我们没有失去运动战的机会,并没有失去一回消灭敌人几师的机会。"

这是一封尖锐泼辣又不失于冷静分析的信,直指"军委最大的"、"最严重的缺点"。这样明确、大胆而具体地向军委提出批评意见和建议,在当时党和红军高级领导人中并不多见。

林彪以冷静剖析对李德的批判,不亚于怒火中烧的彭德怀。

林彪善思、善战。彭德怀由勇生智,林彪则由智生勇。从带兵伊始,他就与"主力"二字结下了不解之缘。

1928年2月,南昌起义部队到耒阳城下。朱德听取当地县委情况汇报后决定:大部队正面进攻桌子坳之敌,抽出一个主力连队配合农军攻城。

被抽出的,是林彪率领的连队。

耒阳被一举攻克。

朱德由此发现林彪的军事才能。这一发现此后反复被实战证明。

他当连长的连队,是全团战斗力最强的连;当营长的营,是全团最过硬的营;当团长的团,是红四军的头等主力团。如果一次、两次,还可说有那种不好排除的偶然性;几十年如一日,带出一批擅长野战的人民解放军主力部队,便不能全部归诸偶然了。

1936年12月,林彪曾讲过一次怎样当好师长。可以说这是他对自己红军时期作战指挥的一个小结:

一、要勤快。不勤快的人办不好事情,不能当好军事指挥员。

二、要摸清上级的意图。对上级的意图要真正理解,真正融会贯通,真正认识自己所受领的任务在战役、战斗全局中的地位和作用。

三、要调查研究。对于敌情、地形、部队的情况和社会情况，要经常做到心中有数。要天天摸，天天琢磨，不能间断。

四、要有个活地图。指挥员和参谋必须熟悉地图，要经常读地图。

五、要把各方面的问题想够想透。

六、要及时下达决心。

七、要有一个很好的、很团结的班子。

八、要有一个很好的战斗作风。

九、要重视政治，亲自做政治工作。

当然，若以为以上9个“要”便是林彪指挥特点的全部，就大错了。数到第九个“要”的林彪偏偏漏掉了一个极其关键的“要”：要面对失败。

他也有过“兵败如山倒”的时候。

1929年1月红四军前委柏露会议，决定红五军及四军三十二团守井冈山，内线作战；红四军主力出击赣南。林彪刚刚担任团长，初战顺利，下山后便首先歼敌一营，突破封锁线，不费一枪一弹占领大余。

很快便在小胜中露出破绽。

红四军前委在城内天主堂召开的连以上干部会，确定二十八团担任警戒，军部、三十一团、特务营和独立营在城内及近郊开展群众工作。林彪领受了任务，带领二十八团进入警戒位置后，便分片包干，各负责一段。既没有组织营连以上干部看地形，也没有研究出现复杂情况下的协同配合，更忽略了这是一个没有党组织、没有群众斗争基础的地方，敌人来的时候，是没有人向红军报信的。

如同他在第一个“要”中所说，一个军事指挥员，“他对住的村子有多大，在什么位置，附近有几个山头周围有几条道路，敌情怎么样，群众条件怎么样，可能发生什么情况，部队到齐了没有，哨位在什么地方，发生紧急情况时的处置预案如何，都不过问，都不知道。这样，如果半夜三更发生了情况，敌人来个突然袭击，就没有办法了。”但偏偏没有做到这第一个“要”。

赣敌李文彬旅悄悄逼近了大余城。攻势是突然发起的。因为突然，所以猛烈。二十八团在城东的警戒阵地被突破。“到那种时候，即使平时很勇敢的指挥员，也会束手无策，只好三十六计，跑为上计，结果，变成一个机会主义者”。林彪就成了这样的“机会主义者”，活脱脱在总结自己惨痛的经验。部队急速后撤，城内一片混乱。后来曾任最高人民法院院长的江华说，他当时第一次真正体会到什么叫“兵败如山倒”。

那是一种失去控制的混乱。红四军士兵委员会秘书长陈毅正在街上向群众分发财物，城北街区已经出现了敌军；他连忙后撤，在城边才追上后退的军部。所谓军部，也只剩下毛泽东和少数机关人员。毛泽东要林彪反击，林彪犹豫不决。部队已经退下来、不好掌握了。毛泽东大声说：“撤下来也要拉回去！”陈毅也说：“主力要坚决顶住敌人！”林彪带着身边的少数人冲杀回去，把敌人的攻势挡住了一阵，才勉强收拢起分散开来的部队。

这一仗牺牲了三十一团营长周舫，独立营营长张威。二十八团党代表何挺颖负重伤，用担架抬着行军，在敌军追击、部队仓促奔走的混乱中不幸牺牲。本来就缺干部的红四军真是雪上加霜。

部队日夜行军想摆脱追兵，但祸不单行。平顶坳、崇仙圩、圳下、瑞金，红四军四地四战，结果四战四败。

在平顶坳，向导把路带错，与追兵发生接触，造成损失。

在圳下，军部险遭覆灭。

当夜军部驻圳下，前卫三十一团驻圳下以东，后卫二十八团驻圳下以西。次日拂晓，林彪未通知就带二十八团先开拔，军部失去了后卫还不知道。警卫军部的特务营也未及时发现敌情。敌人进入圳下时，陈毅、毛泽覃还没有吃完早饭，谭震林、江华正在喝糯米酒酿，晚睡晚起的毛泽东则还未起床。

枪声一响，毛泽东醒来，敌人的先头分队已越过了他的住房。

那真是中国革命史上一个惊心动魄的时刻。后来消灭八百万蒋介石军队建立新中国的共产党领袖们，差一点儿就被国民党的地方武装包了饺子。

毛泽东是利用拂晓昏暗，随警卫员转移到村外的。

朱德差一点儿让敌人堵在房子里。警卫员中弹牺牲，妻子被敌人冲散后也被俘牺牲，他抓起警卫员的冲锋枪，才杀出重围。

陈毅披着大衣疾走，被突然冲上来的敌人一把抓住了大衣。他急中生智，把大衣向后一抛，正好罩住敌人的脑袋，方才脱身。

毛泽覃腿部中弹。

林彪率二十八团、伍中豪率三十一团急速返回支援，才用火力压住敌人。

因未能履行好护卫军部的任务，林彪挨了个记过处分。

1959年陈毅对江西省委党史研究室人员回忆说："当时红军人生地不熟，常常找不到向导……一走错路就有全军覆灭的危险。"毛泽东在1929年3月20日写给中央的报告中说："沿途都是无党无群众的地方，追兵五团紧蹑其后，反动民团助长声威，是为我军最困苦的时候。"

就是这些最危险、最困苦、不是一个胜利接着一个胜利、而是一个失败接着一个失败的环境中，摔打出了一个林彪。

1928年，在井冈山斗争非常困难的"八月失败"中，二十八团二营长袁崇全拉走队伍叛变，朱德、陈毅派红四军参谋长兼二十八团团长王尔琢率林彪的一营追击。一营长林彪先前已经感觉出二营长袁崇全的动摇，提出追上去武力解决；团长王尔琢相信他与袁崇全的私人感情，没有采用林彪的意见。

结果王尔琢在追回袁崇全过程中，被袁开枪打死。

当年19岁的湖南省委巡视员杜修经83岁时回忆那一幕时，感慨万千：

“王尔琢去叫袁崇全时，我在场。他和袁有较深的关系，同学，还是老乡，一个是石门人，一个是桃源人。当有人提出要去打袁崇全时，王尔琢很气愤，说：‘岂有此理！’他不认为袁会死心塌地反革命。他认为，他去叫，袁一定会回来。

“听跟他去的人讲，进村后，他大声喊：‘我是王团长，是来接你们的！’战士们听出他的声音，不打枪。找到袁崇全的房子时，袁拿着枪出来。王让他回去，他不回，俩人吵起来。吵着吵着，袁崇全揪住王尔琢的脖子就开了枪……”

杜修经说有人提出要去打袁崇全的“有人”，便是林彪。

王尔琢牺牲后，林彪很快出任二十八团团长。

四、外国的月亮圆(一)

1933年10月17日，蒋介石发布《战守第二一三号训令》：

> 匪区纵横不过五百方里，如我军每日能进展二里，则不到一年，可以完全占领匪区。故今日剿匪，不在时间之缓急，亦不必忧匪之难觅；而在吾将士忍性坚心，以完成此革命最后之任务。如能效愚公移山之法，只要自强不息，则天下事无不成功

之理也。

蒋介石也提出愚公移山。

毛泽东 1945 年 6 月在中国共产党第七次代表大会上致闭幕词提出愚公移山，是号召共产党人奋发努力，挖掉中国人民头上的帝国主义、封建主义两座大山。

蒋介石 1933 年 10 月提出的愚公移山，则是号召蒋军将士疆场效命，挖掉蒋家王朝面前的中国共产党和中国工农红军这两座大山。

愚公移山，每天挖山不止。蒋介石要部下学愚公，不求几口吞下苏区，只求三里一进，五里一推，构筑碉堡与军队齐头并进，进一步守一步，逐日蚕食掉苏区。

据说《战守第二一三号训令》里面，每日进二里，一年吃掉苏区的算盘，就出自蒋介石的德国顾问。作为这一盘算基础的碉堡政策，也是德国顾问的主意，甚至说得十分具体——主意都出自德国顾问团首领赛克特。

这使人想起在苏区红军中也有一个德国人李德。

于是有人便说：第五次“围剿”与反“围剿”是一场德国人之间的战争。

这些人喜欢用白描去图解历史。以为历史脉络尽在几根简单的线条之间。他们把中国武装的革命反对武装的反革命、武装的反革命“围剿”武装的革命看得过于简单了。

中国近代史上，自在战争中使用了洋枪洋炮以后，便多见德国顾问的身影。惊天动地的甲午战争黄海大海战，旗舰“定远”号北洋水师提督丁汝昌旁边，就立着个德国顾问汉纳根。

比这更早，明末清初就有耶稣会传教士德国人夏尔，先帮助明末朝廷制造火炮防卫满人进攻，后帮助清初朝廷制造火炮镇压汉人反抗。

德国人以其精于兵器制造、精于军事学术著称于世。

当然，也精于顾问之道。

所以便有第一次世界大战后《凡尔赛和约》第一百七十九条规定：禁止德国国民在外国军队及其学校担任顾问与教官之职。

只是这条规定很快就名存实亡。

孙中山很早就请过德国顾问。1912年1月1日，孙中山就任中华民国临时大总统，同年10月特意访问当时仍属于德国租借地的胶州，在对大学生的演讲中特别称赞了青岛的建设和管理，并提出应将德国作为中国现代化建设的榜样。1917年3月第一次世界大战战火正旺，孙中山明确表示中国不会参加协约国，与德国为敌。一战结束后，1921年孙中山派代表赴德国，表示愿借重德国的技术与人才协助中国发展。德国政府当时基于现实考虑，未同意与南方的广州政府建立正式关系；但此后孙中山以私人名义秘密聘请了多位德国顾问，逐渐开始在广东提供服务。一直到1923年1月签署《孙文越飞宣言》，孙中山才彻底将其目光由德国转向苏俄。

孙中山用苏俄顾问取代德国顾问，蒋介石却反过来，用德国顾问取代了苏俄顾问。

1927年蒋介石“清党”、驱逐苏俄顾问并终止联俄政策，使德国获得对中国施加影响的最好时机。从1928年直至1938年十年间，共有135名德国军事顾问在南京蒋介石的国民政府任职。

蒋介石很早就对德国颇感兴趣。1923年他率团访问苏联时，在共产国际执行委员会主席团会议上发表演说，提出在德国和中国革命胜利之后，签署俄、德、中三国联盟：“靠德国人民的科学实力，中国的革命成功，俄国同志的革命精神和俄国的农产品，我们就不难完成世界革命，我们就能消灭世界上的资本主义制度。”其实，比蒋介石的“俄、德、中联盟”建议更早，1907年德国议会就提议建立“美-德-中”三角关系，以便补偿德国在欧洲大陆所处的孤立地位。正是这种地位，迫使德国政府以“和平”的经济政策取代原先的扩张政策，德国国内媒体上甚至出现了将胶州湾归还中国的言论。

就蒋介石而言，当时他不是执政者，所以是个革命者。那时的蒋介石，还主要是从世界革命的角度，看待中国与德国结盟。

后来成了执政者、扼杀革命者、江浙财团利益保护者，不再想与苏俄结盟了，对德国的兴趣却有增无减。这除了对领袖的狂热崇拜和独裁统治与德国相类似外，主要还是为德国军事化、中央化和工业化所吸引。他要依靠德国顾问的作用，扩大南京中央政府的军事和政治权威。

蒋介石聘请的第一个德国顾问是马克斯·鲍尔。

鲍尔是德国军队总参谋部的上校军官，重炮专家，军事独裁者鲁登道夫的得力助手，曾参与1920年3月鲁登道夫策划企图推翻魏玛共和国的卡帕暴动。暴动失败后流亡国外，在西欧、南美各国出任军事顾问。到中国见蒋介石以前，此人甚至在苏联红军炮兵中干过一段时间。

鲍尔也精于顾问之道。1928年来中国，正逢蒋介石下野，他便帮助张作霖设计军事计划。但其本人后来一直否认此事。蒋介石北伐成功，东北易帜进入倒数计时，他便堂堂正正地做起了蒋介石的总顾问。

蒋介石与鲍尔关系不错。鲍尔主张将军政大权集中于强有力的中央政府，以大刀阔斧手段铲除一切离心力量，进行一切加强中央权威的必要改革，深得蒋之赞许。鲍尔此人也很怪。他并不把自己限制在军事事务上，更多地把自己看成一名工业和经济顾问，而不是军事顾问。他说：“除非先建立一个国有化的工业体系，否则根本谈不上建立一支国有化的军队。”但他没有更多的时间展现头脑中那些主意了。与蒋介石合作仅仅半年，他便病死于上海。

鲍尔死后形势发生了变化，希特勒啤酒馆暴动的共同参与者和共同入狱者，赫尔曼·柯瑞伯上校继任总顾问之职。纳粹党的活动大量渗透进顾问团。柯瑞伯青年时代参加过八国联军，以中尉军衔在德国元帅、八国联军总司令瓦德西麾下入侵北京。所以民族意志强烈的蒋介石对他没有太好的印象。柯瑞伯又是一个非常政治化的军人，连顾问团的军事性质都因他出现一些改变。他一直同自己的部下及国民党官方关系紧张。部下们说他的行为“像瓷器店里的大象”。他对蒋介石的影响远远小于鲍尔。

尽管如此，蒋介石还是先派他到武汉地区筹划布防，后又把他带上铁甲列车，上前线筹划对冯玉祥和阎锡山的大战。为此，汪精卫1929年年底公开发表声明，谴责德国政府指派军事顾问助蒋作战。德国政府慌忙出来声明：

> 德国为遵守《凡尔赛条约》，一向禁止输出为战争使用之军火与毒气，且中国军队编用德国军事顾问，系违反德国政府之愿望。

表示汪精卫所指的顾问皆系中国政府私下招聘，不能代表德国政府。

从总体看，蒋介石对柯瑞伯是不满意的。1930年元旦蒋与柯瑞伯等德国顾问一同观看第一次世界大战电影，完后蒋说：

> 中国政府为了进行各种必要之改革，不惜以大量金钱聘用德国顾问。但在过去一年来，若干顾问，未曾给予中国政府任

何具体建议，且有对于所呈之问题，无法作肯定之答复。现十八年过，十九年将开始，余谨望顾问先生不要再辜负自己所负之责任。

蒋介石这番当面指责的话颇不客气，主要还是对柯瑞伯而发。

1930年5月，乔治·魏采尔接替了柯瑞伯。魏采尔中将是德国国防军总参谋部前作战处长，拟订作战计划、实施作战指挥的能力很强。在“剿共”方面，他是对蒋介石帮助最大的一个德国顾问，不但参加了中原大战，而且参与制订对苏区的第一、二、三、四、五次“围剿”计划。他感到极胜任这种任务，扬扬得意地说过：“在我们德国由诺斯克领导的反共战争中，采取了残酷手段并严格执行，只有这样才能成功。而我在中国也做了同样的工作。”

尽管帮了蒋的大忙，但他与蒋的关系却很一般。魏采尔对蒋介石手下的军队批评太多，而且往往很不客气，激动起来指手画脚，为蒋所厌。当时德国方面解释说他是因为“头脑不够灵活，对经济事务缺乏兴趣”，所以同蒋的关系恶化。20世纪90年代，德方又出现新的解释。德国弗莱堡大学的马丁教授认为，当年的魏采尔等德国军事顾问，罔顾中国国情，罔顾中国军人思想深处的儒家传统思想，在与中方交往中表现出太多的普鲁士风格，企图按照普鲁士精神改造中国军队，不但树敌过多，还未获成功，影响了顾问团的效率。

德国军事顾问也并非个个都不成功。在华期间待遇最高、蒋介石最喜欢、最钦佩的德国顾问，是汉斯·冯·塞克特上将。

塞克特为前德国国防军总司令，是来华的军事顾问中地位最高之人，沉默寡言的天性和谦虚和蔼的外表为其赢得了“斯芬克斯”(狮身人面像)的绰号。英国驻德大使曾这样评价这位“德国国防军之父”：“他的头脑比其拘谨的军人外表广阔，他的见识比其严谨整洁的外貌广博”。德国人则评论说，在塞克特领导期间，德国顾问对中国统治集团和蒋介石本人的影响达到了异乎寻常、令人惊奇的地步。

塞克特1933年5月访华，6月拟一份《陆军改革意见书》送蒋介石。意见书中说：

任何建军之先决条件，首在国境之安定；此即谓数年外在之和平与内部政治情势之稳定。在此条件未达成前，有效之军事组织，将无从谈起，连续不断之战争，将影响最终目标之完成。

此建议与蒋介石的“攘外必先安内”不谋而合。此时恰逢第四次“围剿”失败，国民党将领意志动摇，4月7日蒋在临川向各将领训话：“我们的敌人不是倭寇而是土匪”，“我们要以专心一志剿匪，要为国家定长治久安的大计，为革命立根深蒂固的基础，皆不能不消灭这个心腹之患。”“无论外面怎样批评谤毁，我们总是以先清内匪为唯一要务。”4月10日蒋又在南昌纪念周上宣称，“抗日必先剿匪，征诸历代兴亡，安内始能攘外。在匪未肃清前绝对不能言抗日，违者即予最严厉处罚”。

塞克特与蒋介石不同。蒋用惯了权威。塞克特却能把他充满威吓的讲话，包上一层理论的面纱。

在给塞克特的回信中，蒋写下了“拜读之下，感佩无已，吾人于此相别之后，惜相见已晚，而又不能常住一处为怅也”等语句，求教之切，溢于言表。

蒋介石下决心用塞克特。

但塞克特目标太大。德国政府怕出现麻烦，最初不同意塞克特来华。蒋软硬兼施，威胁说塞氏不来，将聘请法国顾问。当时德、法正是死对头。德国政府出于在华权益的考虑，只有同意。塞克特来华不仅担任总顾问之职，还被委以了一个前所未有的职务，委员长委托人——即蒋介石的代理人。

在这方面，蒋介石身边的塞克特与博古身边的李德有惊人的相似之处。

塞克特 1934 年 4 月到上海，李德 1933 年 9 月到瑞金。塞氏晚一些，但两人“下马伊始”便获得了极大权力。

塞克特以“委员长委托人”的身份出面，可以代表蒋与国民政府各机关首脑谈话，地位仅次于蒋。南京政府的军政部长、陆军训练总监等高级官员，也须亲自到蒋的官邸向塞氏请教；而且规定每星期二、五上午 10 时至 12 时，还须事前登记，过时不候。

李德所处的条件当然比塞克特差得多。但瑞金的中共中央首脑人物也须一批批鱼贯进入李德住的“独立房子”开会，决定大政方针。

瑞金有个“太上皇”，南京也有个“太上皇”。皆是国共双方迎菩萨一般自己请进来、供起来的。

蒋最初不想让魏采尔走。魏氏在“剿共”方面的能力是突出的。其娴熟的规划技巧和作战经验还颇有可用之处。蒋的原意是想具体事务让魏采尔继续负责，全面的军事、政治、外交筹划交塞克特。但魏采尔表现为一山不容二虎之势，塞克特刚到上海，他便立即到南昌向蒋辞行，多一天也不待，也许也是一种东方人不甚理解的普鲁士精神。蒋无法，也只好让他走掉。

魏采尔与塞克特的交接在 1934 年 4 月 11 日。这以前诸事皆归魏采尔，这以后，便都归塞克特了。

两人交接前一天，陈诚指挥十一个师发起了广昌战斗。

所以，认为碉堡政策是塞克特出的主意的人们，完全没有根据。塞克特上任时，蒋介石的第五次“围剿”已经发起了七个半月，碉堡政策早已执行，苏区周围的碉堡已经成千上万了。塞克特对蒋介石的帮助主要不在“围剿”红军，而在德国的军国主义建军方针和思想。

他在给蒋介石的第一封信中，就提出所谓“中国建军的三项中心思想”：

一、军队为统治权之基础；

二、军队之威力，在于素质之优良；

三、军队之作战潜能，基于军官团教育之培养。

这三条皆来自典型的普鲁士军国主义：以军官团为国家核心。

这三条影响了蒋介石一生。

人们说，在普鲁士军队拥有一个国家，而不是国家拥有一支军队。俾斯麦以“铁血政策”统一德国后，普鲁士的军阀制度和军国主义精神影响和渗透到整个德国。对德国人来说，军事力量是人类生存的最高形式。近代以来没有哪个欧洲国家像德国那样崇尚武力、崇尚“铁与血”。

当时在德国流行一种明信片，上面印着德王弗里德里希、首相俾斯麦、总统兴登堡和元首希特勒的肖像，文字说明是：“国王所征服的，由亲王建成，元帅保卫、士兵拯救和统一。”再清楚不过地显露出德国由普鲁士军国主义演变到希特勒法西斯主义的全过程。

塞克特专门使蒋介石认识军事强权在国家政治中的巨大作用。他提倡“坚强的、一心一德的领导”，声称只有这种一元化的领导才能够“对涉及经济、财政，首先是民众教育与宣传等每一项国家措施加以通盘考虑”。

这些理论，使崇尚铁腕与独裁的蒋介石有茅塞顿开之感。

蒋介石很早就想留学德国。1912 年，26 岁的蒋介石主使人刺杀陈其美的政敌、光复会重要领导人陶成章。孙中山通缉杀人凶手，蒋介石只得避往日本。可叹陶成章在义和团运动时期曾两次潜入北京，图伺机刺杀慈禧太后而未成，最后竟死在蒋介石派的刺客王竹卿手里。蒋在日避居期间专习德文，为留学德国作准备。第二年春本拟留学德国，因孙中山命其留沪听命，留德未成。

塞克特这个老师，为他补上了当年遗憾不已的一课。

除这些之外，塞克特便把很大一部分精力投入优先照顾德国的经济利益——推销德国军火、购进急需的原料等等。他与南京政府做成一笔大交易，用德国军火换取中国的钨矿和锰矿。1935 年和 1936 年，中国出产的几乎全部钨矿都被拿去与德国交换武器。在塞克特任上，德国很快成为中国的第二大贸易伙伴，仅次于美国；中国则成为德国最大的军火买家，超过四分之一的德国军火输往中国。

塞克特没有就军事行动的细节为蒋提供咨询。蒋也不对他作这方面的要求。虽然他没有为蒋介石提供碉堡政策，但其提供的独裁理论和支撑这一理论的力量建设对蒋介石来说，比那些砖石结构的碉堡重要得多得多。

在庐山军官训练团演讲时，塞克特一上台便开门见山："在一切权威荡然无存的时候，只有一个来自人民的人才能确立权威，这个人就是来自人民却又不同于一般人民的人，他必须是个独裁者。"这一理论揭示确实令蒋兴奋不已。然后是塞克特指导下的建军实践。到 1937 年 7 月抗战爆发前，国民党军队基本完成以德国体制为楷模的整军计划。其中，中央军的 30 个师完全或部分接受过德制装备与训练，而第三十六、八十七和八十八师为德制化师，中央军校教导总队则完全按照德国步兵标准编装。此外，军火工业的规划、兵役制度的改进、军政军令权责的明确、整体国防体系的建立等，都出现重大改进。

抛开这些后事不谈，剩下的那个老问题还悬在这里：谁提出了碉堡政策？不是塞克特，那么就是其前任魏采尔了？

为开办庐山军官训练团，魏采尔也上了庐山，与陈诚等人一道住在海会寺，其他德国顾问住在附近的龙云寺和华严寺。在此前后，为规划第五次“围剿”的作战计划，魏采尔出了不少主意，包括赞成采纳碉堡政策，但他却不是这一政策的提出人。

碉堡作为一种无法抵御强大炮火的防守工具，在火炮密集的欧洲战场已普遍弃之不用了。来自欧洲的德国顾问们，不可能对这项业务有多么精深的造诣。只有对中国战场非常了解，对基本无重武器的红军非常了解，知道自己的对手既没有如此口径的火炮，也搞不到这样口径的炮弹，不能摧毁面前仓促建筑起来的砖石结构物，才能把如此大的希望寄托在这些乌龟壳之上。

外国的月亮再圆，外国人念的经再好听，就这一点来说，能够提出碉堡政策的，也非金发碧眼的日耳曼人，必定是把握透了中国式战场和中国式战斗的人。

他的确是个典型的中国人——朱德的同学金汉鼎。

五、碉堡——典型的中国特色

文化大革命中有一段特别流行的毛主席语录：

> 真正的铜墙铁壁是什么？是群众，是千百万真心实意拥护革命的群众。这是真正的铜墙铁壁，什么力量也打不破的，完全打不破的。反革命打不破我们，我们却要打破反革命。

还编成了语录歌，唱得颇为豪迈雄壮。

那是一个根本不考虑毛泽东讲话的时间、地点的时代，翻开就念，念完就用，而且主要是对别人而念而用。只顾“拿起笔，做刀枪”了，出处在哪里，针对什么问题说的，将语录倒背如流的人并不知晓。

直到毛泽东逝去了近20个年头，才在“毛选”中明白，这段话是针对蒋介石“围剿”中央苏区的碉堡政策而说的。

毛泽东说：“国民党现在实行他们的堡垒政策，大筑其乌龟壳，以为这是他们的铜墙铁壁。同志们，这果然是铜墙铁壁吗？一点儿也不是！你们看，几千年来，那些封建皇帝的城池宫殿还不坚固吗？群众一起来，一个个都倒了。俄国皇帝是世界上最凶恶的一个统治者；当无产阶级和农民的革命起来的时候，那个皇帝还有没有呢？没有了。铜墙铁壁呢？倒掉了。”

接下去，就讲出了那段著名的“真正的铜墙铁壁”。

毛泽东讲这番话的时间是1934年1月27日，蒋介石的第五次“围剿”已全面展开。据国民党编年史《中华民国史事日志》记载，该年1月1日，仅在江西完成的碉堡就达2900座。

蒋介石的碉堡政策来自于这三个人：

最早提出建议的，是滇军将领金汉鼎。

最早实践此法的，是赣军十八师五十二旅旅长戴岳。

最终将其全面化、系统化、完善化的，是蒋介石南昌行营第一厅第六课课长柳维垣。这三个人可被称为“碉堡三剑客”。

1929年冬，鲁涤平在南昌召开全省“清剿”会议，商讨消灭江西朱、毛红军的办法。会上，三省会剿副总指挥、第十二师师长金汉鼎提出，当年云南少数民族曾用建碉守卡的办法，给前来镇压的清军以重大打击；后来清军也学会采用此法，最后征服了少数民族的顽强抵抗。他建议江西的进剿也可仿效此法，巩固进剿部队阵地，进而逐步压缩苏区，最后消灭朱、毛红军和红色根据地。

金汉鼎可谓一言九鼎。5 年后，至 1934 年 10 月红军战略转移退出中央苏区之前，密布于苏区周围的碉楼、堡垒、桥头堡、护路堡等达到 14294 座。但谁知晓，提出这条消灭朱毛红军计策的金汉鼎，当初在云南陆军讲武堂丙班二队内，竟然与朱德是同班同队的同学，且交情颇深。

朱、金二人当年一同参加同盟会，一同参加辛亥革命后蔡锷领导的云南起义；后来两人同入滇军第二军，同任旅长：朱德任第十三旅旅长，金汉鼎任第十四旅旅长；朱德为第三混成旅旅长，金汉鼎为第四混成旅旅长。

两人在实战中多次默契配合。

1916 年川滇内争，滇军主力在眉山陷入重围，朱德率部做前锋突围开路，金汉鼎在后卫掩护撤离，部队安全撤到三江镇。

1917 年秋金汉鼎部与朱德部同守泸州，抵抗川军刘存厚部进攻，激战昼夜，金、朱两旅将川军困于五峰顶，迫其出示白旗投降。

同学之情，沙场之义，使两人愈加亲近。川滇一带有民谣说："黄柜盖，叶毛瑟，朱金支队惹不得。"由于骁勇善战，在滇军中有"金(汉鼎)、朱(德)、耿(金锡)、项(铣)"四大金刚之称。

由肩并肩的战友到面对面的对手，朱、金二人走过了一段历史路程。

上海是这两位滇军名将的第一座分水岭。

1922 年唐继尧率军进袭云南，金汉鼎与朱德同时出走。先入川，后赴沪，与孙中山晤谈于上海。当时正逢陈炯明叛变，孙中山答应付十万元军费，要朱、金去广西整编滇军旧部，攻打陈炯明。金汉鼎接受了这个要求。朱德则感于社会黑暗、军阀逞横，他的亲身经历，使他对孙中山借助一部分军阀的力量打击另一部分军阀的做法已不再相信。孙中山又向他建议，如果要出国学习，不如到美国去。

朱德诚恳地回答他："我们愿意到欧洲是因为听说社会主义在欧洲最强大。"

孙中山最后同意了他的意见。

朱、金两人从此分手。

朱德出国前，金汉鼎以款赠助。

他们两人的第二座分水岭，在南昌。

1927年，两人在南昌相遇。时金汉鼎为国民革命军第九军上将军长兼赣北警备区司令，朱德则在第二十军当党代表。地位拉开了，但同是北伐军，且情谊依旧。忆及以往，两人皆不胜感慨。在金汉鼎力荐下，第三军军长朱培德任命朱德出任第三军军官教育团团长，后来还兼了南昌公安局局长。金汉鼎决没有想到，正是他的力荐，使共产党人的南昌起义更容易举行，朱德在其中也处于更有利的地位。

朱德参加了八一南昌起义。

南昌成为他们第二次分手的地点。

为了争取驻赣的滇军，朱德在南昌起义期间，被任命为第九军副军长。

但争取第九军的计划未能实现。蒋介石已经觉察。金汉鼎让起义部队由其驻地顺利通过，被蒋介石撤销了第九军番号，降任为第十二师师长。

后来朱德上了井冈山。降了职的金汉鼎则提出了那条围困朱、毛红军的建议。这是国民党后来用碉堡政策围困江西苏区的最先声。

当金汉鼎向鲁涤平提出这条建议之时，不知是否想到了云南陆军讲武堂丙班二队内，他的同班同队同学朱德？

金汉鼎的意见在会上引起很多人的重视。但出了会场，倡议者自己反而十分消极。身为三省“剿匪”副总指挥，只要与朱德指挥的红军对阵，金汉鼎定要避免主力决战，屡屡如此。蒋介石见他剿共不力，便降他为第三十五旅旅长；后来干脆解除其军中职务，让他去了全国禁烟委员会。

云南盛产烟草，这位滇军“金刚”最终被蒋介石弄成了禁烟将军。

鲁涤平在全省“清剿”会议结束后，便将金汉鼎的建议告诉了蒋介石。

这条建议没有引起蒋的重视。蒋认为朱、毛红军那点儿力量可以一扫而光，不需碉堡政策那样费时费力。

将这个建议立即付诸实践的，是张辉瓒手下的十八师五十二旅旅长戴岳。他也参加了鲁涤平的“清剿”会议。金汉鼎的建议一下子就打动了他。出了会场戴岳便在赣东实践开来。当时红军没有重武器，此法果然很有点儿效果。

敏感且大胆的戴岳却命运不佳，摊上了一个轻狂的上司张辉瓒，在第一次“围剿”中就把队伍装进红军的口袋里，令十八师全师覆灭。师长张辉瓒被割掉了脑袋，旅长戴岳也好不容易才仓皇逃回。部队没有了，他不甘心，用两天时间写了份《对于剿匪清乡的一点贡献》呈何应钦，内中特别强调了碉堡政策的重要。

戴岳建议：“凡重要的地点，不能不驻兵，而又无多兵可分派，就选择一个良好的地势，用石砌成碉堡，使少数兵守之；并督率附近各村组织联村自卫，使良民或反共的民众得到相当的保障，坚决地反共。”“使红军不能击破，并能以少数的部队击溃多数的红军，同时可以阻绝红军的交通和活动，逐渐把苏区缩小。”

何应钦正在筹划第二次“围剿”，看完后大加赏识，亲写序言，将戴岳的意见书印成小册子，大量发给“围剿”部队。何应钦在序言中说:“此书乃戴旅长岳本其平日剿匪清乡之经验汇集而成,知己知彼,洞中窍要,可作剿匪部队之参考。我党政军各界同志,允宜人手一册,细心研究,应时运用,于剿匪前途,当映有裨益。”

戴岳的意见书加上何应钦的批示,使金汉鼎的建议开始被广泛推广。

在对中央苏区久攻不下,国民党军队内不少人开始实行碉堡政策的基础上,1933 年 6 月 8 日至 12 日,蒋介石在南昌行营召集“剿匪”会议,专门讨论第五次“围剿”的战略战术。柳维垣等人在会上提出普遍推行“堡垒政策”的建议,终于为蒋介石所采纳,并由会议“决定其原则”。会后南昌行营第一厅专设第六课,由柳维垣负责,专门担任碉堡设计指导事宜。

国民党蒋介石“围剿”苏区的碉堡政策演化到此,便基本成熟了。

由于当时红军没有采取正确的应对之策,这些乌龟壳的确变成了围困中央苏区的铜墙铁壁。

毛泽东是怎么知道对手的碉堡政策的?

在何应钦主持的第二次“围剿”中,戴岳的小册子落到了红军手里,共产党人开始知道国民党有了碉堡政策。红军长征后,被红军高级将领逐条批驳过的那本小册子又落到戴岳手里。批驳的文字是红色的,不知出于谁的手笔。滇军将领金汉鼎、赣军将领戴岳、中央军将领柳维垣组成的“碉堡三剑客”,无疑金汉鼎为首。

风风雨雨过去,提出碉堡政策 22 年后,金汉鼎与从碉堡中冲杀出来的朱德在中华人民共和国首都北京相会。

1949 年全国解放前夕,听到金汉鼎参加云南卢汉起义的消息后,朱德立即指派入滇部队第四兵团司令员陈赓、政委宋任穷前去看望。1951 年 10 月 1 日,中华人民共和国成立两周年之际,金汉鼎赴京参加观礼，与朱德相会于北京。

他们二人当年在上海、南昌两度分手，这回终于在北京紧紧握手。当年滇军的这两位“金刚”，一个是中国人民解放军总司令，一个是起义将领。当两双大手握在一起的时候，不知是否还能唱出那段悠远的川滇民谣：“黄柜盖，叶毛瑟，朱金支队惹不得。”

不知是否还能记得赣粤闽湘那些漫山遍野的碉堡。

还有毛泽东那发问久远的问题：真正的铜墙铁壁是什么？

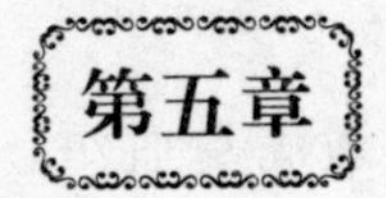

第五章

崛　起

一、来自海军中尉的刺杀

1932年，日本在上海“一·二八”事变中再次获胜。5月5日，国民党政府与日本签订《淞沪停战协定》：“上海至苏州、昆山地区中国无驻兵权，上海为非武装区，但日军可在上述地区驻‘若干’军队。”

日本政府签署的这些条件，根本不能满足军部正在崛起的一伙少壮军阀的胃口。

10天以后，5月15日下午5点30分，东京。海军中尉三上卓带领黑岩勇、山岸宏等海军青年军官，闯入内阁首相犬养毅官邸。来者共有9人，分成两批。一批走前门，一批走后门。警卫官邸的警察在枪口下很快被制伏。

在官邸餐厅内，三上卓见到了犬养首相。他毫不犹豫地扣动了扳机。

枪没有响。枪机戏剧般地出现故障。

“如果听我说了，你们就会明白。”犬养首相被拉到满是军人的会客室时，力图镇静地解释道。他还想说服这些配带武器的不速之客。

“我们为什么来，你清楚！有什么话快说！”三上卓吼叫着。

“讲话没用!”“开枪!”

黑岩勇和三上卓一齐朝犬养的头部开了枪。犬养毅满身血污，倒在榻榻米上，当即毙命。

“把皮鞋脱掉吧!”是这位不赞同军部专制的首相说的最后一句话。

军官们是来刺杀他的。没有人按照习惯，进屋脱鞋。

随着犬养首相的葬礼，第一次世界大战后短暂的政党政治，在日本寿终正寝。直至第二次世界大战日本战败，才有人出来说，犬养毅被谋杀使日本民主政治的发展受到致命打击。

日本历史学家猪木正道评论说，“五一五刺杀推翻了两次护宪运动中先辈们费尽心血才粗具规模的议会政治，倒退到在帝国议会中没有基础的超然内阁时期。”

军人飞扬跋扈的时期已经到来。

近代日本政界的每一起刺杀，几乎都与中国问题有关。中国是一块肥肉。为了吞下这块肥肉，日本几届首相纷纷跌落。

刺杀犬养首相，起因于“九一八”事变后日本对华政策的分歧。

犬养毅是日本政界著名民主人士，与孙中山交情很深，一生致力于确立政党政治。孙中山在《建国方略》中列出对中国革命提供有力帮助的22位日本友人，排第三位的便是犬养毅。

排第一位的日本革命者宫崎滔天曾经说过:“现今各国无一不垂涎于支那，即日本亦野心勃勃，日本政党中始终为支那者，唯犬养毅氏一人而已。余前往支那一切革命之事，皆犬养氏资助之。”

犬养毅为支持孙中山在日本开展革命活动发挥了很大作用。每当孙中山落难，他就为收容孙中山在日本奔走斡旋。辛亥革命爆发后，他很快到上海，卖力地声援孙中山上台，激烈地反对与袁世凯妥协。

犬养毅的身材十分矮小。他是在既不能控制军部一手操纵的“九一八”事变,又不能制止国联派出调查团的若槻内阁倒台后出任首相的。与国民党领袖人物的关系是他独特的优势。甚至蒋介石落难日本时他对蒋也有过帮助。南京政府的很多要人都与他有私人联系。犬养毅认为解决中国问题的基本方针应是:承认1922年华盛顿的《九国公约》。公约第一条就规定:“尊重中国的主权、独立和领土、行政权的完整。”日本也在公约上签了字。犬养毅坚持认为,若按照军部的意思,否认中国对满蒙的主权,即使一时能够使满洲从中国分离出来,两者最终仍会合为一体。这已为历史所证明。

“九一八”事变后,犬养毅决定走一条危险的钢丝:使日本的权益和中国的主权在满蒙都能顾及。

1931年12月20日左右,他秘密派遣萱野长知为特使前往南京。

萱野是退役军人,曾加入中国同盟会,追随孙中山达30年之久,与孙中山和国民党的关系比犬养毅更深。武昌起义前,孙中山曾对萱野以广东革命军顾问之重任相托。1925年孙中山临终时,他是唯一侍奉在侧的日本人。由他来调解日趋紧张的日中关系,再合适不过了。

萱野在南京活动期间,为了询问犬养首相的意向,拍发了一份很长的密码电报,却没有任何回音。于是连续拍发好几份电报,都杳无音信。

犬养毅的秘密活动就是通过这些电报暴露了。扣下电报的是内阁书记官长森恪。他与军部的少壮军人关系密切,森恪先把电报内容告诉了少壮派军官,再通过犬养毅的儿子警告犬养毅本人。

森恪是一个政治背景十分复杂的人物。辛亥革命后他代表三井物产，最先向孙中山提出提供财政援助；“九一八”事件后又投靠日本军部，最先出卖其好友和同党犬养毅。森恪一人就是一部日本现代政治百科全书。为了心目中的日本利益，他可以做任何事，也从不在乎出卖任何人。

而且还是几乎完全公开的出卖。

当时，日本陆海军和外务省正在与伪满洲国政府谈判，并且在“使中国本部政权对满蒙死心，使之面对既成事实只有加以承认”这一方针上取得一致意见，事实上决定了不与南京政府就所谓“满洲问题”谈判。忽闻犬养毅首相悄悄往南京派去了特使，咄咄逼人的少壮军人无不感到难以容忍、义愤填膺。

犬养毅之子犬养健担任其父的秘书官。二战结束后，他在远东军事法庭作证时说：“森恪曾数次警告我，说总理大臣采取与军部和满洲方面的武力政策相对抗的政策，对总理自身是非常危险的。在几次谈话中，森恪都说过，如果我父亲继续采取反对军部的政策，那么父亲的生命必有危险。”

在日本，军部泛指日军统帅部。包括参谋本部、军令部、教育总监部和陆军省、海军省。

开始被军人视为眼中钉的犬养毅，其实最初与军部的关系也不错。在整垮上届首相滨口雄幸时，还做过军部的好帮手。滨口内阁是在1929年的世界性经济大萧条、田中内阁又因皇姑屯事件倒台后上台的。上台半年便赶上要了他性命的伦敦海军会议。

说到1930年的伦敦海军会议，必须扯出华盛顿会议。1922年华盛顿会议曾规定：日本海军大型舰只能为英美两国的60%。日本军界长期对这一比率不满，于是伦敦会议前定出方针，要提高10个百分点，将比率调整到70%。潜艇则保持已有的78000吨水平。

1930年1月，海军裁军会议在伦敦举行。美国反对日本提出的修改，坚持华盛顿会议的60%比率，而且要废除所有潜艇。

会议陷入僵局。

此时正值大萧条波及日本。滨口内阁面对经济不景气的现象，决心紧缩财政，协调外交，达成裁军协议以缓和处于灾难中的国民经济。

当然也还有另一面。在皇室和军阀的夹缝中战战兢兢如履薄冰、小心翼翼沿政党政治爬到首相高位的滨口，深知必须照顾军部情绪，否则后果难料。

滨口内阁在会谈中为日本讨价还价，异常艰苦。终于在3月13日签订了日美妥协案，日本拥有舰只总吨位为美国的69.75%。

军部要求上调10个百分点，滨口内阁在美国人那里拿到了9.75个。日本的主张可以说几乎完全被贯彻了。69.75%与70%，仅仅相差0.25%。

但就是这0.25之差，竟在日本掀起轩然大波。海军军令部长加藤宽治和次长末次信正首先发难，大表不满，指责内阁不顾军令部反对而签约，违反宪法。

日本军人在日本政治中之蛮横霸道，可见一斑。

倘若反对浪潮仅仅来自军方，问题还要简单一些。在野党政友会也立即随声附和，说滨口内阁"明知军令部有强烈的反对意见，却无视这一意见，轻率地决定了有关国防的重大问题"，利用伦敦条约开展倒阁运动。其中最积极甚至把它上升到"侵犯统帅权"高度的，就是政友会总裁犬养毅。

犬养毅因为自己的政党政友会在大选中遭到失败，与民政党的273个议席相比只获得174个议席，便为倒阁不惜采取一切手段，把决定军事力量发展这一最为重要的国政也说成是内阁管辖之外的事，虽然搞垮了滨口内阁，却也最终搬起石头砸了自己的脚。

当时滨口内阁还硬顶了一会，不顾军令部的抵制和犬养毅的政友会的反对，签订了日、英、美三大海军国《关于限制和缩减海军军备的条约》，即《伦敦条约》。条约批准书交换仪式于1930年10月27日在英国外交部举行。滨口出席。18天之后，他在东京车站遭到右翼暴力主义者行刺，身负重伤。

刺客佐乡屋留雄与臭名昭著的皇室成员、阴谋家东久迩宫有联系。

近代日本发生的多起刺杀事件，都与这位东久迩宫有关。

滨口首相1931年8月26日去世。

他1895年毕业于东京帝国大学法科，却死于无法无天的帝国。

1932年5月就轮到指责滨口"侵犯统帅权"的犬养毅了。当血盟团青年军官黑洞洞的枪口开始瞄向犬养毅的脑袋的时候，不知他能否记起自己对滨口的指责？

犬养毅是自1890年日本第一次众议院大选开始，连续17次当选众议院议员的著名民主人士，议会内打倒藩阀和拥护宪政运动的主要推动者。日本近代最富盛名的民主政治家，却亲手葬送掉惨淡经营起来的民主政治，这不能不说是近代日本国家发展的巨大悲剧。

被刺杀前两个月，犬养毅已经意识到了危险。1932年3月15日，他给青年时代的朋友上原勇作元帅写了一封信，一方面对军人犯上的现象表示十分忧虑，另一方面竭力表白自己的对华政策："为了在形式上停留在政权分立，而事实上已达到我方目的，我煞费苦心"；"如不迟早改善这种关系（注：指同中国的关系），一旦俄国的五年计划完成，国家的实力真正得到充实，它绝不会像现在这样保持长久沉默的。作为对俄国的防备，本人认为应尽早改善与中国本部的关系。"

战败后的日本历史学者们称赞这段思虑为"卓越见识"。

犬养毅本人何尝不想吞并满蒙。只是比起那些狂躁蛮干的军人来,他忧虑的眼光更加精细、长远而已。就是当初卖力地资助孙中山,他也有独特的考虑。在写给派去照顾孙中山的陆羯南的一封信中,他说:“愿吾兄将彼等掌握住以备他日之用。但目下不一定即时可用。彼等虽是一批无价值之物,但现在愿以重金购置之。自去岁以来,弟即暗中着手作此计划矣。”

国民党那些与日本有千丝万缕联系的元老们,若知道犬养毅这封密信,知道连孙中山都被称为“无价值之物”却又“现在愿以重金购置之”然后“以备他日之用”,对他们心目中那些支持中国革命的日本“友人”,不知该作何感想?

资助孙中山是一张牌,承认中国在满蒙的权益也是一张牌,核心都是为了日本利益,特别是为了躲避日本即将面临的现实危险。

犬养毅留给中国的所谓“权益”,只是一个形式上的空壳而已。

即使如此,军部也认为他在背叛。

想走钢丝的犬养毅,是在刀尖上跳舞。

1932 年 5 月 15 日,他终于从刀尖上掉了下来。

二、大和民族的血祭

主持刺杀犬养毅的,是极右翼军人组织“血盟团”。在军法审判中,行动头目、霞浦海军航空兵军官古贺清志中尉对法庭说:“国家的状况到了非流血不能改善的地步。”他的助手、亲手打死犬养首相的三上卓海军中尉,则说这次行动是一场革命,意图是要造成统治者与被统治者的和谐一致。三上卓大声在法庭上说:“我们既非左派,也非右派。”只有开第一枪的黑岩勇略表后悔:“我感到遗憾。不过,我认为他在劫难逃,因为他必须成为国家改革祭坛上的供物。”

被审讯的军官们收到了 110000 多封表示支持的信件。有 357000 人在一份请愿书上签名,要求对血盟团人员宽大处理。新泻市竟有 9 个人把他们的小手指砍下来,泡在酒精里送给陆军大臣荒木贞夫,并附信说,虽然被告"犯了法,他们的动机是纯洁的。他们的自我牺牲精神使我们深受感动"。大阪律师协会走得更远,竟然通过一项决议,声称从最深刻的意义上讲,刺客只不过是自卫。后来公布的司法省、陆军省和海军省的联合声明这样说:

本犯罪案件的动机和目的,据各犯人所说,是由于我国最近的形势在政治、外交、经济、教育、思想和军事诸方面停滞不前,以致国民精神重又颓废堕落。因此,如不打破现状,帝国将有覆灭的危险。这种停滞不前的根源是因政党、财阀和特权阶级互相勾结、营私舞弊、轻视国防、无视国计民生、腐败堕落所致。必须铲除这一根源,完成国家的革新,以建设真正的日本。

联合声明几乎成了被审判者的宣言书。可见日本的法律当时堕落到了何等地步。

如上所述,审判期间,公众对杀人者表现出极大的同情。每天都有请愿的人群聚集在海军军官的交谊团体水交社外,有的甚至彻夜等候在外面,希望与罪犯的辩护律师会面,以表示支持。首犯古贺清志的父亲表示每天都收到来自全国的许多信件:"信啦、礼品啦、点心啦,另外还有一位秋田县的姑娘来信,说是想做古贺的妻子……"

辩护律师介绍,还有很多姑娘自荐到三上卓中尉那里。

日本的法西斯运动受到社会广泛支持。

历史学家猪木正道说,日本进入了疯狂的时代。埋葬了犬养毅之后，新首相是海军大将斋藤实，美其名曰“举国一致内阁”，举国一致干什么？

举国一致走向战争而已。

疯狂野蛮的日本战车，被卸下了最后一道限速锁链。

如此主动、如此积极、如此自觉、如此大面积地转向法西斯主义的日本，今天却振振有词地说这一切是根源于别人。服部卓四郎的《大东亚战争全史》，就当年日本的政治转型提出了三个理由：

> 其一，第一次世界大战结束后列强对日本的压迫、尤其是美国的压迫。
>
> 美国主张废除日英同盟、在华盛顿会议上限制日本海军主力舰的吨位、废除石井/兰辛协定、限制日本在满蒙的特殊权益、制定排日的移民法案等，给日本的前途投下阴影。
>
> 其二，西方列强对日本的经济排挤。
>
> 随着工业化的跃进，日本日益需要从海外进口物资和向海外开辟市场，但欧美国家纷纷高筑关税壁垒保护自身产业，面临人口过剩、资源贫乏、资金不足的日本，逐渐被从世界市场上排挤出去，生存从根本上受到了威胁。
>
> 其三，中国的排日运动。

认为中国收复国家权利的运动与第一次世界大战后的民族自决运动相结合，矛头直指日本，排日政策同时为中国提供了统一国家的手段，抵制日货运动弥漫中国，发展到了叫喊要收复旅顺大连和南满铁路的地步，终于酿成满洲事变的爆发。

这就是服部卓四郎在《大东亚战争全史》中提出的日本转向法西斯的缘由。

核心其实就一句话:都是别人的错。

侵略别的国家,占领别国土地,屠杀别国人民,掠夺别国财富,不但不应由日本负责,日本自己还满肚子牢骚、满内心委屈、满脑袋不服。至于日本应负什么责任?一点儿也没有。“九一八”事变、“七七”事变、“珍珠港”事变竟然都是别人的不是,没有日本的不是。

这样的书竟然被选定为日本的教科书,看来还不仅仅是用岛国国民性的狭隘来解释那样简单。如果早些把这些堂堂正正的法西斯理由、战争理由炮制出来,当年的日本为什么还要无条件投降呢?

日本现在年年在广岛原子弹爆炸那天为日本的战争受害者搞和平祈祷,却从来不为其发动侵略战争死难的中国人、朝鲜人、菲律宾人、马来西亚人、印度尼西亚人、越南人、泰国人、缅甸人这些战争受害者的和平祈祷。只记住两颗原子弹,只记住自己受了原子弹之害,忘掉当年雪片一样支持法西斯分子的信件,忘掉主动愿意嫁给他们的姑娘,忘掉剁下来泡在酒精里的那些手指,忘掉当年张灯结彩、扶老携幼为其军队攻城夺地而欢呼、游行、庆祝,能够总结出真正应该铭记的教训吗?如果仅仅祈祷把和平和生存留给自己而不在乎别人的死亡和苦难,甚至还要删改教科书中的有关记载,甚至再编纂那些满纸谎言的所谓“教科书”,军国主义真的能够在日本根绝吗?我们也有一些“胸中有数(各种各样的统计数字)、目中无人(国民特质、思维习性)”的学者,认为日本转向法西斯的原因虽然在内部,却主要是少数军人不满现状所致。认为1921年华盛顿九国会议后,日本开始实行裁军,军费由1921年的7.3亿日元下降为1930年的5亿日元以下,减幅达40%,引起军人的强烈不满。“对于职业军人来说,除了军事以外他们没有其他特长,裁军等于砸他们的饭碗。此外裁军以前职业军人是社会上最受尊敬的人,军队是最光荣的职业。但裁军开始后,职业军人一下变成社会上多余的人,最好的学生不再报考军事院校，一些饭店甚至拒绝穿军服者进入。裁军给职业军人们带来的失落感和焦躁感是可想而知的。”

东郭先生一样善良的学者又为对方想出一条多么绝妙的出路：军费削减竟然也成了转向法西斯的理由。前者说转向法西斯不是日本的选择而是美、英、中迫使日本作出的选择，后者说即使是日本的选择，也是日本军人的选择而不是日本民族和日本国家的选择。

法西斯禾苗为什么在日本长得如此茁壮、如此疯狂？其土壤在哪里？养分是什么？根须在何处？仅仅是少数坏分子蒙蔽了广大人民群众？

以少壮军官为主的日本昭和军阀集团的疯狂，根源于日本社会情绪的疯狂。每一个民族都有自己的热血青年。都想用热血开辟出一条理想的前进道路。但一个人会走入误区，一代人也会走入误区，甚至包括一个民族。导致整个国家转向法西斯的责任，绝不能仅仅归结为第二次世界大战结束后远东军事法庭判处绞刑的几个甲级战犯。当俄国的热血青年推翻了罗曼诺夫王朝，实现了 1917 年的二月革命和十月革命，中国的热血青年推翻了爱新觉罗王朝，实现了 1911 年辛亥革命，并在 1919 年的“五四”运动之后开始了新民主主义革命，日本却走上了另外一条道路。

1926 年 12 月 25 日，当北伐军正在中国大地摧枯拉朽、莫斯科的斯大林与托洛茨基正就中国革命问题争辩不已的时候，日本第一百二十四代天皇裕仁即位，改元“昭和”。由此开始了一场以少壮军人为前导、以清除腐败为旗号、将整个日本拖入法西斯深渊的“昭和维新”运动。

这伙少壮军人也是日本的热血青年。他们对日本现存社会充满了批判。但他们批判的武器不是马克思主义，而是法西斯主义。

青年军人组织樱会在宗旨书中说：“我们必须首先指出作为国

家核心的执政者们的重大责任。”“他们无视自己的职责，在施行国策中缺乏雄心，毫无振兴大和民族的根本精神，只是醉心于谋取政权、财物，上瞒天皇，下欺百姓，政局汹汹，腐败已极。”“社会即将沉于污秽的深渊，高级当政者的悖德行为，政党的腐败，资本家不顾大众利益，华族不考虑国家将来，宣传机关导致国民思想的颓废，农村凋敝，失业，不景气，各种思想派别组织的活动，糜烂文化的抬头，学生的缺乏爱国心，官吏的明哲保身主义等等。”

政党行径丑恶和以夺得政权为目的相互倾轧，造成政界和社会的纷扰不安，形成了党贼；财团贪得无厌，操纵金融与市场，不顾国计民生，形成财贼；政府依靠其权势横征暴敛，贪污腐败，民不聊生，形成权贼。

“三贼”相互勾结，横行国内，必须将其打倒。

怎么打倒？用北一辉1919年在上海用清水米饭泡出来的《日本改造法案大纲》。只有军人奋起，才能打破腐败的政党政治。

热血与献身，在日本导致的竟是最反动的法西斯主义。整个20年代，在日本以军人为主干的法西斯组织真如“雨后春笋”。

1919年北一辉、大川周明建立第一个法西斯组织犹存社。

1923年“三羽乌”之首永田铁山回国，建立二叶会。

1924年平沼浅一郎发起成立国本社，大川周明成立行地社。

1926年赤尾敏领导成立建国会。

1927年铃木贞一、石原莞尔组织木曜会，西田税成立天剑党。

1928年海军出现王师会。

1929年，二叶会与木曜会合流，成立一夕会。

1930年9月，参谋本部少壮派军官成立樱会。

由永田铁山的二叶会开头，整个20年代，日本军队中出现一百多个法西斯团体。参加者从七十多岁的退休元帅、日俄战争期间日本海军联合舰队司令官东乡平八郎海军大将直到士官学校刚刚毕业的少尉官佐。

其中最重要的，是一夕会和樱会。佐级、尉级军官中所谓有志、能干的“英俊人物”多集中在这两个组织里面。这两个团体云集了昭和军阀集团的精锐。

一夕会1929年5月19日成立。

成员中大佐军衔的有河本大作、山冈重厚、永田铁山、小畑敏四郎、冈村宁次、小笠原数夫、矶谷廉介、板垣征四郎、土肥原贤二、东条英机、渡边久雄、工藤义雄、饭田贞固、山下奉文、冈部直三郎、中野直晴；

中佐有桥本群、草场辰巳、七田一郎、石原莞尔、横山勇、本多政材、北野宪三、村上启作、铃木贞一、冈田资、根本博；

少佐有沼田多稼藏、土桥勇逸、下山琢磨、武藤章、田中新一。

樱会成立的时间稍晚于一夕会，于1930年7月17日诞生。成员中大佐只有重藤千秋一人；中佐有坂田义郎、樋口季一郎、桥本欣五郎、根本博；大尉有马奈木敬信、长勇、田中清、樱井德太郎、田中弥。

名单不短。但对日本现代史、东亚战争史、中国抗战史感兴趣的人应该记住这些名字。昭和军阀集团的主要成员几乎全在里面。

现在，这些名字又几乎全部出现在“靖国神社”里面。

一夕会的核心是永田铁山。它以打破长州藩对陆军的人事控制为第一目标，对外主张首先以武力解决满蒙问题，为日本夺取生存空间。

樱会的成员则更加年轻，也更加激进。其核心人物桥本欣五郎担任驻土耳其大使馆武官期间，对基马尔自上而下革命颇感兴趣，想在日本也实现这样的革命。

这两个少壮军人组织，前者着眼于对外使用武力，完成法西斯扩张；后者着眼于对内使用武力，完成法西斯改造。

两个集团的终极目标都是军部控制日本政治，实现军事独裁政府。

日本已经作好充分准备，要向法西斯急剧转向。

这一过程从1928年6月4日的皇姑屯爆炸事件正式开始，昭和军阀初露锋芒。1927年4月20日，蒋介石在上海发动"四一二"事变8天之后，田中义一内阁在日本上台。

田中义一是日本政界的强人，其个人历史与日本陆军紧紧相联。他1892年毕业于陆军大学。1894年以陆军中尉军衔参加甲午战争。1904年参加日俄战争。1918年至1921年任陆军大臣，主持出兵西伯利亚，武装干涉俄国革命。山县有朋死后，他便成为在日本陆军中占首要地位的长州藩的首要人物，也成为日本反藩阀政治，以巴登巴登"三羽乌"为代表的青年军官打击的重点人物。

田中内阁的首要命题是所谓"满蒙问题"。他干的第一件大事是主持召开东方会议，在会上拿出了一个分割满蒙、扩张在华权益的《对华政策纲要》，核心就是一句话："将满洲作为中国的特殊地区和中国本土分离。"

如何实现这一目标？田中与军部出现分歧。

军部主张靠关东军武力解决。田中却认为为避免英美列强干涉，要靠张作霖。

田中的如意算盘是，先将中国划分为关内和关外，蒋介石统治关内，张作霖统治关外；再以架设索伦、吉会、长哈三条铁路和联络中东、吉会二线的两条铁路，共计五条借款铁路为由，迫张作霖同意；五条铁路一通，满蒙与关内分离便实质性地实现，日本对满洲的控制也就水到渠成，无须关东军再去动兵了。

若不成，再拿出武力方案也不迟。

田中这一设想的核心点是张作霖。没有张作霖做日本在满洲的代理人，或张作霖不甘做这一代理人，田中的设想都将告吹。

不过田中似乎有他不告吹的把握。田中与张作霖关系甚深。1904年日俄战争期间，马贼张作霖被日军以俄国间谍罪名捕获。要被枪毙的关口，陆军中尉参谋田中义一向司令官福岛安正少将请命，将张作霖从枪口下救出。二十多年后，马贼张作霖成了中国的东北王，中尉参谋田中义一也成了日本首相。

田中决不白救命。从日本人枪口下逃得性命的张作霖，也深知他这个东北王一天也离不开日本枪口的支持。1922年第一次直奉战争，奉军的作战计划多半出自日本人之手；第二次直奉战争，日军全力支持张作霖，使奉军把直系军队赶过江南，张作霖成为北京的统治者。1925年底郭松龄倒戈，率军直扑沈阳。当时东北军的精锐几乎都掌握在郭松龄手里，若无日本方面调遣驻朝鲜龙山的军队直插沈阳紧急增援，恐怕张作霖早就死无葬身之地了。

所以田中说“张作霖如我弟弟”。他不相信张作霖会不答应他的条件。

他估计对了。

五条借款铁路线，条件异常苛刻。连张作霖的参谋长杨宇霆也发牢骚说“日本人太那个了，到别人地方架设借款铁路，还要18%的利息。”杨宇霆没有说出来的是沿线权益尽为日人所得，日本势力将在东北像蛛网一样铺开。张作霖也是爱东北、爱国家之人；他也不想让日本人的势力在东北无限制扩展。

但他更爱张家。

在国事家事不可两全的那个夜晚，据说张作霖愁肠万端，忧心如焚，几近心力衰竭。为这五条铁路，一晚上这位叱咤风云的人物竟老去十岁。第二天出现在日本人面前的张大帅，是一个完全垮掉的人。

他语无伦次，目光游移，躲躲闪闪又含含糊糊，但全部同意了田中的条件。

日本人也知道“不战而屈人之兵”乃兵法的最高境界。田中以为自己达到了这个最高境界。满铁总裁山本条太郎在北京回东北的火车上边喝啤酒，边满面春风傲然地说：“这等于购得了满洲，所以不必用武力来解决了。”

他们高兴得太早了。中国还有一句老话，叫做螳螂捕蝉，黄雀在后。

田中身后的那只黄雀，是关东军高级参谋河本大作。

20世纪80年代，在日本发现了河本大作的口述笔记，写在粗糙的“陆军省格纸”上，颇似当年事情闹大后的《交代材料》。河本说：“1926年3月，我上任关东军高级参谋来到满洲时，满州已不是从前的满洲了。当时的总领事吉田茂，到张作霖那里去谈判，如果话谈到对方不利的事，张作霖便推说牙齿痛而溜掉，因此未解决的问题填积如山。张作霖的排日气氛，实比华北的军阀更浓厚。所以我觉得，我们必须赶紧有所作为。”“1927年武藤中将就任关东军司令官。该年8月，出席东方会议的武藤司令官主张说，满洲问题非以武力不能解决，武力解决成为国家的方针。在此以前，即1925年12月，发生郭松龄事件时，张作霖因为失去讨伐的自信，而甚至于想亡命到日本。但克服危机以后，张作霖不仅不来道谢，而且也不解决土地问题，更称大元帅，欲将其势力扩张到中国本部。”

张作霖想统一中国，日本人想的却是分裂中国。就这一点看，河本大作参谋对张作霖内心深处的认识，并不比田中义一首相来得浅。

河本以关东军司令官武藤信义随员的身份，参加了田中的“东方会议”。田中完全没有想到，他在规划占据满洲的计划，河本也在规划。而且，这个在会议上根本没有发言权的无名小辈河本，竟然一下子就弄翻了他的精心设计的那条船。

河本曾任驻北京的武官助理，回国后出入大川周明在皇宫气象台组织的大学寮，是永田铁山一夕会的重要成员。对一夕会成员来说，与其说不满田中义一的大陆政策，不如说不满田中本人。他们改革陆军人事的首要目标便是打倒长州藩统治。而山县有朋死后，长州藩的首领，恰是田中义一本人。

在这伙少壮军官的支持下，河本大作独立策划了皇姑屯阴谋：以炸死张作霖为契机，使东北陷入全面混乱，关东军借收拾局面之机一举夺占全东北。

这就是河本在《交代材料》里说的：“中国军队是头目与喽啰的关系，只要干掉头目，其喽啰便会四散。结论是，我们唯有采取礼葬张作霖的手段。我们同时得出结论：要实行这个计划，唯有满铁线和京奉线的交叉要点才安全。但满铁线在京奉线上面，因此要在不破坏满铁线的范围内行事，实在很不容易。于是我们装设了3个脱线器，万一失败时，要令其脱线，以便用拔刀队来解决。”

田中要玩傀儡游戏，少壮军官们便要把田中手中的傀儡砸碎，让他的把戏玩不成。

1928年6月4日，沈阳城外皇姑屯方向一声巨响，黑烟飞扬到两公里上空，张作霖乘坐的蔚蓝色钢铁列车被炸成两截。田中听到这个消息后，流着眼泪写信给满铁总裁山本条太郎：“一切都完了。”

他不是单哭张作霖。自皇姑屯那辆列车出轨之后，日本政治便脱离了田中的控制。想处理这些打乱自己全盘计划、无法无天的少壮军官，军部坚决反对，自己的政党政友会也不支持、不处理，天皇裕仁又甩过话来，说首相说话前后矛盾，不愿意再同他见面了。河本大作的一包炸药要了田中义一的老朋友的命，也使田中本人成了日本政治风箱里两头受气的老鼠。

田中义一后来大骂河本大作："真是混蛋！简直不懂为父母者之心！"

从历史角度看，田中义一等老派人物对"夺占"这一概念的理解与运用，远比河本等少壮军官老辣深沉。但日本军部这台战车已经由一批更加年轻、更加野蛮的军官操纵。田中精心规划的不战屈兵之谋略，随着皇姑屯那股冲天的黑烟化成齑粉。

河本大作也大骂："田中义一出卖了军部！"

日本也有冤假错案。田中当年参加甲午战争，占领朝鲜侵略中国时，河本还在穿开裆裤。田中的"意欲征服中国，必先征服满蒙；意欲征服世界，必先征服中国"更是日本军部后来实行的战争步骤。此人可以被称为日军中的施里芬。

说这样的人"出卖军部"，确实是"欲加之罪，何患无辞"了。

田中义一至死不知，不愿与他见面的裕仁天皇早已定下了用"三羽乌"替换长州藩的决心。

一生从事侵略扩张的田中突然之间变成一件过时的工具，孤家寡人，只有下台。

皇姑屯事件不单单炸翻了一个张作霖或垮掉了一个田中义一内阁。以一个幕僚军官策划一起国际阴谋事件并导致内阁下台为契机，日本昭和军阀集团在黑烟之中腾空而起。

此后，日本政治中一再出现的"下克上"现象自河本大作始。日本军部左右日本政治，则自皇姑屯爆炸案始。这一事件成为日本政治演化的里程碑。

下一个事件的发生已经是必然的了，只不过时间或迟或早。

三年后，它来了：震惊中外的“九一八”事变。

三、流泪更疯狂

记录在“陆军省格纸”上那份“交代材料”的最后，还有河本大作一句话：“这个事件后，我要石原中校来关东军帮我。这时，已经开始计划‘九一八’事变的方策了。”

河本说到的“石原中校”，就是后来在日军中大名鼎鼎的石原莞尔。

如果说，在1928年的皇姑屯事件中，河本大作的个人活动色彩依然很浓的话，1931年的“九一八”事变，则已经是昭和军阀集团在成熟地集体运作了。

谈“九一八”事变，必谈三个日军军官：板垣征四郎、石原莞尔、土肥原贤二。三个人没有一个是部队的主官，都是参谋。人们若不知道这些参谋有多么巨大的能量，就很难理解日本军队为何如此凶残与如此疯狂。

板垣、石原、土肥原三人，被称为“关东军三羽乌”。

巴登巴登“三羽乌”的头子是永田铁山，关东军“三羽乌”的头子是板垣征四郎。

板垣身材矮小，总是服装整洁，袖口露出雪白的衬衫，头剃得精光，脸刮成青白色，黑色的眉毛和小胡子特别显眼；加上有个轻轻搓手的习惯动作，颇给人一个温文尔雅的印象。他早年的职务几乎都与中国有关。1916年陆军大学毕业后任参谋本部中国课课员。1919年任中国驻军参谋，之后任云南、汉口、奉天等处日军特务机关长和使馆武官。长期对中国的研究观察，使他成为日军中著名的

"中国通"。他又是一夕会的重要成员,政治上胆大妄为,一意孤行,具有少壮军阀的一切特点。虽然身份不过一个参谋,但连内阁首相也不放在眼里。军事上则深思细虑,尤其重视地形。1929 年他以大佐官阶担任关东军高级参谋,立即拉上关东军作战参谋石原莞尔组织"参谋旅行",几乎走遍了东北。他的理论是:"在对俄作战上,满蒙是主要战场,在对美作战上,满蒙是补给的源泉。从而,实际上,满蒙在对美、俄、中的作战上,都有最大的关系。"

在这一点上他与石原莞尔一样,都主张把中国东北变为日本领土。并对整个中国"能立于致其于死命的地位"。

板垣征四郎的特点是大刀阔斧,石原莞尔的特点是深谋远虑。一个是关东军的干将,另一个则是关东军的头脑。

石原是河本大作实施皇姑屯爆炸案后求助的第一人。他长着一副小孩脸,面孔常带忧郁。一旦陷入深思,周围便没有人敢上来打扰他。他还有一个"天不怕地不怕"的名声,对部下温和,对长官尖刻。石原给所有上司都起了诨名,而且敢当他们的面使用。这在极讲资历和官阶的日军内部,确实十分反常。石原比板垣小 4 岁,但比板垣到关东军早半年。1928 年 10 月,他由陆军大学教官调任关东军作战参谋,而板垣第二年 5 月才来。

"天不怕地不怕"的石原一踏上中国土地,立刻被大豆、高粱和像绿色海洋般一望无际的东北平原惊呆了。他的眼睛一直贴在照相机上和望远镜上,头脑中帝国扩张的梦想一下子找到了依托的地方。他似乎喃喃自语,又似乎对身边的人倾诉说:"对这样的地形地势,我们也许得采用海军战术。"

谁也没有听懂他说的是什么意思,他跟谁也不再解释。同僚们都知道他是个极其刻苦、极其舍得下本的人。到了关东军总部旅顺,一连 8 个月,他的时间都花在了阅读书籍、研究地图以及和关东军经验丰富的老手谈话上面。一副小孩脸的石原实际是一头凶猛的猎豹。第一眼被他看中的东西，便被紧紧咬住，决不松口。凡是梦想，他就要顽强地把它变成现实。

到中国不满一年，石原进行了三次“参谋旅行”。在哈尔滨乘汽车实地侦察，作攻占前的地形判断；研究了松花江渡江作战和占领哈尔滨后的前进阵地。齐齐哈尔、海拉尔等地的进攻与防御、兴安岭东侧地区可能发生遭遇战等问题，都在他那个不知疲倦的脑子中理出了头绪。后来令裕仁天皇赞叹不已、以“最高机密，应急计划”存入皇家秘密档案的《国家前途转折的根本国策——满蒙问题解决案》，就是石原莞尔在侦察旅行的路途中，在颠簸的火车上完成的。

完整的事变蓝图绘制出来了。石原提出的要点是：

一、解决满蒙问题是日本生存的唯一途径。只有对外扩张才能消除国内的不安定局面。为了正义，日本应该果断地行动。即便从历史的关系上来看，满蒙与其说是属于汉民族，莫如说是属于日本民族。

二、解决满蒙问题的关键由帝国军队掌握。只有日本占领满洲，才能完全解决满蒙问题。对中国外交也就是对美外交，就是说，要达到上述目的，就要有对美作战的决心。

他还提出了由七个总督来统治中国的方案：长春为满蒙总督，北京为黄河总督，南京为长江总督，武昌为湖广总督，这四个总督由日本军人担任；西安为西方总督，广东为南方总督，重庆为西南总督，这三个总督由中国军人担任。日本人经营大型企业和从事脑力劳动方面的事业，朝鲜人开垦水田，中国人从事小商业或体力劳动，以图共存共荣。

连集团的最高负责人板垣征四郎也像普通学生那样，悉心听取石原莞尔对“解决满洲问题”的讲述。

西方人在战后评价说，石原莞尔是日本陆军少壮派中最有创见的战略家，更是日本陆军中最为刻苦、最为拼命、胃口最大的野心家。看看其“七总督统治中国的方案”、“日本人经营大型企业和从事脑力劳动，朝鲜人开垦水田，中国人从事小商业或体力劳动”的设计，其战略之疯狂已经无以言表。

石原毕业于陆军大学，1922 年留学德国，研究过拿破仑军事思想和第一次世界大战情势。全部兴趣和爱好，都集中在如何完成日本的扩张上面。回国后任陆军大学教官期间，起草《日本国防的现在和将来》，说“人类的最后斗争，正如日莲（注：日本和尚日莲于 13 世纪自创日莲宗，为日本独创佛教宗派之一）所说，是一场‘空前绝后的大斗争’。从军事上来看，它也已迫在眉睫。当飞机能在全世界自由自在飞行之时，也就是这场大斗争开始之时，也是以日本为中心的世界大战开始之时”。

历史中一个值得注意的特点，就是不论从石原莞尔或是北一辉身上，你都能看到法西斯分子在追求他们理想的时候，是如何之坚忍与刻苦。这些人并不像很多人想象的那样只会狂热地呼喊万岁和砍头那么简单粗暴。

他们越是坚忍刻苦，对别的民族就越是危险。

关东军“三羽乌”的最后一头鸟：土肥原贤二，后面会专门谈及。这里只提一句：1931 年 8 月 18 日，“九一八”事变的 30 天前，这个玩弄阴谋就像主持正义一样庄重的土肥原贤二大佐，由天津特务机关长调任为奉天特务机关长。“九一八”事变后第三天，他就公开出任奉天市长。

回到先前那个问题：为什么等级极为森严、上级可以抽下级耳光的日本军队中，竟然出现下级军官左右大局、最后甚至越级指挥的现象呢？

对日本统治者来说，有一种更深层次的考虑。

首先是那个直接培植、间接支持少壮军官们的裕仁天皇。从河本大作到板垣征四郎、石原莞尔，无法无天的少壮军官们不是参加过宫内的大学寮、就是反长州藩的驻外武官集团，基本都是一夕会或樱会的成员。

天皇乐意与他年龄相仿的这些年轻军官在前面打头阵，却不用承担他们失误的责任。所以表面上一切都由参谋们越权直接指挥部队进行，实际一切早已规定停当了。

这也造成日本政局出现一种奇怪的局面：所有人都知道马上要入侵中国东北，但见不到任何指示批复或成文的命令。

事变的准备，是早就开始且有条不紊的。

1930 年 11 月，永田铁山以陆军省军事课长身份到东北与板垣征四郎面商。板垣征四郎正式提出武力解决，永田表面上装作慎重不明确表态，却答应从日本拨两门 240 毫米攻打沈阳的巨炮。

1931 年 7 月，这两门充满神秘色彩的重型榴弹炮秘密运抵沈阳。它们先由东京兵工厂用火车运到神户。再由神户通过客轮运到旅顺要塞。为不让人们知道是炮，将炮身、炮架拆开，伪装成棺材和澡盆运入沈阳，放置在独立守备队兵营内。

安装也是在夜里进行，佯称是挖井或造游泳池。当东北军派便衣侦察时，日军即加以阻止。除关东军外，这两门巨炮的使命甚至对日本领事馆也保密。大炮的安装由松本炮兵大尉为首的几位专家负责，安装时一律伪装，身穿中国服。预定的目标从安装一开始就对准了：一门攻北大营，一门攻奉天飞机场。

在大炮运来以前，1931 年 4 月，士兵基本出生在日本北部寒冷地区的第二师团调来东北换防，以适应东北作战需要。板垣征四郎在该师团大队长以上干部集会上，讲了一段我们中国人今天也应该牢牢记住的话："从中国民众的心理上来说，安居乐业是其理想，至于政治和军事，只不过是统治阶级的一种职业。在政治和军事上与民众有联系的，只是租税和维持治安。……因此，它是一个同近代国家的情况大不相同的国家，归根到底，它不过是在这样一个拥有自治部落的地区上加上了国家这一名称而已。所以，从一般民众的真正的民族发展历史上来说，国家意识无疑是很淡薄的。无论是谁掌握政权，谁掌握军权，负责维持治安，这都无碍大局。”

应该承认，此人对中国研究极深，对长期以来中国一盘散沙的现状了解极深，对中国政治人物和民众的心理把握极深。这即是这些日本侵略者敢于乘虚而入的最大资本。而抗日战争之初我方一败再败，也决不仅仅败在军事力量上。

板垣上述讲话两个月后，6月中旬，日本陆军省《解决满洲问题方策大纲》传达给关东军。

但临门一脚到来时，为准备好失败和随后推卸责任，日本也是慌张混乱的。毕竟是要吞并一个数倍于自己领土的地方。而且日本本身的力量也不是很充沛，又处于各种势力的夹缝之中。

1931年6月出现一个机会。关东军中村震太郎大尉隐瞒身份冒充“农业技师”，前往兴安岭、索伦山一带进行地形侦察活动，被东北军关玉衡部逮捕处决。

石原莞尔立即致信陆军省军事课长、一夕会核心人物永田铁山，称最好机会已到，应立即行动。

因准备不足，日本决策层没有敢利用这个机会。

于是板垣征四郎把下一个行动日期定在9月28日。

如果不是消息走漏，“九一八”事变应该是“九二八”事变了。

关东军准备炸毁铁路采取战争行动的秘密计划传到了东京。9月15日，军部召开三长官会议，陆相、参谋总长、教育总监所谓“陆军三长官”全部出席。考虑到国内外形势尚不成熟，会议决定派作战部长建川美次少将去中国东北，“要他们再隐忍自重一年”。

此消息再次走漏。三封电报、两个特使涌向关东军总部。

第一封电报是作战部长建川美次发给关东军司令官本庄繁的正式电函：9月18日晚7点5分乘火车到达奉天。

第二封是参谋本部中国课课长发给板垣征四郎的非正式电函，通告建川行程和目的：“其任务系阻止事变。”

第三封电报至关重要。它是参谋本部俄国课课长、樱会头目桥本欣五郎发给石原莞尔助手的。电报上盖着“绝密，私电”印记，电文简明又十分紧要：“事机已露，请在建川到达前行动。”

旅顺的关东军总部9月16日收到这三封电报。电文内容引起恐慌。本庄司令官在沈阳视察，留下板垣征四郎和石原莞尔看家。这两人几乎被电文内容搞糊涂了，但还是决定立即行动。他们把电报扣下，板垣坐火车去找本庄，石原留下来草拟给军队的命令。

两个特使解开了板垣和石原的疑团。与皇室关系密切的铃木庄六老将军，在作战部长建川拍电报的时候已经乘上了飞机。当板垣征四郎气急败坏地在辽阳找到本庄司令官时，本庄第一件事就是带板垣去见铃木，并对板垣说，多担负责任，细节自行处理，“不要来打扰休息中的老将军们”。

公开的特使建川美次却把时间花在路上。他坐着慢腾腾的火车，好让关东军有充分的动手时间。

天皇已开了绿灯。从参谋本部的建川，到关东军的本庄、板垣，内心明细之致。如果出事了，事情搞砸了，高级参谋板垣替本庄司令官、本庄司令官替建川部长、建川部长替军部、军部替天皇分头承担责任。

这是事先默认的承担责任方式。但1948年上绞架时，这种放手让下层去干、再层层分担责任的方式却消失得无影无踪。被绞死的，只是板垣征四郎一人。

1931年9月18日夜10时20分，日本守备队制造中国士兵炸毁柳条湖铁路的借口，向东北军北大营开火。当永田铁山调拨的240毫米大炮震颤着沈阳大地时，关东军司令官本庄繁正在旅顺泡热水澡。刚刚到达沈阳的作战部长建川正在和艺妓睡觉。本庄听取了关东军三宅光治参谋长、石原莞尔参谋的意见后，犹豫片刻，断然作出了“惩罚中国军队”的决定。

他的命令完全是多余的。部队早已在板垣征四郎的安排下行动了。板垣在电话上一遍又一遍向各部队重复同一句话：“我是板垣，立即按计划进行。”

震惊世界的“九一八”事变，就这样在板垣、石原等人的直接策动下发生了。

西方称“九一八”事变为“一夜战争”。

事变第二天，日本内阁召开会议，作出不扩大事态的决定。日本驻奉天总领事林久治郎还以为关东军少壮军官的行为是犯上。他给板垣打电话通知不要扩大事态，并通过外交途径处理善后。板垣给他一个硬邦邦的回答：“为国家和军部的威信，军部的方针是彻底干下去。”

板垣不仅指挥了关东军部队，还以关东军司令官的名义给驻朝日军司令林铣十郎拍报，要求派遣部队增援。驻朝日军步兵第三十九旅团于9月21日下午渡过鸭绿江，进入中国东北。林铣十郎司令官连参谋本部的命令也未接到，凭板垣一个电报就采取了调动大部队的行动。

板垣征四郎加上石原莞尔，一个大佐，一个中佐，竟然完成了应是参谋总长和陆军大臣职责的指挥关东军发动战争和驻朝日军的越境出动。

当时日本内阁首相是若槻礼次郎。这位虚权首相后来写了《古风庵回忆录》，以《不听从命令的军队》为题，洗刷自己的责任。他记叙说："内阁制定出关于不扩大事态的方针，并责成陆军大臣将此方针下达给满洲军，但满洲军却仍不停止前进"；"驻满洲的兵力大约只有一个师团。为此，满洲军向日本驻朝鲜军司令官林铣十郎讨援兵，林立即派往满洲两个师团。本来，不得到准许的敕令是不能向外国调动军队的。可是，日本驻朝鲜军司令官未经这道手续就调兵了。"

军部留给内阁的事情只是办理手续、批准经费。但在内阁会议上，有的成员反对支出军费，以作为对军部无视内阁的惩罚。但善揣摩天皇本意的若槻首相是聪明的。他说："可是，在未出兵期间，自当别论；如若出了兵还不给其军费，军队连一天也不能生存，因为军队还要吃饭。那么，如果把这些军队撤回，就有可能全军覆没，因为满洲军仅以一个师团的兵力进行冒险。所以，既已出兵却不给其经费，不仅南次郎（陆军大臣）和金谷（参谋总长）感到为难，而且连日本侨民也要倒霉。于是，我不顾内阁成员反对与否，马上去觐见天皇，上奏说，政府正在考虑对朝鲜军派兵的问题支付经费。我退出后，金谷来到天皇前面，得到了出兵的敕令。"

若槻礼次郎回忆到此，似乎很轻松就摆脱了自己的责任。似乎政府对发动侵略的责任充其量只是软弱无能。

身为首相，却忘记了连平民也深知的道理：那拨出的经费可绝不仅仅是用于吃饭的。从哪一个国家的宪法上看，政府首相也不仅仅是军队的司务长。

天皇又多了一道发动战争的掩护。若槻心甘情愿用自己做这道掩护。

得到充足经费的关东军，其势更难被内阁抑制。

若槻自己也说原先“满洲军进入铁路的西侧是为了要守护嫩江铁桥。本来认为到了嫩江总可以停止，不料敌军就在附近不得太平，于是又继续前进。既然如此，就说决不许越过中东铁路线。陆军大臣说，不会叫他们越过中东铁路线，而满洲军却已到达齐齐哈尔，进而直抵黑河。这样就发生了日本军队可以不听从日本政府命令这一令人奇怪的事情”。

如此前出的结果，还令那个精于谋划的石原莞尔参谋难受得掉下泪来。

当时迫于形势，日本当局还不敢宣布直接吞并满蒙。在关东军参谋机关9月22日只用一天时间就炮制出来的《满蒙问题解决方案》中，石原莞尔特别加上了这样一句话：

“本意见（注：指直接吞并满蒙）为九月十九日满蒙占领意见。陆军中央部对此不屑一顾，而且建川少将也根本不同意。所以，我们知道该意见是无论如何也不会得到实行的，吞下万斛泪水，退让至满蒙独立方案，以作为最后的阵地。但是，我们确信良机将再会到来，满蒙领土论总有一日会实现。”

掉泪的原因就是原来设想将满蒙一口气并入日本领土，而现在不得不妥协于建立“受我国支持的中国政权”。石原莞尔以为这是关东军与军部和日本政府的妥协，而不是日本的侵略野心和现有实力的妥协。

傀儡政权只不过是个面具。但石原莞尔连面具也不想要。

某些时候，泪水比怒吼还要疯狂。

“九一八”事变乱子闹得不小，日本国内方方面面并没有准备好。国际社会也舆论沸腾。但板垣一干到底。他对身边人说：“外国的目光很讨厌，在上海搞出一些事来！”“把外国的目光引开，使满洲容易独立。”为转移各国对中国东北的注意力，他给日本驻上海公使馆武官田中隆吉拍电报：“满洲事变按预计发展，但中央有人因列强反对仍持怀疑态度，请利用当前中日间紧张局面进行你策划之事变，使列强目光转向上海。”

田中隆吉不会白干，板垣特意给他送去了两万日元活动经费。当时日本陆军因“九一八”事变大出风头，总想南下的海军也不甘寂寞，想在南面弄出点儿什么事情来。

田中隆吉设计了几个日本和尚在上海被打的事件，1932年初，挑起“一·二八”事变。

一部与中国现代史交叉的日本现代史，应当仔细阅看。否则就很难明白，为什么主持皇姑屯事件的是关东军高级参谋河本大作，而不是关东军司令官村冈长太郎；左右“九一八”事变的是关东军高级参谋板垣征四郎，而不是关东军司令官本庄繁；为什么昭和军阀少壮派军官的皮靴能够踏过田中义一完成第一次膨胀，踏过滨口雄幸完成第二次膨胀，踏过犬养毅完成第三次膨胀。

前奏越是隆重，后果越不可阻挡。

此后，在日本已经没有任何势力能够阻止昭和军阀集团对军部的控制、军部对日本政府的控制了。中国成为这些军事狂人的头号目标。

当中国统治者蒋介石一心对内，一步一步从动员地区力量到动员全国力量“围剿”各个苏区根据地红军的时候，日本陆海军像一部一次又一次补充动力的军事机器，一步一步向侵略中国的目标迈进。一步一步完成了从滨口雄幸首相的文官政治到广田弘毅内阁法西斯统治的更迭。

第六章

陷　落

一、外国的月亮圆(二)

第五次“围剿”,是蒋介石准备最充分的一次“围剿”。

调集的兵力最多。用兵 100 万,几乎是倾全国之兵。其中用于中央苏区 50 万。各地除留守部队外,凡能机动的部队都调来了,嫡系部队更是倾巢而出。

准备的时间最足。1933 年 5 月,蒋介石就在南昌成立了全权处理赣粤闽湘鄂五省军政事宜的“军事委员会委员长南昌行营”,亲自指挥对中央苏区的第五次“围剿”。7 月开办庐山军官训练团,用两个月时间分 3 批,将“围剿”主力北路军排以上军官 7500 余人全部轮训一遍。9 月 18 日轮训结束,7 天以后战斗发起。

战略战术研究最细。蒋介石在庐山反复研究,顾问团的德国将校们也参与意见拟订出一套全新的军事方案,即以堡垒封锁和公路切割为核心的持久战与堡垒战。其要旨是:“以守为攻,乘机进剿,主用合围之法,兼采机动之师,远探密垒,薄守厚援,层层巩固,节节进逼,对峙则守,得隙则攻”;加上陈诚在庐山搞出来的“一个要诀”,“两项要旨”,“三个口号”,“四大要素”,“六项原则”。

9 月 25 日,“围剿”军事行动开始。北路军前敌总指挥陈诚指挥三个师突然向黎川发动进攻。

陈诚的动作很快。

按照中革军委的作战方针，红一方面军1933年9月27日发布《关于歼灭黎川之敌后在抚河会战给各兵团的行动命令》，计划“首先消灭进逼黎川之敌，进而会合我抚西力量全力与敌在抚河会战”。

但命令发布第二天，便丢掉了苏区北大门黎川。9月28日凌晨，黎川被敌人占领。

为恢复黎川，红军进行了一系列艰苦的战斗。彭德怀率主力应急返回，进攻硝石、黎川之敌；林彪也率主力攻击和牵制南城、南丰之敌，保障彭德怀对黎川地区的进攻。

防守硝石的敌二十四师师长，即当年发动“马日事变”的许克祥。

彭德怀连攻硝石数日，不克；林彪也未能挡住南城之敌东援。陈诚指挥李延年第九师、黄维第十一师、霍揆章第十四师、李树森第九十四师进抵硝石。蒋军嫡系四个主力师的到来，迫使彭德怀于当晚撤出战斗。

黎川失守和三军团攻硝石数日不克，使抚河会战计划告吹。林彪率一军团攻资溪桥又数日不克，与敌人在资溪桥地区决战的计划也不得不放弃。

第五次反“围剿”开始第一步，红军就丧失了主动权，陷入被动。

虽然都是过去的对手，但保守实力消极避战现象和一味突击狂躁轻进现象不再出现。敌人好像换了一批人：前进果断且联系紧密；防守坚忍且增援及时。

敌人在变。

应该敌变我变。我们怎么应变呢？

就在蒋军军事行动开始、陈诚向黎川进攻的9月25日，一个后来被称为“共产国际派来的军事顾问”的人到达中央苏区。

他从何处来？真是来自共产国际吗？他来干什么？他的到来，将给中国工农红军带来什么样的变化？

仅仅为了弄清他的真实身份，就用掉中国共产党人半个多世纪时间。

必须从更远的源头去追寻这一复杂线索。

1931年6月1日，共产国际的信使约瑟夫在新加坡被英国警察逮捕。审问结果，发现约瑟夫向马来亚共产党人转递的经费来自上海，其携带的文件中还有一个上海的电报挂号和邮政信箱。

新加坡是英国殖民地，上海又有英租界，英国人高效率地作出了反映：立即通知上海公共租界警务处。租界警务处也迅速查实了两处可疑地点：

一处为上海四川路235号4室，房主是NoulensRuegg（诺伦斯·鲁格），中文名牛兰；其妻GertrudeRuegg（格特鲁德·鲁格）中文名汪得利昂，被称为牛兰夫人；夫妻俩持比利时和瑞士护照。

另一处为南京路49号30室，泛太平洋产业同盟驻上海办事处，负责人也是牛兰。

6月15日，牛兰夫妇被上海公共租界警务处逮捕。

由于事先毫无预兆，密码和账簿都来不及转移，被租界当局如数缴获。

确实是迅雷不及掩耳。

此即著名的牛兰夫妇被捕案。

今天回顾这桩当年轰动整个东方的要案，应该叹服共产国际秘密工作者的素质和纪律。上海租界当局从多方入手，却无法查实牛兰夫妇的真实身份。最后他们企图从牛兰一家人所操的语言上打开缺口，以证实嫌疑犯确实来自苏联，结果发现即使牛兰夫妇当时年仅4岁的儿子吉米，也只会说德语。

几十年时间过去，不要说当年租界当局的审讯者和后来国民党政府的审讯者没有搞清楚，就是知道牛兰夫妇是共产国际秘密工作人员的中国共产党人，也一直不知道他们二人的真实姓名和经历。

一直到20世纪末苏联解体、苏共中央和共产国际的大量秘密档案被公布，牛兰夫妇的儿子、年近70岁的吉米老人，才第一次将其父母的真实情况披露给世人。

牛兰的真实姓名是雅可夫·马特耶维奇·鲁德尼克，1894年出生于乌克兰一个工人家庭，10岁失去父母。1914年毕业于基辅一所商业学校，第一次世界大战中因作战勇敢进入圣彼得堡军事学校学习。1917年2月在推翻沙皇统治的斗争中开始革命生涯，成为布尔什维克的一员，担任“芬兰团”政治委员，十月革命时率队攻打冬宫。1918年被选入捷尔任斯基领导的肃反委员会“契卡”，到欧洲数国执行任务，在法国被捕，被判处两年徒刑。1924年刑满返回苏联，调入共产国际联络部担任与奥地利、意大利、德国等国共产党联络的秘密信使。1927年中国大革命失败后，被共产国际定为派往中国的最佳人选，1927年11月到上海，1929年开始全面负责中国联络站的工作。

牛兰夫人的真实姓名是达吉亚娜·尼克莱维娅·玛依仙柯，1891年出生于圣彼得堡一个显赫的贵族世家。自幼受到良好的文化熏陶，就读于当地的一所贵族学校，后来从事教师职业，专业是数理逻辑。其爱好广泛，对语言的悟性极高，精通法语、德语、英语、意大利语，还研究过格鲁吉亚语和土耳其语。1917年十月革命中加入布尔什维克，受共产国际委派，先后到土耳其、意大利、奥地利等国工作，1925年在维也纳与牛兰相识相恋，1930年初带着儿子来到上海，协助丈夫工作。

这是一对经验丰富的革命者。穷人家庭出身的鲁德尼克和富人家庭出身的玛依仙柯的结合，使他们对各种社会环境具有更大的适应性。

他们在上海要完成的任务集中归结为三项：

一是利用在租界内的各种合法身份，完成共产国际执委会以及远东局、青年共产国际、赤色职工国际与中国共产党和亚洲各国党的电报、信件、邮包的接收与中转；

二是为赴苏联学习、开会、述职的东方各国共产党人办理各种手续；

三是利用公开渠道接收共产国际从柏林银行转来的款项，分发资助中国及东亚各国的革命运动。

即使外行人也能从以上任务得知：牛兰夫妇负责的这个联络站，实际是共产国际在远东的信息流、人员流和资金流的转换枢纽。

正因关系重大，所以负责此事的人经验必须十分丰富，行为必须分外谨慎。

牛兰夫妇完全符合这一条件。他们二人都在多个国家工作过，在上海他们持有多国护照，使用数个化名，登记了八个信箱、七个电报号，租用十处住所、两个办公室和一家店铺，并频繁更换联络地点，同时尽量避免与中国共产党的地下工作者直接接触。牛兰到上海最初一年多时间，不是到中国其他城市旅行，就是往来于上海和欧洲疏通贸易渠道。后来夫妇二人搞了三家贸易公司，其中最大的“大都会贸易公司”资金雄厚，信誉也好，在上海商圈里口碑颇佳。如果不是远在天边的那个信使约瑟夫在新加坡被捕，如果不是约瑟夫违反规定在文件中存下上海的电报挂号和邮政信箱，牛兰夫妇在上海不会暴露。

牛兰夫妇被捕和机构被破坏，使共产国际支援东方革命的信息、人员、资金转运通道被切断。

而且还祸不单行。

本来由于牛兰夫妇坚守秘密工作制度，纵然通信密码和资金账簿被缴获，但由于身份无法查实，工作性质也无法查实，租界当局几乎无可奈何。上海本身就是“冒险家的乐园”，全世界各种投机者在此地使用各种合法、非法、地上、地下手段淘金的人比比皆是，遍及租界内外，早已见怪不怪了。谁知道这对夫妇在为谁工作？是哪路人？上海公共租界警务处官员私下说：这个案子很棘手，若查无实据，也只好放人。

此时中国共产党方面却出了大问题：中共中央特委负责人之一顾顺章被捕叛变。

顾顺章化名张华、黎明，江苏宝山县人，原为上海南洋兄弟烟草公司工人，大革命时期任上海工人武装起义工人纠察队副总指挥，1927 年党的“八七”会议上被选为临时中央局委员，六大后任中央委员。1928 年 11 月，中共中央决定成立中央特别任务委员会——“坚固的能奋斗的秘密机关，以保障各种革命组织的存在和发展”——领导全国隐蔽战线工作。特委三名领导人，一是中共六大选出的总书记向忠发，二是当时中共中央的实际负责人周恩来，第三便是顾顺章。此人所处地位之重要与关键，也可见一斑。

顾顺章对中共中央的所有秘密，几乎无所不知、无所不晓。他的叛变使中共中央面临严重危险。幸亏打入敌人内部的钱壮飞在顾叛变的第二天便获此情报，立即从南京奔赴上海向特委负责人周恩来报告。周恩来当机立断，在聂荣臻、陈赓、李克农、李强等人协助下，连夜布置中央机关和人员的转移撤离。聂荣臻后来回忆说：“这两三天里真是紧张极了，恩来和我们都没有合眼，终于抢在敌人前面，完成了任务。”当国民党军警按照顾的口供冲进那些秘密据点和居所时，都已是人去屋空。

据说国民党“中统”负责人陈立夫当时仰天长叹:活捉周恩来只差了5分钟。

周恩来则在以后多次对人说过:要不是钱壮飞同志,我们这些人都会死在反动派的手里。

顾顺章的叛变导致中共中央大转移,直接促使周恩来于1931年12月上旬前往中央苏区。

在周恩来的领导下,虽然努力将顾顺章叛变的影响减到最低,但损失还是难以避免。外面的人容易走脱,已被关在国民党监狱的,危险就接踵而至了。

最典型的就是恽代英。恽代英1930年4月在公共租界被捕。他当时机智地抓破脸皮,化名王某,在监狱中未暴露身份。在周恩来指挥下,中央特委的营救工作颇为有效:老闸巡捕房的探长被塞上一笔厚礼“打招呼”,使恽得以从轻发落转押苏州陆军监狱;江苏高等法院的法官也被疏通了关节,准备将恽提前释放。周恩来已经派人到苏州去给将出狱的恽代英送路费了,恰在此关节顾顺章叛变,直接指认即将释放的苏州陆军监狱“王某”是中共重要领导人物恽代英,导致恽代英最终遇害。

顾顺章指认的另一对人物,即牛兰夫妇。

顾顺章与牛兰夫妇打过交道。1931年初,共产国际派遣两名军事人员到上海,准备去中央苏区做军事顾问,牛兰夫妇将此两人装扮成传教士,中国共产党方面则由顾顺章安排两人潜入瑞金。但行动未能成功,两人返回上海后牛兰夫妇迅速将二人送上外轮离境。顾顺章叛变后,立即指认了此事。但由于牛兰夫妇行事谨慎,不直接与中共地下工作者接触,也包括顾顺章本人。顾顺章倾其脑袋瓜的所有,也只能供出共产国际在上海有一个“洋人俱乐部”,负责人是个绰号叫“牛轧糖”的德国人——牛兰(Noulens)的发音与德文牛轧糖(Nougat)相近。当时国民党方面正苦恼跑掉了周恩来这条大鱼,一听有共产国际的"洋人俱乐部",马上高度兴奋起来,迅速认定在上海租界被捕、操德语、国籍得不到确认的牛兰夫妇,就是顾顺章所说的"牛轧糖"——共产国际在上海的"洋人俱乐部"负责人。

1931年8月,牛兰夫妇被"引渡",在大批全副武装的宪兵押解下从上海解往南京。国民党方面力图以此为突破,一举切断中国共产党的国际联络渠道,瘫痪共产国际的远东联络体系。

在此严重情况下,共产国际和联共中央被迫作出反应,开始组织营救牛兰夫妇。

营救工作的具体组织,交给了苏联红军总参谋部远东情报局的上海工作站。

上海工作站负责人,就是当时默默无闻、后来大名鼎鼎的理查德·佐尔格。

佐尔格与牛兰有很多相似之处。

一是两人年龄相仿。牛兰生于1894年,佐尔格生于1895年。

二是两人出生地相近,牛兰出生于乌克兰,佐尔格出生在高加索。

三是两人的工作语言都是德语。牛兰是因为在欧洲活动和在比利时、瑞士等国工作的需要,夫人又是通晓多门外语的语言天才;佐尔格的条件则更优越一些:父亲是巴库油田的德国技师,母亲是俄国人,佐尔格3岁时就随父母迁往德国柏林定居。

四是两人参加革命的经历也十分相似:首先两人都参加了第一次世界大战,而且表现英勇;牛兰因此进入圣彼得堡军事学校学习,佐尔格则在战场上两度受伤,获得德国政府颁发的二级铁十字勋章;其次两人都因战争而走向革命:牛兰在推翻沙皇的二月革命中加入布尔什维克，十月革命中率队攻打冬宫；佐尔格则在此期间加入了德国共产党，并于1925年3月秘密取得苏联国籍同时加入了苏联共产党。

现在两人都在上海，都从事秘密工作。虽然从属不同：牛兰负责共产国际在上海的联络站，佐尔格负责苏军总参谋部在上海的工作站；虽然牛兰已成国民党的阶下囚，佐尔格依然是租界的座上客，但作为秘密工作者都深知工作的危险，更知救援的珍贵。

佐尔格的公开身份，是德国报纸《法兰克福新闻》驻上海记者，主要研究中国农业问题。苏军总参谋部派佐尔格来中国，主要针对日本。当时日本昭和军阀集团已经崛起，其咄咄逼人的扩张野心，对苏联东部的安全构成日益严重的威胁。开展针对日本的情报工作变得迫在眉睫，具有越来越重要的战略价值。但日本又是世界上公认最难开展情报工作的地方。精明的佐尔格把他打入日本的跳板选在了上海。他一面在上海滩为《法兰克福新闻》撰写枯燥乏味的农业评论，一面精心构筑上海工作站，作进入日本的各方面准备。该工作站后来被人们广泛称为“佐尔格小组”。很快还发展了两个日本人，这两人成为佐尔格后来去东京开展情报工作的重要帮手。收到苏军总参谋部的指示，佐尔格便全力投入对牛兰夫妇的营救工作。

中共中央也派出中央特科情报科长潘汉年，协助佐尔格开展营救工作。营救计划由佐尔格和潘汉年共同制订。当时上海的英国、法国和日本巡捕已经开始跟踪佐尔格。但他镇静自若、毫不畏惧；一面不动声色继续写他的农业问题文章，一面与潘汉年一道，从公开和秘密两个渠道展开营救工作。

公开渠道由宋庆龄、史沫特莱、斯诺、伊罗生等人出面活动，要求释放牛兰夫妇。秘密渠道则是从租界和国民党内部打开缺口。

潘汉年告诉佐尔格，国民党办案人员有收受贿赂的习惯。1929年9月中共江苏省委书记任弼时在上海被捕，中央特科得悉后用现洋买通公共租界探长，再高价请律师辩护，多管齐下，使任弼时安然获释；恽代英被捕也是同样，已经打通了各种关节，如果不是最后顾顺章叛变指认，恽代英已经出狱。

佐尔格得知此讯后，急电莫斯科，要求立即派专人送两万美元到上海，用于打通关节，完成营救。

苏军总参谋部马上采取行动。送款路线跨越西伯利亚后，要穿过中国东北。当时"九一八"事变已经发生，该地区全部被日本人控制。考虑到德国与日本关系不错，于是苏军总参谋部决定选派德共党员执行这项使命。为保险起见选用两人，每人各携带两万美元，分别走不同的路线。两人都不知道还有另外一人在完成与自己完全相同的任务。

最后，两位送钱的德共党员都完成了这项颇具风险的任务，先后穿越中国东北抵达上海，将钱送到了佐尔格手里。

两人都是具有十年以上党龄的德共党员。一个叫赫尔曼·西伯勒尔，晚年撰写文章时还激动地回忆安全到达上海后，和佐尔格拥抱的兴奋情景。

另一个叫奥托·布劳恩。晚年写文章却板起面孔，一个字也不提当年的秘密使命，也一个字不提佐尔格。只是含糊地说"1930年，共产国际代表团工作人员诺伦斯·鲁格被捕，他办公室里的许多文件也被查出，只是当时对腐化的中国法官进行了贿赂，才使他免受死刑和处决"；不但说错了被捕时间和人数，而且对自己与此事件的关系守口如瓶。

奥托·布劳恩就是那个后来被称为"共产国际派来的军事顾问"李德。

他比佐尔格小4岁，却比佐尔格早一年加入德国共产党。奥托·布劳恩出生在德国慕尼黑，是工人起义中的积极分子，曾经为“巴伐利亚苏维埃共和国”英勇战斗。此期间他两次被捕，第二次被捕后越狱成功，逃往苏联。1929年进入伏龙芝军事学院。当共产国际的信使约瑟夫在新加坡被捕、英国警方发现牛兰夫妇的地址时，奥托·布劳恩还是一名学员，在莫斯科伏龙芝军事学院内规规矩矩地听课。其后对他来说便都是闪电式的了。刚刚毕业就分配到苏军总参谋部；刚刚分配到苏军总参谋部就被派遣来华。

奥托·布劳恩与理查德·佐尔格同一系统。区别仅为后者已是苏军总参谋部内担负重大使命的情报工作者了，前者还是个刚刚报到的送款员，担任交通员一类的角色，到上海后便自然受佐尔格领导。

给佐尔格送款，是奥托·布劳恩在苏军总参谋部领受的第一个任务，也是最后一个。没有人想到这位交通员一去不归，在中国做起了“共产国际的军事顾问”。

其之来华，并非自己所述，受共产国际指派。

从20年代中期起，共产国际就对中国革命给予了极大的重视。先后有不少著名人物被派来中国，指导革命。

维经斯基来华，在“南陈北李”之间穿针引线，推动了中国共产主义小组的建立。

马林参加了中共一大，并在会场出现意外情况后，首先提出转移，以其丰富的地下斗争经验，避免了中共在成立初期便可能遭受的一次重大损失。马林还是国共合作的主要倡导者。与他接触过的人，都对他的学识和经验留下深刻印象。当时俄共（布）远东局、共产国际远东书记处对中国采取的是只重实力的北联吴佩孚、南联陈炯明而疏远孙中山的政策，直到马林来华，才拨正航向。

鲍罗庭在华5年，大革命时期在中国政坛上举足轻重、影响深远，被称为“广州的列宁”。

米夫是布尔什维克党内著名的“中国通”，1926年底在共产国际执委会第七次扩大全会上提出“米夫提纲”，认为应该立即在中国农村成立农民苏维埃；斯大林后来发表的《论中国革命的前途》演说，虽然认为成立农民苏维埃为时过早，但认为米夫关于中国民族资产阶级软弱的提法完全正确；米夫提纲中提出中国未来政权的性质问题，是个贡献。

罗明那兹为中共八七会议起草《中共“八七”会议告全党党员书》，并作政治报告，主张武装暴动、开展土地革命和建立苏维埃政权，对中共中央转变总方针起了重要作用。

以上这些人，可以说都是国际共产主义运动中老资格的革命者。

老资格的革命者又都在中国犯了这样那样的错误。所以罗明那兹以后，驻中国的共产国际代表只列席中共中央政治局会议，不再享有决定权。共产国际再未派遣所谓“全权代表”来中国。

为什么突然又出现这样一个未受过共产国际特别训练、甚至对东方革命没有一个粗浅了解的军事学院的毕业生在毕业当年就来中国、担任所谓的“军事顾问”呢？连共产国际常驻中国的正式代表都不再具有“决定权”了，又是从哪儿冒出来这么一个能够直接、全权指挥苏区红军的顾问呢？

问题是在哪儿弄糟的？

还是糟在中国人自己身上。

帮助奥托·布劳恩完成身份转换的，不是共产国际，也不是苏军总参谋部，而是设在上海的中共中央。

当时顾顺章的被捕叛变使中共中央面临严重的困难。牛兰夫妇被捕后不到一周，又有总书记向忠发被捕叛变。中央特委三位领导人竟然有两人被捕叛变，中共中央在此双重打击下，受到极大的损害。剩下的一位特委领导者周恩来也只有被迫隐蔽，于年底奔赴江西苏区。当时在上海并没有明显危险的王明则找出种种借口，先周恩来一步于1931年10月份去了莫斯科。留在上海的中央委员和政治局委员远不足半数。根据共产国际远东局提议，在王明和周恩来离开之前，驻上海的中共中央改为临时中央，何人出任临时中央负责人，中共中央自行决定。

决定临时中央负责人的会议，一说是在一家酒店开的，一说是在博古家里开的。

博古年轻气盛，热情奔放，并不把眼前的白色恐怖放在眼里。他又极富口才，善于作充满激情的演讲；六届四中全会后出任团中央书记，因组织和鼓动的才能受到少共国际的表扬。在决定中共临时中央人选的会议上，王明提议博古负总责，他一句：好，我来就我来！毫无顾虑。

这一年他24岁。

事情就这么定了下来。

当时中共中央发给国际的报告和接受国际的指示，都要通过驻上海的共产国际远东局。博古作为临时中央负责人，便成为远东局的常客。佐尔格小组虽然隶属苏军总参谋部，也以共产国际派出人员的身份活动，小组人员也常来远东局交换情况。结果远东局负责人尤尔特、中共临时中央负责人博古、苏军总参谋部上海工作站负责人佐尔格三人之间，来往密切。

牛兰夫妇被捕事件发生后，又从苏联远道来了一个送款员奥托·布劳恩。尤尔特、佐尔格和奥托·布劳恩三人虽然代表不同方面，但都是德国人，这真是个“老乡见老乡”的历史巧合。布劳恩之所以没有同另一名送款员赫尔曼·西伯勒尔那样完成任务便迅速回国,因为他在这里一下就遇见了两个熟人。

布劳恩与远东局负责人尤尔特是老相识。在德国时两人就一起做过党的工作。尤尔特当时在德共党内地位颇高,但与德共领导人台尔曼意见不合,被共产国际调出德共,远离其同胞,分配到中国工作。

第二个便是中共临时中央负责人博古。在苏联时布劳恩是伏龙芝军事学院学生,博古则是中山大学学生,学校都在莫斯科,当时两人就认识。

三个老相识在白色恐怖的上海相遇,虽身份各异,但都担负重大使命。既十分兴奋,又分外亲热。

奥托·布劳恩来华前,博古刚刚出任中共临时中央的负责职务不久,白区工作已经逐渐退居次要地位。中共的主要任务不再是组织示威游行和飞行集会了,也不再是发动城市武装暴动。全国各个苏区,正在如火如荼开展武装斗争。苏区工作已经上升为中国革命的主要工作。军事问题正在成为革命斗争中首要的、迫切的和关键的问题。组织一场真正的革命战争,是中国共产党人面临的最新考验。

结论异常简单。不懂军事,无法把舵。

面对这个结论最不利的人,就是临时中央负责人博古。作为一个出家门进莫斯科中山大学校门、出中山大学校门即进中共中央机关门的领导者,他搞过学运,搞过工运,却没有搞过农运,更没有搞过兵运,没有接触过武装斗争。自感最为欠缺的,就是军事这一课。

恰恰这时来了个伏龙芝军事学院的毕业生奥托·布劳恩。

博古把他的这个熟人留了下来,权充作自己那条并不稳固的船上的水手长。

这一年奥托·布劳恩31岁，长博古7岁。

从1932年初到1933年初，博古与奥托·布劳恩在上海整整相处一年。一年之中，两人就中国革命问题交换了些什么看法？怎样评估苏区的武装斗争？如何使这一斗争再进一步发展？现在已经没有第三个人知道了。此后的事实说明，这段时间使博古对奥托·布劳恩建立了绝对的信任。

很快临时中央在上海也待不住了。1933年春，博古去中央苏区。他动身前提出要奥托·布劳恩一同去。布劳恩并不缺乏去苏区的勇气，但他有自己的考虑。作为一个曾多次从危险中脱身的国际革命者，他并不害怕前方可能出现的艰险。况且共产国际派来的军事顾问曼弗雷德·施特恩（简称弗雷德）正在来上海途中，博古走后他在上海将很快无事可做。这些都是他愿意跟博古去苏区的理由。

不能去的理由只有一个：他是苏军总参谋部的人，不是共产国际的人。所以当尤尔特代表远东局征求他的意见时，他提出一个条件，请共产国际执行委员会发出一个相应的指示。

他要凭借这个指示，完成自己的身份转换。

事情并非奥托·布劳恩想象的那么简单顺利。他后来回忆说，“尤尔特和博古因此向莫斯科发出了几封电报。”到底是几封，他也说不清。

隔了一段时间，直到博古临离开上海前，才收到共产国际正式且含混的答复：

> 奥托·布劳恩作为没有指示权力的顾问，受支配于中国共产党中央委员会。

共产国际似乎是要通过这个指示让远东局、中共临时中央和奥托·布劳恩明白两点：

其一，作为顾问奥托·布劳恩“没有指示权力”，仅仅具有建议权；

其二，作为顾问奥托·布劳恩并不受托于共产国际，只受托于中共中央。

显然，共产国际没有帮助李德完成身份转换。只是要求中共临时中央对自己选定的顾问负责。布劳恩后来说，“其他的命令和指示我没有得到”；共产国际从来不直接对他发出任何指示电报。他与共产国际也从来没有建立直接联系。真正由国际派来的军事顾问弗雷德从上海给李德发电报，也只是把他当做一个帮助了解情况的临时助手而已。

一直到进入苏区，布劳恩也知道他与共产国际的关系微妙。在苏区的军事会议上起初他一再说明，他的职务只是一个顾问，没有下达指示的权力；但博古不容他这样讲下去。在介绍他的第一个欢迎会上，热情洋溢的博古便展开了他的演说才能：

“同志们！我们在这里召开一个特别会议，热烈欢迎我们盼望已久的共产国际派驻我党中央的军事顾问，奥托·布劳恩同志。”“为了保密和顾问同志的安全，会后对他的称呼一律用中文的‘李德’，不得泄露他的身份和原名。”“李德同志是位卓越的布尔什维克军事家，又是位具有丰富斗争经验的国际主义战士。他来到中国，体现了共产国际对我们党和红军以及中国革命的深切关怀与巨大支援，也体现了这位老革命家和军事家国际主义精神和献身世界革命的崇高感情。”

博古给予了他“共产国际派驻我党中央的军事顾问”这把尚方宝剑。还给他戴上一连串“卓越的布尔什维克军事家”、“具有丰富斗争经验的国际主义战士”、“老革命家和军事家”等光彩照人的帽子，还亲自给他起了个中国名：李德。

从此，奥托·布劳恩以“李德”这个名字，进入中国革命史册。

作为中共临时中央负总责的人，博古进一步说明，李德以共产国际军事顾问身份列席中央及军委会议，参与党和红军各项方针决策的研究和制定，特别对军事战略、战役和战术，负有指导和监督的重任。

奥托·布劳恩从军校毕业时间并不长，开始还不适应“李德”这个名字，不适应“太上皇”的地位。随着时间的推移，见每一个人似乎都认为他这个顾问具有极大的权力，而且他在日记中写道：“博古也许还有意识地容忍这种误解，因为他以为，这样可以加强他自己的威望。”

他说对了。年轻的博古需要旁边有个钟馗，以建立和巩固自己的权威——尤其是对他一窍不通的军事工作的权威。李德就扮演了这样的钟馗。

当时的工作程序是，前方来的电报，都要先送到李德住处，查明电报所述地点的确切方位并完成翻译后，绘成简图由李德批阅。批阅完毕提出相应的处理意见，再译成中文送给军委副主席周恩来。周恩来根据来电的重要程度，一般问题自己处理，重大问题则提交军委或政治局讨论。

奥托·布劳恩逐渐熟悉了李德这个名字，也逐渐习惯了自己的地位和角色，真的做起太上皇来了。

他与博古商量以后，在10月中旬中革军委一次会议上说，游击主义的黄金时代已经过去了，山沟里的马列主义该收起来了，现在一定要摆脱过去一套过时的东西，建立一套新原则。

“游击主义的黄金时代”和“山沟里的马列主义”，明显是博古的语言，借李德之口说出而已；新原则基本就是李德自己的东西了：用鲜血保卫苏维埃，一切为了前线上的胜利，不让敌人蹂躏一寸土地，不被敌人的气势汹汹吓倒，消灭敌人于阵地之前。

这都是李德从伏龙芝军事学院的一套老战法。

这些新的原则被通过、付诸实施了。

11月11日，寻淮洲率新成立的红七军团进攻浒湾，遭敌夹击，彭德怀率三军团赴援。陈诚以部分兵力牵制我三军团，以主力向七军团猛攻。七军团阵地被突破，寻淮洲率部仓忙后撤。彭德怀的三军团也在多次向敌阵地冲击过程中，遭密集火力杀伤和低空飞机扫射，伤亡重大；两个军团伤亡1100余人。

11月15日，红一军团和红九军团一部从敌人堡垒间隙北出，配合三军团作战。17日，陈诚以10个师兵力从侧面出击，企图断我归路；另以5个师向我发动正面攻击。云盖山、大雄关一带，一军团、九军团蒙受重大伤亡，被迫放弃阵地。

如果说这些仗都是李德在那里指挥，也不完全是事实。但同样是事实的是，此时李德已经拥有了决定性发言权，红军各级指战员不得不执行他的原则方针。

中革军委11月20日致师以上首长及司令部的一封信，已带有鲜明的李德印记："如果原则上拒绝进攻这种堡垒，那便是拒绝战斗。"

军人不能拒绝战斗。更何况是革命军人。

于是革命军人不能拒绝进攻堡垒。

红军开始了一场与敌人硬碰硬的决战。

历次反"围剿"中机动灵活能征善战的红一军团，由于陷入李德的"短促突击"战术，从1933年10月到1934年4月共打了黎川、云盖山、大雄关、丁毛山、凤翔峰、三岬嶂、乾昌桥和广昌战斗，除了凤翔峰、三岬嶂战斗苦守阵地而取得小胜外，其余都打了败仗，损失严重。1933年12月丁毛山战斗，一军团一师三团9个连队，竟然阵亡了13个连级干部。

历次反“围剿”猛打猛冲能啃硬骨头的红三军团，1933年11月的浒湾战斗伤亡重大，12月的德胜关战斗伤亡重大，1934年3月的驻马寨战斗伤亡重大。

下一个，便是李德亲自出马指挥的第五次反“围剿”中规模最大、影响最大、几乎将红军主力拼光、导致中央红军不得不突围长征的广昌战斗。

4月10日，国民党北路军陈诚指挥十一个师进攻广昌。面对敌军的严重攻势，以博古为首的中共中央决定调集红军主力一、三、九军团共九个师坚守广昌。博古、李德赴前线组织野战司令部直接指挥。司令员在名义上是朱德，实际上是李德，博古担任政治委员。周恩来被放在远离前线的瑞金留守。

4月中旬，保卫广昌的政治命令下达。命令签署者是中国共产党中央委员会博古、中革军委主席朱德、代总政治部主任顾作霖：

“我们的战斗任务，是在以全力保卫广昌。为完成这个光荣的任务，一切战斗员指挥员政治工作人员应有最大限度的紧张与努力，我们的坚定的坚决的顽强的英勇的战斗，非但能够保卫赤色广昌且可能消灭大量的敌人及最后的粉碎五次‘围剿’。”

“我支点之守备队，是我战斗序列之支柱，他们应毫不动摇地在敌人炮火与空中轰炸下支持着，以便用有纪律之火力射击及勇猛的反突击，消灭敌人的有生兵力。”

“我突击力量应该努力隐蔽地接近（爬行跑步利用死角等），以便避免在敌火下之不必要的伤亡而进行出于敌人意外的突然的攻击，在攻击时应不顾一切火力奋勇前进坚决无情地消灭敌人。”

从这些令很多指挥员费解的西化语言中，人们活脱脱看见的是李德。

陈诚以10个师构成5公里宽的攻击正面。5个师为河西纵队，5个师为河东纵队，一个师为预备队。以河东受阻则河西推进、河西受阻则河东推进战法，夹抚河两岸交替筑碉，向广昌推进。

红军9个师，敌军11个师。这是一场以主力拼主力、以堡垒对堡垒、以阵地对阵地的搏斗。中国革命的前途和命运，被压缩到了广昌一隅。

陈诚的主力在河西。其起家部队十一师、十四师都在那里；河东部队相对较弱。李德抓住这点，计划以九军团和红二十三师在西岸牵制敌主力；以主力一、三军团和五军团十三师集中在抚河以东大罗山、延福嶂地区，对河东之敌实施短促突击，给其以歼灭性打击。

结果弱敌不弱。我主力一、三军团还未突击，敌河东纵队就向大罗山、延福嶂地区发起猛攻。河西纵队也乘红军主力集中东岸作战之机，4月14日突破九军团阵地，占领甘竹。

河东红军主力也未顶住敌河东纵队，于19日丢掉了大罗山、延福嶂阵地。

计划好以我弱旅吸敌主力，以我主力歼敌弱旅，反被敌以弱旅胶着我主力，以主力突破我防线。

敌人似换了一个人。

我们也似换了一个人。

4月27日，陈诚指挥河西河东两岸敌军同时向广昌发起总攻。

当晚，红军被迫撤出广昌保卫战。

广昌保卫战是李德战略战术发展的顶点，红军损失巨大。战斗持续18天，红军伤亡5500余人，占参战总兵力的1/5。中央苏区不得不被放弃、中央红军不得不突围长征这个第五次反“围剿”的结局，在广昌已经奠定。

红军在广昌的确战败了。因为失败，出现了一些不准确的说法。例如说在战前就提出了口号："为着保卫广昌而战，这就是为着保卫中国革命而战"，"胜利或者死亡"。其实这些口号是 4 月 28 日《战斗报》发布的。发布之日，红军已经退出了广昌。

又有文章说："博古和李德害怕敌人突破所谓根据地的门户广昌，荒谬地提出要'把广昌变成马德里！''像保卫马德里那样保卫广昌！'"这就偏离当时的事实更远了。西班牙内战发生在两年之后。没有人能够用 1936 年底发生的保卫马德里战斗，来形容 1934 年 4 月的广昌保卫战。

李德的作战指挥给中国革命带来的损失巨大，事实已经铁一般地摆在了那里。脱离了事实的感情升华和添油加醋，只能使想真正总结出经验教训的人们，陷入另外一种迷雾。

李德的翻译之一王智涛说："他是由上海那个真正军事顾问派来打前站的。"

如果来苏区的不是假顾问李德，而是真顾问弗雷德，中国革命的运气是否能够稍微好一些呢？

正式顾问弗雷德 1933 年春天来华。他在中国时间虽短，却于 6 月 13 日以中共中央名义发给中央苏区一封著名的"长电"，指示红军今后作战方针。他反对集中使用兵力，主张两个拳头打人，要求红军以主力组成东方军，打通福建出海口，获取苏联可能的武器支援。

连国际代表尤尔特和还未出发去苏区的李德都认为他的想法不切实际。

即使如此，弗雷德对提出异议的苏区中央局还去电严厉申斥："必须时时记着：我们不能允许以讨论或含糊的步骤来浪费我们的任何时间。”

有个正式头衔，说话口气便不知比李德强硬出多少倍。

为了弗雷德不切实际的空想，红一方面军只有按照其意由一、五军团组成中央军，留守原地，以三军团为基干组成东方军东出福建。

幸亏弗雷德来华时间不长。否则“长电”之上再加几封“长电”，李德之上再多个弗雷德，中国工农红军的命运便真要雪上加霜了。

弗雷德来去匆匆，1934年春天便离开中国。

他后来成名于西班牙战场。真正的“保卫马德里”去了。看来他在那里更有成绩，人们称他克勒贝尔将军。

欧洲更适合于他。

李德也是如此。

李德的身影中，人们总看见博古。博古的错误里，最大的又是李德。

李德的另一个翻译伍修权回忆说：“李德的权力，不是他自己争来的，而是中共中央负责人拱手交给他的，造成失败的主要责任应该是中国同志本身。”

国际只允许他有建议权。但他最后有了指示权、决定权。那不是共产国际的决定，而是中共中央的决定。

有人说，博古当时抓住李德，像抓住一根救命稻草。

话说得刻薄了一些。不懂军事向别人请教，无可非议，哪怕被请教者是个外国人。如果仅仅如此，也许中国革命史和博古、李德的个人历史，会有另外一种写法。

起初的确局限于请教。但后来则想把自己的某些东西塞到里面。借伏龙芝军事学院的招牌、借共产国际的身份帮助自己压台，压人。于是李德变成了钟馗，用他来“打鬼”——威吓那些在革命战争中积累了丰富经验、坚持红军独特战法的人。

首当其冲者自然是毛泽东。

当时的左倾中央，无一人想起要向苏区中自己的同志请教。

1929年，李德刚刚成为伏龙芝军事学院的一名学员，彭德怀、林彪等人已经完成了他们那段最艰难困苦的战争实践；

1932年春天，李德从军事学院毕业，江西革命根据地已经完成了第一、二、三次反“围剿”，毛泽东军事路线已经完全形成。

为什么不信任自己的将领、自己的理论，偏要请来一个李德呢？

从地理气候上说，中国经常是东南暖湿气流与西北干寒气流的交汇地点。1931年这两股气流在上海碰撞得分外猛烈：新加坡生成的热带台风卷走了牛兰夫妇，西伯利亚南下的强劲气流却把奥托·布劳恩送到了中国。

历史链条的某些环节，总由一些既五光十色又啼笑皆非的怪圈组成。没有那个倒霉的共产国际信使在新加坡被捕，本已曲折艰难的中国共产党历史上，又何用再添上一位李德。

要说命运的话，这是李德的命运，也是中共的命运。

二、彭德怀·蔡廷锴·宋美龄

第五次“围剿”中蒋介石三遇其险。

一遇于彭德怀。

二遇于蔡廷锴。

三遇于宋美龄。

当时蒋介石的侍从秘书邓文仪回忆：

在福建叛变行动才发生的时候，江西的共匪，以彭德怀为指挥，发动了一次空前的大兵团钻隙远袭，围攻蒋委员长在江西临川的前进指挥所的冒险的战争。当时剿匪的部队，都分散在赣西南及赣东北，与匪军对峙，时有或大或小的战斗，在赣中临川（抚州）委员长前进指挥所附近，几乎没有成团的军队防守，只有不到一营或二营的警卫部队。因为是南昌委员长行营的中心地带，一般认为是安全的军事区域，想不到共匪竟能实行这样一次的奇袭作战，当时的情况，危急万分，如果共匪奇袭成功，整个大局就将面目全非，而两场战争都将无法进行、同时失败了。

……彭德怀以其指挥的第一集团军，加上第三、第五集团军的大部，在很短时间内，绕道山岭昼伏夜行，衔枚疾走，一支十万人以上的匪军，竟在不知不觉中，出人意料之外，到达了江西中部的临川附近。他以一部部署在赣东北黎川方面，阻击我汤恩伯兵团救援，而以主力包围攻击临川委员长前进指挥所。指挥所设在临川第八中学，委员长这时正在那里指挥前线作战。有一天晚上，临川附近发生枪声，经过短期的侦察，便知道了共匪有很大的部队到达赣东北与赣中，抚州空虚，危急万状，南昌后方没有军队可以增援。幸赖蒋委员长指挥若定，沉着应战，一面命令赣东北的汤恩伯兵团攻击当面匪军主力，同时要他迅速派兵，到抚州附近增援解围。这时冷欣指挥的第四师、宋希濂指挥的第三十六师等约5个师兵力，都是能征惯战部队。他们接到命令，听到委员长指挥所被围的消息，都是英勇奋进，冒一切恶战苦斗的行动，以劣势的兵力和共匪作战，幸赖将士用命，他们竟把彭德怀的主力囊括住了，而且节节胜利。……经过不到一周之恶战苦斗，彭德怀部脱离战场，逃逸无踪，来如洪水猛兽，去若流水落花，这场战争，可谓有惊无险，胜得很轻松。

邓文仪所讲的是红军的浒湾、八角亭战斗。当时一定极为惊慌的邓文仪，连着搞错了几件事。红军进攻发生的时间并不在福建事变中，而在事变之前。彭德怀的兵力也不是十万，而是不足两万。蒋军以九十八师防守临川，以第四师、三十六师、八十五师参加战斗，兵力不但不处于“劣势”，且两倍于红军。

但邓文仪也说出一些真情。当年幸存下来的浒湾战斗参加者，也不知道后来被指责为李德式硬拼仗的浒湾战斗，竟然差点儿端掉了蒋介石的老巢。如果他们知道当年长途奔袭的红军在神不知鬼不觉之中，竟然挺进到距蒋介石设在临川第八中学的前进指挥所仅30公里的地段，那颗已经衰弱的心脏，也要突然间像年轻人一样怦然跳动几下的。

对红军来说，奔袭浒湾，确实是一个大胆的战役行动。但行动的目的不像邓文仪所述“围攻蒋委员长在江西临川的前进指挥所”。红军并不知道蒋介石在临川指挥作战。中革军委的设想是以红七军团深入抚州地区活动，牵动围攻苏区的南进之敌回援，然后运用主力一、三军团与回援之敌在运动中决战。

11月11日，红七军团发起浒湾战斗，攻击未能奏效，敌向浒湾方向紧急增援。12日，红三军团投入战斗，攻击也未能奏效。13日凌晨发动总攻，攻击动作也不一致，天明以后敌机12架前来支援地面部队，低空猛烈轰炸扫射。

当时任红七军团参谋长兼二十师师长的粟裕回忆说：

这是一场恶战，这次作战从战役指挥到战术、技术上都有教训。战役指挥中通信联络差，军团之间未能协同配合，当三军团迂回到敌后，向敌人猛攻时，我们不知道；而当敌人向我们这边猛攻时，三军团又不知道，所以未能配合上，打成了消耗战。从战术上看，敌人在向我发起反击时，派飞机、装甲车协同步兵作战，这是红七军团未曾经历过的。五十八团团长是一位打游击出身的干部，人称“游击健将”，打仗很勇敢，但从来没有见到过飞机轰炸的场面。敌机集中投弹，他叫喊：“不得了啦，不得了啦！”其实他不是胆小怕敌，而是没有经过敌人空袭的场面。十九师是红七军团的主力，战斗力强，擅长打野战，但没有见到过装甲车，这次敌人以两辆装甲车为前导冲击他们的阵地，部队一见两个铁家伙打着机枪冲过来，就手足无措，一个师的阵地硬是被两辆装甲车冲垮。

粟裕是我军著名的常胜将军，常胜将军却爱如数家珍一般回忆曾经历过的失败，尤其是重大失败。“一个师的阵地硬是被两辆装甲车冲垮”决不能说是光荣记录。

但记录历史，不是只记录光荣。

正是这样，我们这些后人才更加懂得，胜利从何而来。

浒湾、八角亭战斗历时3天，毙伤敌人520多人，红军伤亡和失踪合计1095人，伤亡重大。

蒋介石却受刺激重大。

邓文仪回忆：

当前面战争紧急的时候，委员长除了紧急指挥前线军队作战之外，内心也很焦急。因为抚州空虚，增援部队不能迅速到达，万一匪军主力急攻抚州，实在无法以空城计对付彭德怀。曾想令南昌行营派来水上飞机，迎接统帅回南昌去。某天下午，委员长带卫士二三人与我散步到抚河畔，侦察水上飞机起落场所，行进途中委员长对我说：剿匪部队师劳无功，作战不力，危急战况，竟在抚州附近发生，证见我们的剿匪部队，已无能力战胜共匪，说罢连连慨叹。

这一几乎击中国民党军神经中枢之举，令蒋介石沮丧不已。

更令他沮丧的事情来了："闽变。"

对第五次"围剿"准备极为精心、极为充分的蒋介石，几乎将一切都考虑到了，就是没有考虑到彭德怀奔袭浒湾，没有考虑到"闽变"——1933年11月20日，十九路军将领蒋光鼐、蔡廷锴发动抗日反蒋的福建事变。

十九路军本来是"围剿"的东路力量，负责扼守闽西及闽西北地区，阻止红军向东发展。东部防线的突然崩塌，精心策划的第五次"围剿"几乎全盘泡汤。

侍从室主任晏道刚回忆，蒋介石在抚州得知"闽变"消息，神色异常紧张，深恐红军与十九路军联合。好几次与晏道刚同坐汽车时，忽而自言自语，忽而挥拳舞掌。一个人坐在房子里时，便不时掏出自己写的"剿匪手本"，翻到后面的军歌，竟独自高声歌唱起来。

蒋介石刺耳的歌声一起，侍卫长宣铁吾就跑去找晏道刚，说老头子又发神经了。

据蒋介石身边人回忆，蒋失去控制一个人唱歌，在中原大战结束后有过一次。那是打垮冯玉祥、阎锡山后得胜而归，靠在车子里不停地哼小曲，还随手向沿途士兵、难民撒钱慰劳，欣喜之状，殊非一般。哼又哼不成调，惹得周围人欲笑不敢。

这回因蒋光鼐、蔡廷锴，他又唱起歌来，但感觉完全不一样了。

他的阵脚乱了。

其实对福建事变中新成立的“生产人民党”、“中华共和国人民政府”、上红下蓝中间嵌一黄色五星的“国旗”，甚至新颁发的对蒋介石、汪精卫、何应钦等的通缉令，蒋介石并不多作看中。

他看中的是蔡廷锴指挥的那5万军队。

枪杆子里面出政权，蒋介石早掌握得十分深透。

如果这5万军队与江西10万红军合股，第五次“围剿”计划将破产不说，闽赣结为一体后凭借中共与共产国际联系，加上十九路军掌握控制的福建出海诸口，外来援助直接进入，后果不堪设想。

蒋介石深知出海口与外援的关系。当初若不是靠广州出海口源源不断得到苏联军火的接济，黄埔建军、北伐准备皆无从谈起。

他必须转过头来，首先收拾蔡廷锴。

谈“闽变”，必须谈蔡廷锴。

人类最大的恐惧也许就是面对死亡。所以尽管帷幄中决胜千里与沙场上冲锋陷阵皆可谓军人之勇，但再没有比“敢死队”这个词，将军人之勇表现得更加淋漓尽致。

所以无人不知工农红军中那个多次出任敢死队长的许世友。

国民革命军中，也有一个多次出任敢死队长的蔡廷锴。

1922年5月，孙中山在韶关督师北伐，分兵三路进入江西。攻赣州城十日不克，北伐军伤亡很大。粤军第一师挑出身材高大、作战勇猛的四团三营十一连上尉连长蔡廷锴担任敢死队长。蔡率领敢死队员一百余人，凌晨4时向守军方本仁部防守薄弱处发起冲击，7时将敌阵冲破。

后继部队迅速跟进，古有“铁城”之称的赣州遂被北伐军占领。

1923年5月，粤军第一师与友军合攻肇庆。守敌沈鸿英部坚守顽强，血战五六天，仍攻城不破。蔡廷锴再被挑出担任敢死队长。次日凌晨，地雷队将东城城墙炸开一个缺口，蔡立即身先士卒，带领敢死队向缺口猛扑，与敌展开肉搏战。后继部队在敢死队引导下涌入城池，全歼守敌，克复肇庆城。

蔡廷锴从军多年，除本人多次担任敢死队长外，所部在行军作战中，也多为先锋。他官至团长师长在战斗中还亲率预备队冲锋，是粤军中著名的猛将。

谁能想到这位猛将13岁学的是耕田，14岁学的是缝衣，15岁学的是兽医。他在家乡最早的名声不是打仗，而是医牛。凡经他医治的病牛，十有九愈。

不是那个时代，广东罗定县龙岩乡不过多了一个贫苦兽医而已。蔡廷锴耳边响彻的就是牲口的嗥叫，不会是弹雨呼啸了。

那是一个到处都有激情像干柴一样燃烧的时代。每一次轰轰烈烈的大革命都是一次对历史的颠倒，也是一次对人们原本位置的颠倒。这种现象尤其多见：出身富家的加入了共产党，为穷人争天下；出身贫苦者却加入国民党，为富人保江山。

蔡廷锴就属于后者。

1927年8月1日，他被迫参加八一南昌起义。虽然担任了南下部队左翼总指挥，但他是不情愿的。部队至进贤县，他便乘混乱之机清理掉队伍里的共产党员，脱离了起义军。

蔡廷锴的突然叛离，使起义队伍的南下计划受到严重挫折。

出身贫苦的蔡廷锴在和贫苦人组成的工农红军作战中，极其顽强。

第三次"围剿"中，蒋介石因粤变实行总退却。转入追歼的红军选定蒋鼎文的第九师和蔡廷锴的六十师、六十一师作为打击目标。

蒋鼎文师为蒋军嫡系，红军未集中主力便歼他一个旅，俘两千人枪；朱德、毛泽东指挥红军主力彭德怀之三军团、林彪之红四军及方面军直属红三十五军打非嫡系的蔡廷锴，未料到竟打成了一场持续数日的血战。

战场在距离兴国40里的高兴圩。从白天到黑夜再到白天再到黑夜，红军反复发起冲击，双方数十次用刺刀拼刺。

放牛娃出身的红军三军团总指挥彭德怀驱策战马，挥舞战刀，身先士卒率队奋身冲击；

医牛出身的蒋军一军团代总指挥蔡廷锴手持双枪，声嘶力竭，亲率指挥部人员压在第一线督战。

红军乘连战连胜之威，蔡军倚从未败北之势，双方都拼了老命。

激战中蔡军几番全线动摇。其六十师师长沈光汉擅自向兴国方向逃去十余里，军团部人员和蔡的随员都有人逃跑；无线电不再发出战斗命令，而是拼命向周围部队紧急呼救。蔡廷锴几番想拔枪自杀，但一转念"横竖一死，未到红军俘我之时，先死殊不值"，又纠集残兵拼杀下去。

高兴圩血战，成为红军第三次反"围剿"中持续时间最长、战况最烈的一次战斗。特别在徒涉高兴圩以西河流时，红军伤亡重大。红三军团四师师长邹平、红四军十一师师长曾始莪均不幸阵亡。

毛泽东1956年在八大二次会议讲话坦承指挥过四次败仗，第一个就在高兴圩。

国民党政府战史汇编在《关于第三次赣南"围剿"之经过情形》的作战总结中，更称高兴圩战役"实为剿匪以来最胜利最激烈之血战"。

朱德、毛泽东指挥红军主动退出战斗。蔡军也因伤亡过大，未加追击。

红军低估了蔡军的战斗力，低估了蔡廷锴的作战意志与决心。

红军领导人不知道，与蒋介石不同的是，蔡廷锴在日本人面前照样很硬。

高兴圩血战后一周，“九一八”事变爆发。蔡廷锴在赣州率部誓师，要求抗日，反对内战。率十九路军驻防上海后，日本海军陆战队大量增兵。1932年1月22日，日本领事村井提出要十九路军后撤30公里，蔡坚决不允。1月24日，军政部长何应钦来沪与蔡面谈。

何说，现在国力未充，敌方提出要我后撤，政府本应拒绝，但为保存国力起见，只有不得已忍辱负重。十九路军可后撤，政府拟以外交途径解决。

蔡说，驻地是我国领土，撤退殊无理由；政府要撤，请不限于敌方要求，调我全军离开京沪路，我当绝对服从。

何应钦碰了钉子，张静江便出马，约蔡廷锴在杜月笙家面谈。张说，十九路军素来军纪严明，革命战争有功，望体念中央意旨，避免与日军冲突。上海华洋杂处，繁华之区，战端一开，损失极大。倘能撤退，我可报告蒋总司令。

蔡廷锴一听这话，脖子一挺说，上海是中国领土，十九路军是中国军队，有权驻兵上海，与日帝毫无关系。万一日军胆敢来犯，我军守土有责。张先生也是中国人，请接纳此意，向蒋总司令报告。

有蒋介石老师之称的张静江，平素在国民党圈子内颇具权威，却在这个敢死队出身的蔡廷锴面前闹了个大红脸。

“九一八”事变留给中国人的是屈辱。《我的家在东北松花江上》词曲悲切，事实却更悲切：19万东北军面对19000关东军，不战而退。丢了东三省，张学良向全国老百姓交代的，仅凭手中一纸蒋介石的不抵抗电报。

“一·二八”事变却让日本人看到了抗争。日本人面前不再是张学良，是敢死的蔡廷锴。

日军先以舰队司令盐泽幸一为攻击总指挥，连攻不克；一周以后撤盐泽幸一，换第三舰队司令野村；又不克，主力久留米混成师团还受到重创；再撤海军的野村，换陆军第九师团长植田谦吉接任；植田的总攻计划再被粉碎，日本政府不得不改派在田中内阁任陆军大臣的白川义则大将亲往上海接任指挥。

白川义则最后又被朝鲜人尹奉吉扬手一颗炸弹，炸死于上海。

“一·二八”事变令日本人损失惨重。张学良如果也有蔡廷锴那样令日军走马灯一般撤换指挥官的纪录，对白山黑水的东北乡亲不是更好交代一些？

遵令撤退的张学良，不得不在国人一片指责声中，出国“考察”。

违令抗战的蔡廷锴，蒋介石却不得不在他胸前挂上一枚青天白日勋章。

“一·二八”抗战后，十九路军被调防福建。

这样一支颇具战斗力的军队在第五次“围剿”中打出抗日反蒋旗帜，给红军打破“围剿”提供了一个极好的机会。如此有利条件，是前几次反“围剿”中没有的。

第五次“围剿”中，蒋介石最紧张的，就是这次事变。对苏区的“围剿”几乎全部中断。“围剿”主力北路军不得不抽出九个师，加上宁沪杭地区抽调的两个师共计十一个师，由蒋鼎文指挥分别从江西和浙江进入福建，进攻十九路军。

蒋介石真正把家底子都拿上来了。苏浙皖赣地区再无多少兵力可调。

毛泽东1936年12月写《中国革命战争的战略问题》时，说红军当时“应该突进到以浙江为中心的苏浙皖赣地区去，纵横驰骋于杭州、苏州、南京、芜湖、南昌、福州之间，将战略防御转变为战略进攻，威胁敌之根本重地，向广大无堡垒地带寻求作战”；就是依据福建事变后出现蒋管区防务空虚的情况。

蒋介石不担心他压不垮蔡廷锴，担心红军与十九路军联合。每天晚餐后，他都要找侍从室主任晏道刚和参谋本部第二厅厅长林蔚。问题就一个：是否有红军与十九路军联系的情报。他叮嘱晏、林二人，要密切注意双方动向，每日派飞机空中侦察。

一直未发现红军与十九路军联系的征候，蒋这才慢慢放下心来，决定亲自飞往建瓯，指挥收拾十九路军。

未想到还没走便发生了第三次危机。

没有考虑到彭德怀奔袭浒湾、没有考虑到蔡廷锴发动“闽变”的蒋介石，也没有考虑到宋美龄在临川发现了他的腌菜罐。

跟普通人毫无二致，蒋介石爱吃家乡的风味小吃。每年其原配夫人毛福美都要送些亲手制作的家乡菜到南京，如腌雪里蕻、豆腐乳、臭冬瓜、腌笋片等。蒋一吃到这些可口的家乡菜肴，便明白毛福美又打发人送东西来了。

宋美龄却是位生活西化的人物，吃西点、西菜、早餐酸奶或牛奶、烤鸡、猪排、白脱面包、色拉之类，与蒋介石吃不到一块儿。有时蒋也陪吃西菜，但吃不几天，就又重新用中餐和吃家乡菜。

蒋介石不喜欢宋美龄的西餐，宋美龄虽然也不喜欢蒋那些心爱的家乡风味，但对腌菜，如精心制作一番，倒也吃些。但那些霉变菜品如臭冬瓜之类，无论如何也不行。因此每当蒋、宋同餐时，毛氏制作的臭冬瓜之类，便绝对不能摆上餐桌。

宋美龄在战事正紧之时来到了抚州前进指挥部，本想慰问蒋一番，却意外发现蒋的床下隐藏着原配老婆的宁波小菜罐坛，臭冬瓜自然绝对少不了，脾气便火山一般爆发了。

宋美龄平时修养极好，从不摔盘子砸碗，更不颐指气使。尤其公开场合，特别给其夫面子，这回是实实在在忍不住了。蒋一口一个生死之战，你死我活，“围剿”发起以前还亲写有两幅手书，其一是：“一、要对得起已死的将士；二、要对得起总理的灵魂；三、要对得起生我的父母；四、要对得起痛苦的民众。”其二是：“一、对主义尽忠了么；二、对党国负责了么；三、对统帅信仰了么；四、对上官服从了么；五、对部下信任了么；六、对本身信仰了么。”

词句之间，对自己坚定自信，令部下百折不回，颇有生死不计、百战不辞之感，却又在指挥作战的床铺下埋伏了好几罐前妻的腌菜。真该在第一幅手书后面添上“要对得起毛福美的腌菜”；第二幅手书后面添上“腌菜罐子藏好了么”。

腌菜罐子没有藏好，被宋美龄从床下一个一个拖出来，统统砸碎。

宋美龄也开了杀戒。蒋介石的情绪跌入谷底。

红军却错过了利用福建事变的大好时机。

本来倒是作好了利用这个机会的准备。10月26日，由周恩来主持，红军全权代表潘汉年与十九路军全权代表徐名鸿在瑞金签订了《反日反蒋的初步协定》。张闻天、毛泽东、朱德也会见了徐名鸿和陪同前来的十九路军参议陈公培，博古虽未见十九路军代表，但与李德一样，都对这一合作表示支持。

10月30日，中共中央给福州市委和福建全体同志发出一封指示信，说：

党在福建的总方针之一应该是尽可能造成民族的反帝统一战线，来共同反对日本帝国主义及其走狗国民党南京政府，而不要简单地提出与反对南京政府和蒋介石一样的口号来反对当时正采取着左的策略的福建统治阶级与其他派别。要不调和地、不容情地反对那种关门主义的、不估计客观事实与脱离当时群众的、不愿意去建立革命的反帝统一战线的左倾思潮。

这个颇为清醒的指示，与在中共中央负总责的博古关系不小。

但11月18日又发出一封指示信：

十九路军中的若干领袖和政客正在蓄意开始一个大的武断宣传的阴谋，企图集合更多的力量来树立较坚强的障碍阻止革命的怒潮；这些"左"的民族改良主义政党的力量的任何增加是在中国革命的进步上放了新而非常可怕的障碍物；必须彻底明了十九路军领袖们政治阴谋的特征，必须在下层革命统一战线的基础上竭力同这些政党斗争，来争取现在仍然附和他们的劳苦群众及士兵。

10月30日信的正确观点被统统推倒。

十几天时间，换成另一种观点、另一种态度，甚至是另一种不同风格的语言。

发出不同指示的却是同一个中共中央。

11月18日大转向的指示信发出两天之后，福建事变发生。

机会还未抓住，便已经错过了。

博古等人态度剧变的理由，来自共产国际。11月18日指示信，完全是根据国际指示电拟就的。当时苏联已同蒋介石南京政府改善了关系。苏联的态度决定着共产国际的态度，国际便不支持红军同十九路军联合反蒋。国际执委会第十三次全会文件说："福建政府宣布的一系列激进口号，是十九路军高级将的权宜之计和左倾词句"；"是军阀和政客为了保证自己的成功而提出的蛊惑人心的诺言"；"蒋介石集团和国民党所有派系都是帝国主义奴役中国人民的代理人和工具"。

共产国际的态度又决定了一系列态度。

11月22日，宋庆龄在上海发表声明，未预闻福州之事。

11月28日，莫斯科《消息报》称福建政府与真正革命运动毫无关联。《真理报》说福建事变将引起日英美在中国斗争，暗示蔡廷锴背后有帝国主义支持。

国际派来的正式军事顾问弗雷德向苏区提出计划：一旦蒋蔡开战，红军就在西北一线突破敌阵地，越过赣江，从敌人背后向南昌挺进。

认为蔡廷锴等人是“一些不可靠的家伙”的，还不仅仅是上海的弗雷德。不少红军领导干部对南昌起义中叛变、在高兴圩与红军血战的蔡廷锴怀疑很大，好感不多。12月5日，中共中央发出《为福建事变告全国民众书》，称福建政府“不过是一些过去反革命的国民党领袖们与政客们企图利用新的方法来欺骗民众的把戏，他们的目的不是为了要推翻帝国主义与中国地主资产阶级的统治，而正是为了维持这一统治，为了要阻止全中国民众的革命化与他们向着苏维埃道路的迈进”。

这已经不再是模仿共产国际的语言，完全是自己的语言了。

甚至还有所创造发展。

“告全民书”号召福建人民起来，要求刚刚成立且困难重重的抗日反蒋政府武装他们，并开展罢工、抗租抗税、没收资本家企业与财产、实行彻底的土地革命；要求福建政府立刻收回日租界与关税，逮捕卖国贼及汉奸，与蒋介石、日本帝国主义决战；“告全民书”还在最后警告，只有两条道路，中间道路是没有的。一切想在革命与反革命中间找取第三条出路的分子，“必然遭到残酷的失败，而变为反革命进攻革命的辅助工具”。

蔡廷锴等人，不反蒋是蒋介石的帮凶，反蒋仍是蒋介石的帮凶。

蒋介石却不知道蔡廷锴仍然是他“进攻革命的辅助工具”，更不知福建政府是“利用新的方法来欺骗民众的把戏”；他只知道这一猝不及防的突变不迅速扑灭，精心构筑的“围剿”计划便要毁于一旦。

蒋军大举进攻十九路军的时候，中革军委却将我军主力从东线调到西线永丰地区，不去配合十九路军，反去进攻敌人的堡垒阵地。

粉碎第五次"围剿"的有利时机，就这样丧失了。

蒋介石平息"闽变"之后，入闽蒋军11个师加上被改编的十九路军部队共计14个师组成东路军，以蒋鼎文为总指挥，开始从东面向苏区进攻。中央苏区真正陷敌四面合围，在军事上被完全封锁，处于更加困难和不利的地位。

苏区首府瑞金，最后就是被从福建打过来的东路军攻占的。

处理福建事变的失误，外部有苏联的国家利益因素和共产国际的立场，内部也有我们自己丰沃的极左土壤。政治上、军事上的关门主义只是表象。打破第五次"围剿"这一重要机会的丧失，有着某种主观客观上的必然性。仅仅指责一个博古，或再归罪一个李德，远不能说就总结出了教训的全部。

三、突围——是苦难也是辉煌

一句名言说：人的一生虽然漫长，但紧要的关头只有几步。

可以引申为形容一个党。党的历史虽然漫长，但紧要的关头，也只有几步。

中共党史上最为重要的一步，莫过于出发长征。中国共产党人和中国工农红军最深重的苦难与最耀眼的辉煌，皆出自于此。

被誉为里程碑的遵义会议，也是长征路上的里程碑，是长征的产物。四渡赤水、突破金沙江、强渡大渡河、爬雪山、过草地，这些史诗般的壮举皆是长征一步一步的过程。甚至震惊中外的西安事变，很大程度上也是红军长征的结果。

第一步是怎么迈出去的？红军长征是一次精心筹划的战略行

动，还是一场惊慌失措的退却逃跑？

已经进入了21世纪，仍然在争论不休。

原因之一，是这一行动的最初规划者据说竟然是李德。

果真如此吗？

福建事变的良机错失，广昌战斗又严重失败，中央苏区的被迫放弃，已成定局。

但认识这个定局还需要时间，还需要更大的压力。因为放弃的不是一间住了一晚上的屋子，是建设六年之久、粉碎了敌人四次“围剿”的根据地。

在此以前，项英曾经最早提出过放弃中央苏区的意见。

1931年4月反第二次“围剿”，项英到苏区时间不长，认为20万敌军压境，3万红军难于应付，只有离开江西苏区才是出路。退到哪里去呢？退到四川去。斯大林讲过，“四川是中国最理想的根据地。”

斯大林的指示由项英来传达是再权威不过的。1928年他到莫斯科出席中共六大，当选为政治局常委。斯大林对工人出身的项英特别青睐，亲自送给他一把小手枪。

身上别着斯大林亲赠手枪的项英，记住了四川是中国最理想的根据地，却不知道斯大林还讲过国民党人是中国革命的雅各宾党人。

虔诚使领袖人物的个别结论变成普遍真理，但共产党人的首要条件却不是虔诚。

所以中国才出了个毛泽东。毛泽东当时坚决反对项英的意见，以“诱敌深入”粉碎了敌人“围剿”，将赣南闽西变成了中国最好的根据地。

最好的根据地在李德到来之后，就不是那么好了，一个挫折接着一个挫折。

第五次反“围剿”的挫折之中，彭德怀最先提出脱离苏区，外线作战。

1933年10月23日至25日，彭德怀、滕代远连续三次向军委建议，改变战略方针与作战部署，主力离开敌人堡垒区向外线出击，机动作战，迫敌回援。

彭、滕提出外线作战，是跳出封锁线向苏区东北的金溪、东乡、贵溪、景德镇挺进。不展开一幅地图标出苏区界限和进击的地点方向，你就不会知道这个建议有多么的大胆。

部队有可能被敌人切断不能返回苏区，苏区北部也可能失去主力掩护，建议被迅速否决。彭、滕仍然坚持，恳望军委“以远大眼光过细考虑”。10月27日，中革军委以代主席项英的名义电告在前方指挥的朱德、周恩来：“军委已决定了战役问题，望转告彭、滕，停止建议。”

一旦认定正确就不依不饶的彭德怀，11月7日与滕代远联名第四次提出建议，望军委速将红军主力调往无堡垒地区机动作战。否则与堡垒内之敌相峙，“如猫儿守着玻璃(缸)的鱼，可望而不可得”。

彭、滕反复建议的唯一结果，是滕代远丢掉了三军团政委的职务。

撤滕代远职堵彭德怀嘴的博古、李德，广昌战斗后也不得不开始考虑同一个问题了。

广昌战斗之前，中央苏区在军事上已经陷入四面合围。中革军委当时就面临三种抉择：一、主力突围；二、诱敌深入；三、短促突击。

首倡短促突击的李德从一系列失败中，已经觉出情况不好。他突然转向主张主力突围。他提出以一、三军团，或者五、九军团脱离苏区，插到敌人后方去摆脱堡垒，争取大一些的空间，获得作战行动的自由，并说：“这个思想是我一个人在1934年3月底首先提出来的。”至于这个念头在多大程度上受彭德怀、滕代远5个月前就一再提出的外线出击、机动作战的启发，以及彭、滕提出建议后受到李德本人多么大的压制和打击，李德均讳莫如深。

讨论结果，主力突围的方案没有通过。在苏区内取胜的希望似还存在。毛泽东的诱敌深入方案也被否决。领土不战而弃，并不能为阻挡敌人提供保证。

最后通过的，还是继续运用短促突击。

但损失沉重的广昌战斗，已经使短促突击的战法彻底破产。

1934年4月底广昌战斗彻底失利之后，中央书记处5月开会，决定突围转移。当时的书记处书记是四人：博古、张闻天、周恩来、项英。代表“山沟里的马列主义”的毛泽东不是书记，无法参加会议。决策在博、张、周、项四人中作出。对这个事关重大的会议的记录一直很少。后来有人说撤出中央苏区这个关系到党和红军命运的重大决定未通过会议讨论，这种说法是不确切的，应该说没有在党的政治局会议上讨论。

5月的中央书记处会议作出了战略转移的决定。四位书记都认识到了局面的严重。但除了急于摆脱眼前的困境以外，有几人意识到这个决定对中国共产党的历史将影响深远？

所谓决策，往往是面对十字路口的选择。往往有些原以为影响应该极其深远、意义应该极其重大的决定，却似一块滑过水面的轻石，经过几片涟漪后便无踪无影。而有些或仓促中或不经意中或应急中作出的决定，以为临时姑且如此，暂时勉强这样，却从此踏上一条历史的不归之程。

5月的中央书记处会议就是如此。

远在莫斯科的共产国际并不详知当时中国共产党人面临的严重困难。6月5日，国际机关刊物《共产国际》发表米夫文章《只有苏维埃能够救中国》,米夫说毛泽东讲过,只有苏维埃能够救中国,“现在各国无产阶级和全世界被压迫人民都热切地希望中国苏维埃运动的胜利”。

这一运动在中国却陷入了严重困境。中共中央已经在没有毛泽东参加的情况下,决定放弃中央苏区。

拿具体方案的是李德。李德对局面之严峻还是非常敏感的。这个原先最坚决主张不回避战斗的人,却最先提出红军主力撤出苏区。

伍修权的回忆证实了李德讲的情况。他在回忆录《往事沧桑》中说,1934年春李德就同博古谈要准备作一次战略大转移,去湘鄂西。1984年5月9日伍修权在一次谈话中说:“长征是不是仓促决定的?我看不是。在广昌失败后,中央的主要领导人已经在商量转移的问题,确定的目标是湘鄂西。”“转移的意图开始只有少数几个人知道,最后才决定转移的。”

如此重大的决定,当然首先还是要报共产国际。

6月25日共产国际回电:“动员新的武装力量,这在中区并未枯竭,红军各部队的抵抗力及后方环境等,亦未促使我们惊慌失措。甚至说到对苏区主力红军退出的事情,这唯一的只是为了保存活的力量,以免遭受敌人可能的打击。在讨论国际十三次全会和五中全会的议案时,关于斗争的前途及目前国际的情形以及红军灵活的策略,首先是趋于保存活的力量及在新的条件下来巩固和扩大自己,以待机进行广大的进攻,以反对帝国主义、国民党。”

博古对李德说,国际来电同意。

其实国际的表态是含糊不清的。首要的是“保存活的力量”自然正确,但“中区并未枯竭,红军各部队的抵抗力及后方环境等,亦未促使我们惊慌失措”,又认为打破“围剿”的希望还不是没有;具体怎么办,留给中国共产党自己决定。

原因的关键,还是对中国革命的详情不甚清楚。

1934年2月5日,中央苏区反"围剿"正吃紧之时,王明在联共(布)第十七次代表大会上,做了一篇《中国革命是不可战胜的》的发言:

> 现在,我来介绍一下关于最近时期中国状况的基本材料。
>
> ……在所有"围剿"中,最大最凶的一次,就是最近的第六次"围剿"。这次"围剿"的主要特点是,帝国主义分子除了向蒋介石提供金钱和枪炮外,还直接参加作战行动。以塞克特将军为首的法西斯德国的70名参谋军官,不仅制订了第六次"围剿"的军事计划,不仅组织了专门训练军事专家和军事技术专家的讲习班和学校,不仅领导了从技术上加强城防和战线的工作,而且直接参加了军事行动。150名美国和加拿大的飞行员过去和现在一直在江西、福建、河南和我国其他各省的上空飞来飞去。原柏林警察总监社会民主党人格尔热津斯基及其助手魏斯等人,像一群饿狗一样,在蒋介石军队的后方——上海、南京等城市蹿来蹿去,帮助整顿秩序。
>
> 这场战争的结果将会怎样呢?结果只有一个,那就是国民党和帝国主义分子的不断失败以及中国红军和苏维埃的一次又一次胜利。(鼓掌)
>
> 根据不完整的材料,红军在国民党前四次"围剿"中取得的成果如下:国民党军队50多个师被击退,其中20个师被彻底粉碎,约20万支步枪、5000挺轻重机枪、数百门加农炮和重炮、几十部电台、12架飞机和不计其数的装备、粮秣,均为我英勇的红军缴获。(鼓掌)

曼努伊尔斯基已经谈到了我们的辉煌战果，对此我还可以补充一点。在这些战斗中，红军俘虏了白军许多师长、旅长和团长。1932年，仅在中央苏区一个地区，红军就俘虏了3名师长、13名旅长、18名团长，1933年1—4月，又抓住了2名师长、2名旅长、4名团长，约3万名士兵投奔到红军方面来。（鼓掌）

关于第六次“围剿”的结果，我们至今尚未掌握充分的材料，但据部分材料得知，红军在福建、四川和赣北等战线击溃了国民党18个师。缴获步枪2万多支，机枪180挺，驳壳枪500支，钢盔2000顶，子弹40万发，手榴弹5000枚，无线电收发报机3部，满载军用装备、粮秣和钱财的大轮12艘。（鼓掌）为了卸载这些大轮中8艘船上的物资，动员了1万多名工人。红军在福建战线也俘虏了第十九路军的1名旅长和3名团长。

结果，塞克特和蒋介石的第六次“围剿”又遭到了可耻的失败！这便立刻揭露了一个秘密：谁是我们红军武器装备的主要供应者，什么地方是红军的兵工厂和军事仓库！……（鼓掌）

最近几年来中华苏维埃共和国成立并日益巩固的这一事实具有巨大的世界历史意义。首先，它在实践中证实了斯大林同志创造性发展的列宁天才思想的正确性，证实了在经济落后和殖民地国家建立苏维埃政权的可能性，以及斯大林同志在联共（布）第十次代表大会上关于只有苏维埃才能拯救中国免于彻底崩溃和贫困的英明指示的现实性。

其次，既然国际和中国的资产阶级在三四年间共同努力未能消灭中国年轻的苏维埃政权和红军，那么，如果荒木和希特勒真正发动战争，胆敢同坚强、伟大的苏联作战，又能有什么好结果？

我们胜利的主要源泉，首先是，我们的党在中央委员会的领导下坚定不移地、始终一贯地执行着列宁的共产国际的政治总路线，而领导共产国际的，正是我们历史时代的伟大领袖，他是马克思、恩格斯和列宁事业的最佳继承人，他的每句话都在鼓舞着所有国家的共产党人、工人和劳动群众为建立苏维埃政权和无产阶级专政而进行激烈的、坚决的斗争，并使他们牢固地树立起对自己事业的必胜信心——这就是我们所敬爱的斯大林。（鼓掌）

……

列宁的共产国际和世界十月革命领袖斯大林同志万岁！

全世界布尔什维主义的突击队——联共（布）及其第十七次代表大会万岁！

中华苏维埃共和国英勇的工农红军及其组织者和领导者中国共产党万岁！

斯大林同志万岁！万岁！万岁！（热烈鼓掌，全体起立向王明同志致敬）

必须用十二万分的耐心把这篇讲话看完，不耐心看完，你就不会知道王明已经荒谬到什么程度，苏联控制的共产国际已经脱离实际到什么程度。

喝完牛奶吃完面包后，用自己国家革命者的鲜血杜撰谎言，去证明另一个国家领导人的英明和另一个国家的伟大，在中国历史上似乎还无此先例。

王明刚刚在联共（布）大会上宣称对苏区的“围剿”遭到可耻的失败，中共马上来电要求放弃苏区突围转移，共产国际完全陷入自我营造的矛盾之中。

所以他们也只能发出那封态度模糊、说话游移的电报。

对苏区实际情况王明并非一无所知，但所知情况甚为混乱。

第五次反“围剿”以前，共产国际派美国共产党人史蒂夫·纳尔逊来华。纳尔逊出发前，共产国际中国委员会主席彼得罗夫和中共驻国际代表王明与他谈过话。王明说，江西的形势十分困难，苏维埃已经完全被包围。盐的供给殆尽，蒋介石抓住走私盐的人就砍头。更糟糕的事情是蒋介石要使用毒气。能用什么办法抵御毒气呢？所以派纳尔逊带5万美元去中国，任务是给中国共产党人买防毒面具。

这真是一个又严肃又可笑的任务。王明最后说，这是一个重大使命，你设法到那里，根据需要该停留多久就停留多久。

纳尔逊到上海后，将5万美元交给了中共上海局负责人。共产国际远东局负责人尤尔特到底还算了解一些情况，他否认毒气战是苏区的主要威胁，对共产国际除了防毒面具之外便没有别的指示，他感到甚为失望。

纳尔逊已经没有了“该停留多久就停留多久”的必要，1933年10月便乘轮船返回美国。

1934年春季，共产国际又派来美国共产党人尤金·丹尼斯来华担任国际代表。这正是第五次反“围剿”的困难时刻。尤金身上带有一份在莫斯科拟订的反“围剿”作战计划，准备让江西苏区贯彻执行。

看到这个计划的人很少，所以详细内容恐怕无人能够讲出来了。留下来的一些情况是，连携带这个计划的尤金了解了一些当地的情况后，也开始对他的中国同事嘲笑那些“在别处制订好行动计划的顾问们”。1934年夏赶到的妻子佩吉·丹吉斯讽刺自己的丈夫：“那你不也是这样一个人吗？”尤金开口一笑，说：“是，跟别人一样。”但又说：“至少我试图了解这里所发生的一切。我们已经了解了这个国家，我们听取了这里人们的意见，我们已经学到了他们的经验。共产国际的决议是指导路线，但不是指示。”

胜利从来不是鼓掌鼓出来的，不管掌声有多么热烈。它也不是计划制订出来的，不管计划有多么翔实。王明和那些只会在金碧辉煌的莫斯科会议大厅鼓掌欢呼的人们，真应该看一下中国工农红军是在什么样的条件下战斗的。1934 年 7 月上旬，各路敌军向中央苏区的中心区发起全面进攻。

局面越来越紧迫了。8 月 5 日，北路敌军 9 个师，在飞机、炮兵的强大火力支援下，向驿前以北地区攻击前进。我红三军团主力和红五军团一部在高虎脑、万年亭到驿前约 15 公里纵深内，构筑了 5 道防御阵地进行固守。

蒋介石特地从南京调来德国造卜福斯山炮 12 门。卜福斯山炮侵彻力强，最远射程为 9 公里。蒋介石、陈诚企图依靠卜福斯山炮的强大侵彻力，对红军工事进行破坏性轰击，为其步兵开路。

除卜福斯山炮营外，蒋还增加了税警总团迫击炮营、炮兵训练处山炮第一营、第二十三师重迫击炮连，大大增加了炮兵的攻击力量。

7 个师敌人在猛烈炮火支援下发起进攻。在蜡烛形阵地，攻击者是蒋军邢震南第四师之两个团。防守者是红四师第十团第三营。邢震南及两个团长后来不知后终，红四师十团三营长是五十多年后出任中国人民解放军中央军委副主席的张震。

在保护山阵地，攻击者是陈诚最为精锐之主力黄维第十一师，防守者是四师十二团，该团中有后来在中国人民解放军中以天不怕地不怕著称的战将钟伟。

但那场战斗却是陈诚的天下。

在敌人炮火猛烈轰击之下，红军阵地工事全部被炸塌，机枪被炸坏。血战至下午，蜡烛形阵地的三营损失严重，张震带着全营仍然能够战斗的人坚守在一条交通壕内，准备用刺刀同敌人作最后一拼。保护山阵地尽管放上了全军闻名的红五连，但在敌人强大的兵力、火力压迫下，阵地还是失守了，红五连大部壮烈牺牲。

红军十日内伤亡2300余人，内含干部600人，不得不放弃驿前以北的全部阵地。

尽管9月1日至3日，朱德指挥林彪的红一军团、罗炳辉的红九军团取得温坊大捷，歼敌一个多旅，取得第五次反"围剿"以来的一次难得胜利，但被动局面已无法改变。到9月下旬，中央苏区仅存在于瑞金、会昌、于都、兴国、宁都、石城、宁化、长汀等狭小的区域之内。

王明以为只要解决了防毒面具，反"围剿"就能胜利。他在莫斯科起劲地吹嘘："截至联共（布）第十七次代表大会召开时，苏维埃中国的总面积已达1348180平方公里。仅固定的苏区面积就有681255平方公里，比法国的面积大19.1%，比德国大31.3%，比日本大54.15%。比英国大64.5%。现在，红军的正规部队已有35万多人，非正规武装支队有60万人，这还不包括有数百万人参加的各种半军事性群众组织"。

历史的结论是：自称"100%布尔什维克"的王明推行的左倾路线，使苏区红军损失90%，根据地损失100%。

战略转移已成定局。

其实在收到共产国际的正式回电以前，中共中央书记处会议已决定：由博古、李德、周恩来组成三人团，总揽一切指挥大权，负责筹划秘密且重大的转移工作。政治、军事由博古、李德分别做主，周恩来负责具体计划的组织实行。贮备粮弹、扩大红军的工作，已经有步骤地开始。5月12日，中共中央发出《给各级党部党团和动员机关的信》，提出"为三个月超过五万新的红军而斗争"的任务。根据地的青壮年几乎都动员参加了红军，很多村庄只剩下妇幼老弱。

5月初，李德受托起草5至7月季度作战计划。计划的核心已经是主力部队准备突破封锁，深入敌后。7月底，李德再次受中共中央和中革军委之托制定8至10月作战计划时，中央红军的战略转移问题已正式提出。退出苏区的直接准备全面开始。

为分散敌军注意力，打乱其部署并牵制其兵力，共组织了三支部队突围远征。

两支走在中央红军之先。

7月6日，红七军团三个师共6000余人，在军团长寻淮洲、政委乐少华、参谋长粟裕、政治部主任刘英率领下，组成中国工农红军北上抗日先遣队，从瑞金出发北上。中共中央代表曾洪易随行。

7月23日，中共中央、中革军委发布《给六军团及湘赣军区的训令》，命令由任弼时、萧克、王震领导红六军团撤离湘赣根据地，向湖南中部转移，开始西征。

这两支部队的出发，周恩来说"一路是探路，一路是调敌"。

红六军团10月上旬陷入危境。四十九、五十一团在石阡县被敌截断，五十团在施秉县被敌截断，军团部队被敌切为三截，陷于湘、桂、黔三省之敌包围。六军团军政委员会决定："王震率十八师，任弼时萧克率十七师，焚烧行李，减少辎重，以灵活的游击动作，转到苏区。"10月下旬，六军团各部共转战80余天，行程5000里，才与贺龙的红三军会师。

他们探出的路，中央红军已经无法再走了。

红七军团从江西瑞金出发经福建向闽浙皖赣边挺进，企图调动敌"围剿"部队回援，以减轻中央苏区的压力。但由于兵力过小，未能牵动敌人。七军团与方志敏的红十军会合后组成红十军团，在怀玉山陷入敌军合围，仅存500余人在粟裕、刘英的率领下突出重围。

这支部队不但未调开敌人，反而在敌人的围追堵截中，几乎损失殆尽。

还有一支部队走在中央红军之后。

1934 年 11 月 10 日，中央红军长征出发一个月之后，程子华、徐海东领导的红二十五军按照中央指示，对外改称“中国工农红军北上抗日第二先遣队”，西越平汉路实行战略转移，开始西征。

三路力量之中，徐海东一路风一路火首先打到陕北，成为对中国革命立下大功的人。

三人团就红军突围紧张筹划且激烈争论之时，被排斥在核心圈子之外的毛泽东，却天天天不亮就在会昌城外爬山，并写《清平乐》一首：“东方欲晓，莫道君行早。踏遍青山人未老。风景这边独好。会昌城外高峰，颠连直接东溟。战士指看南粤，更加郁郁葱葱。”1958 年，他对这首词作批注：“1934 年，形势危急，准备长征，心情又是郁闷的。”

8 月 1 日，毛泽东出席瑞金“红场”——大埔桥举行的阅兵典礼后，为《红星报》亲笔题词：“敌人已经向我们的基本苏区大举进攻了。我们无论如何要战胜这个敌人。我们要用一切坚定性顽强性持久性去战胜这个敌人。我们这样做一定能够最后的战胜这个敌人。最后的胜利是我们的。英勇奋斗的红军万岁！”

眼见危机，又眼见自己的意见无人听，甚至无人来询问自己，内心之痛苦，旁人难察。

中革军委主席朱德与毛泽东一样，也未能进入三人团。

在讨论有多少红军部队参加脱离根据地的西征时，李德与周恩来发生了尖锐分歧。李德主张只以中央红军一、三、五三个主力军团突破封锁线，他设想在外线作战打开局面牵动敌人之后，主力还可以返回。周恩来没有明说，但内心非常清楚，一旦主力出击外线，便很难返回。所以他主张撤退整个苏区。

应该说周恩来是对的。后来留在苏区的力量，在敌人重兵“围剿”下损失极其沉重。当时的实情是留得越多，损失越大。

李德也不是毫无道理。突围的野战部队如果伴随臃肿，失去机动，损失也要增加。红军长征初期受到的严重损失，也证明了这一点。

负责组织工作的周恩来面临两难。

他似乎一生之中皆充满两难。

后来有两种互相矛盾的议论围绕在周恩来周围。一种说他组织的撤退工作所携东西太多太细，使红军大队行动缓慢，遭到不必要的损失；一种说撤退工作组织得太仓促，该带的没有带，不该带的却带了很多。

对这些议论，周恩来很少说话。他从来不是那种品头论足的人。属于他的从来只是工作，而且是越来越干不完、越来越堆积如山的工作。从第四次反“围剿”始，毛泽东已经被排挤出了决策圈，他必须苦撑危局。

有些指责是对的。

有些指责，却仅仅因为他做得太多。

李德是中国共产党的宿命，周恩来也是中国共产党的宿命。若没有周恩来只有李德，中国革命该怎样涉过那些激流险滩呢？

9月16日，王明、康生从莫斯科写信给中共中央政治局，谈三件事。一是说明国际“七大”延期召开的原因。二是要中共中央暂时不要给满洲省委发指示，同时川、陕苏区应联系起来，“打通川陕苏区与新疆的联系”，这是“中国革命有伟大意义的工作”。最后是国际在莫斯科出版了毛泽东文集——《经济建设与查田运动》:“毛泽东同志的报告,中文的已经出版,绸制封面金字标题道林纸,非常美观,任何中国的书局,没有这样美观的书。”

这是中共中央与共产国际的最后联系。

美国人哈里森·索尔兹伯里在其《长征——前所未闻的故事》中说:

> 1934年春,李德在上海的上级弗里德·斯特恩德被召回莫斯科,很快就要派往西班牙,但是没有人来接替了。无线电转送电报是由中共上海中央局负责的,事实上就是掌握在两个中国人手中,他们在莫斯科工作过。一位名叫李竹声,他在莫斯科的斯拉夫名字是克里奇卡;另一个中国人是盛忠亮,或者叫盛越,他的秘密名字叫米茨科维奇。6月,蒋介石的秘密警察逮捕了李竹声,在死亡的威胁下,他供出了电台的位置和盛忠亮的身份,盛也被捕,电台被破获,从此结束了上海局的活动,中断了莫斯科与中国的联系。

中共中央上海局负责人李竹声和盛忠亮叛变后,上海局机关遭到严重破坏。共产国际和中共中央的电讯联系中断。

但中共中央还是一直保持着与上海局沟通联络的能力。当时中央红军共有电台17部,留3部给坚持中央苏区斗争的项英、陈毅、刘伯坚,14部分别配属军委总部和一、三、五、八、九军团。后来在湘江战役中损失严重,部队大量减员,军委下令把笨重的发电机、蓄电池埋掉,对上海方面无回音的呼叫才完全中断。

所以在莫斯科发号施令的王明说,他听到上海日文《新闻联合》通信社1934年11月14日所发布的消息,才知道红军撤出了中央苏区。该消息说:“向四川省进发的中国红军主力,在11月10日放弃了过去中央区的首都瑞金。”

战略转移是后来的说法,当时讲的是“突围”。对这一决定的保密很严。李德回忆,突围的传达范围只限于政治局和中革军委委员;其他人包括军团一级军政领导干部,也只知道他们职权范围内需要执行的任务。所以政治动员,思想教育都忽略了,也没有在干部战士中进行解释工作。为什么退出苏区,当前任务怎样,到何处去等基本任务与方向问题,始终秘而不宣。

也必须看到那是一个非常时期。在四面合围的敌军已经将中央苏区压缩到一个很小范围之时,保守行动的秘密和突然性,就是保护党和红军的生命。保密决定并非一无是处,所以蒋介石即使抓到了中共中央上海局负责人李竹声和盛忠亮,也仍然没有弄清楚红军下一步的意图。

中央红军的最后决定,连上海局也不清楚。

10月10日,党中央和中革军委从瑞金出发,率领主力红军5个军团和中央、军委机关直属部队编成的两个纵队,开始了向湘西的“突围”——即后来所说的战略转移。

10月25日,通过国民党设置的第一道封锁线。中共中央和中央红军离开了中央革命根据地。毛泽东感慨万千地说:从现在起,我们就走出中央苏区啦!

忙碌的周恩来一言不发,更加忙碌。他组织了庞大的撤退计划,携带了过多过细的东西,个人行李则简单到了不能再简单:两条毯子,一条被单,做枕头用的包袱里有几件替换的衣服和一件灰色绒衣。

李德也留下一段评论:“就当时来说,其实没有一个人哪怕只是在梦中想到过，要北上抗日。虽然抗日是主要的政治口号，但决不是党和军队领导者的军事计划”；“突围的目的，只限于冲破敌人对中央苏区越来越紧的包围，以获得广阔的作战区域；如果可能的话，还要配合已由第六军团加强了的第二军团，在华南的湘黔两省交界地区创建一大片新的苏维埃根据地。”

谁也不知道一旦迈出第一步，就要走上两万五千里。最初称为西征，军队也叫西征军或西方野战军。

开始的无疑是漫漫苦难。

也是耀眼的辉煌。

四、嬗变(一)

历史应该记下颇具中国特色的这一笔：攻占中央苏区红色首都瑞金的国民党东路军第十师、第三十六师，指挥官都是前共产党员。

第十师师长李默庵，黄埔一期毕业，毕业后秘密参加中国共产党。

第三十六师师长宋希濂，黄埔一期毕业，也是毕业后加入了中国共产党。

两人的入党时间都在1925年，都与黄埔一期中大名鼎鼎的共产党人陈赓关系极深。

李默庵19岁被陈赓带到广州陆军讲武学校。后来陈赓从该校转入了黄埔，李默庵也跟着转入黄埔。

宋希濂与陈赓是湖南湘乡同乡，17岁入黄埔军校，18岁由陈赓介绍加入中国共产党。

李默庵是湖南长沙县人，出身穷苦，从小帮助父母卖柴、养猪；眼见穷人逃荒避难，颠沛流离，国家内战外患，水深火热；青年时就深受共产党理论的吸引。进入黄埔军校后，便与很多共产党人发生密切联系。共产党员李之龙、蒋先云都给他很大影响，使他很快成为“青年军人联合会”积极分子。军校毕业秘密参加中国共产党后，与校政治部主任、中共一大代表包惠僧也相当熟。留军校政治部工作期间，几乎每天晚10点都要到包惠僧宿舍参加碰头会。第二次东征时，作为第一军第六十团党代表，他又与团长叶剑英相处甚好。

宋希濂与李默庵比较起来，家境就较为宽裕，不似李默庵自幼为柴米奔忙。宋希濂中学期间恰逢五四运动，他与同学曾三合作创办《雷声》墙报，撰写声讨帝国主义侵略和军阀祸国殃民的文章。湖南军阀赵恒惕杀害工人运动领袖黄爱、庞人铨，宋希濂立即在《雷声》撰文，猛烈抨击当局。

这两个人又都在“三二〇”中山舰事件后，退出了共产党。

李默庵退党最初起因于谈恋爱。他与女生队一学生相好，经常借故不参加党组织的会议，支部书记、黄埔一期生许继慎狠批了他一顿，从此不通知他开会。李默庵也心存芥蒂，你不通知，我就不来，无形中脱离了组织。

其实这是李默庵找的借口。即使许继慎通知他参加，他对共产党组织的活动也兴趣不大了。共产党动辄强调流血牺牲，李默庵更感兴趣的还是光宗耀祖。黄埔一期中有“文有贺衷寒，武有胡宗南”之说，他自己则添上一句“能文能武是李默庵”。作为第一期的高材生，他对在校长蒋中正麾下干一番事业表现出更大的兴趣。

1926年爆发“三二〇”中山舰事件。蒋介石要求第一军中的共产党员要么退出国民党和第一军，要么退出共产党。当时已经公开身份的共产党员250余人退出了国民党和第一军，只有39人退出共产党。

39人中，第一个发表退党声明的，就是李默庵。

初入黄埔时，见到广州一些腐败现象，他还气愤地发誓：不当官，要革命。现在正式加入国民党行列，他已经不想革命，而要当官了。

宋希濂参加共产党时，在党内的活动还不像李默庵那么活跃；退出共产党时，也不像李默庵那样绝情。他在中山舰事件后说，"在当今中国，国民党和共产党都是革命政党，目标是一致的。由于军队方面要求军官不要跨党，为避免发生不必要的麻烦，我打算不再跨党"；又说："我可以保证，决不会做有损于国共合作的事！"

办过《雷声》墙报的宋希濂，真正行动起来便雷声大、雨点小了。命令他做的事情，他一件也没有少做。

李默庵不做这样的空头保证。他开始与早年那些兄长一样待他的共产党员们为敌。出于对共产党人的了解，在和红军的作战中，他基本上没有吃过大亏。

还是老同学陈赓给了他一个深刻教训。

1932 年 6 月对鄂豫皖苏区"围剿"期间，李默庵的第十师作为中路军第六纵队的前锋，向红军根据地核心黄安进击。8 月 13 日在红秀驿附近，突然遭到陈赓、王宏坤、倪志亮三个师夹击，其前卫三十旅陷入红军包围，战斗异常激烈。为使三十旅免遭被歼，第六纵队司令卫立煌亲临前线督战，到李默庵师部指挥，李默庵则移至最前沿。战斗最激烈时刻红军冲到离师部仅 500 米，卫立煌的特务连都投入战斗，才保住了师部。李默庵师死伤 1500 人以上，而且与卫立煌险些当了红军的俘虏。

从此李默庵与红军作战更加谨慎。

第五次"围剿"中，李默庵率部进至泰宁县建宁间的梅口附近时，被红军主力重重包围。他将全师两个旅四个团近一万人龟缩一处，再集中数百挺轻重机枪死守一狭小阵地。战斗于黄昏发起，激战通宵，尽管红军四面围攻，李默庵阵地也无一被突破。次日天明，红军撤围而去，李部虽有损失，但总算避免了被歼厄运。

就在李默庵龟缩阵地避免被歼的前后，宋希濂却因为过分自得，连续向红军发起进攻，被红军射手一枪击中，身负重伤。

这位发誓不做有损国共合作的事的宋希濂，拖到1933年8月，才参加对苏区的第五次“围剿”。一旦参加，就作战凶猛。他率部驻扎抚州，兼该城警备司令。三个月后，与奔袭敌后的彭德怀红三军团和寻淮洲红七军团在浒湾相遇。当时蒋介石正在抚洲。宋希濂率三十六师与其他几个师拼死作战，给红三军团和红七军团造成很大伤害。

之后宋希濂参加平定“闽变”。第一次战斗便一举攻克天险九峰山，使驻守延平的十九路军部队不得不开城投降。蒋介石亲自写一封信空投给他：“三十六师已攻占九峰山，使余喜出望外。”原来蒋介石只让三十六师担任牵制对方兵力的助攻，连火炮支援也没有分配给他们。没有想到助攻部队竟然打下了天险主峰。当晚蒋介石通电全国军队，表扬宋希濂的三十六师“于讨伐叛乱战斗中首建奇功”。

两个前共产党员摇身一变，皆成为国民党悍将。

宋希濂在红军出发长征前十几天身负重伤。这时距苏区首府瑞金最近的，是东路军李延年的第四纵队。李延年也是黄埔一期生，与李玉堂、李仙洲并称为黄埔一期中的“山东三李”。第一次和第二次东征，李延年冲锋在前，敢打敢拼。北伐途中与孙传芳部作战，他以身先士卒著名，受到何应钦、李宗仁的多次赞扬。黄埔军校毕业刚刚三年，军衔就晋升到少将。黄埔一期生中，除了胡宗南，无人有他这样快的晋升速度。

但蒋介石不把占领瑞金的任务交给他，却交给了他的副手李默庵。

11月6日，李延年收到东路军总司令部发来的电报："着该纵队副指挥官李默庵率第十、第三十六师进取瑞金，于八日集结长汀，即一举占领瑞金之目的，于九日晨开始攻击前进，限当日占领古城，十日占领瑞金。仰遵办具报。"

蒋介石特地把占领红都瑞金的任务指定给一个前共产党员，是否出于更深一层考虑？只有他自己内心清楚了。

8日，李默庵指挥部队集中长汀附近。部队行动得非常小心谨慎。9日向瑞金进展。第十师在先头，第三十六师跟进。至午后4时，十师占领隘岭、古城一带地区，三十六师到达花桥、青山铺一带。

这位1925年入党的前中共党员，率国民党嫡系部队一步一步向瑞金逼近。1934年11月10日，李默庵的第十师占领中央苏区首府瑞金。

瑞金失陷三个半月后，前中国共产党主要负责人瞿秋白落到了宋希濂手里。

1935年6月16日，宋希濂收到东路军总指挥蒋鼎文转发的蒋介石密电："着将瞿秋白就地处决具报。"6月17日，他派参谋长去向瞿秋白转达。当晚瞿秋白服安眠药后，睡得很深。

第二天清晨，瞿秋白起身，提笔书写："1935年6月17日晚，梦行小径中，夕阳明灭，寒流幽咽，如置仙境。翌日读唐人诗，忽见'夕阳明灭乱山中'句，因集句得偶成一首：夕阳明灭乱山中，（韦应物）/落叶寒泉听不穷；（郎士元）/已忍伶俜十年事，（杜甫）/心持半偈万缘空。（郎士元）"未写完，外间步履急促，喝声已到。瞿秋白遂疾笔草书："方欲提笔录出，而毕命之令已下，甚可念也。秋白有半句：'眼底烟云过尽时，正我逍遥处。'此非词诫，乃狱中言志耳。秋白绝笔。"

罗汉岭下一块草坪上，他盘膝而坐，微笑点头：“此地正好，开枪吧！”

一位前共产党员攻占了红色首都瑞金。

一位前共产党员枪杀了前中共中央主要负责人瞿秋白。

历史作为洪钟，默默接纳着又默默展示着这千千万万令人惊心动魄的嬗变。

14年零5个月零13天后，1949年4月23日，“钟山风雨起苍黄，百万雄师过大江”，中国人民解放军华东野战军第三十五军占领南京。

第三十五军军长吴化文，是济南战役中起义的国民党将领。

前共产党人李默庵率领国民党队伍占领了瑞金，前国民党人吴化文也率共产党队伍解放了南京。

安排这一切的，是一只看不见的手。

要说报复，这是历史的报复。

李默庵1949年8月13日在香港与44名国民党高级军政人员通电起义，斥责蒋介石背叛三民主义，拥护中国共产党领导的新民主主义革命。这个1925年加入中国共产党的人，1949年以败将身份向共产党投诚。

不久，北京电邀起义人员北上进京。李默庵没有去。他感觉到了眼前宽阔奔腾的历史洪流，却藏下胸中千曲百折的难言之隐。他亲率国民党军队占领红都瑞金，如今又要去北京庆祝中华人民共和国的诞生，个中滋味，实在难平。

台湾他也去不成，在香港就遭到蒋介石的通缉。

1950年11月，他举家移居南美的阿根廷。1964年秋，他又移居美国。

1949年11月，身边只剩一些残部的宋希濂，在四川腹地对其部下演讲：我们在军事上是被共军彻底打垮了，但我们不愿做共军的俘虏。我们是三民主义的忠实信徒。现在，我们计划越过大雪山，走到遥远的地方去，找个根据地。

兵败如山倒之时，这位前共产党员竟突然想用共产党的办法。他也想爬雪山、过草地、建立根据地，但却是倒行逆施。宋希濂甚至连走的方向都是倒的。红军当年由南向北翻越雪山，他却是由北向南。

刚刚渡过大渡河，宋希濂就被解放军包围生俘。

他被关进重庆磁器口的白公馆。这个地方与渣滓洞齐名。一本《红岩》，使它们在中国几乎无人不知。

当年介绍他加入共产党的陈赓已是云南军区司令员兼云南省人民政府主席，听到消息特从云南赶到重庆，请这位囚徒吃了一顿饭。

指挥李默庵、宋希濂直插中央苏区核心的李延年，晚年在台湾连请他吃饭的人都没有了。从大陆撤退时，他被冠以"擅自撤退平谭岛，有亏职守"罪名，判处12年有期徒刑。释放后闲居台北郊区新店，一无职业，二无专长，生活艰难。当年威名赫赫的黄埔一期"山东三李"之一，只能每日三餐以辣椒盐水蘸馒头，抽烟的钱都要向昔日旧部借讨。

他1974年在极度贫穷中病故，台湾无一张报纸发表只言片语的报道。

第七章

突 破

一、国民党不缺智商

1984年，一位叫陈树柏的美籍华人回大陆讲学和筹备办学。9月，邓小平在北京接见了他，说："令尊治粤八年，确有建树。广东老一辈的人至今还在怀念他。"

陈树柏之父，即当年广东新军阀陈济棠。邓小平这一评价在海外引起震动。

陈济棠当年独揽广东军政大权，进行封建割据，保持广东半独立局面达8年之久，被人称作"南天王"。而且红军长征路上，第一道封锁线和第二道封锁线的"围堵"主角，都是陈济棠。台湾和海外一些人长期把他当做坚决的"反共英雄"推崇，为什么共产党对他作出如此高的评价？

近代中国，八旗绿营水勇团练不用说，新式练兵后产生的现代军官，从袁世凯到吴佩孚到蒋介石，几乎没有哪一个最初不表现出相当的革命性。

陈济棠1908年经广东革命先驱、陆军小学教官邓铿介绍加入同盟会。1920年11月，粤军参谋长邓铿组建粤军第一师，陈在该师第四团任营长。邓铿被刺，陈炯明发动反对孙中山的政变，其干将叶举路过肇庆，逼邓铿的基本部队粤军第一师将领饮鸡血之盟，对陈炯明效忠。第一师中有三位将领起兵反抗：邓演达、张发奎、陈济棠。

粤军第一师后来扩编为国民革命军第四军，即北伐中著名的“铁军”。后来中国共产党领导的南昌起义主力部队，即在“铁军”中产生。

但在反共问题上，陈济棠是不含糊的。

1927年他在苏联考察，听说蒋介石发动“四一二”事变，立即回国。到南京先向蒋介石呈报反苏反共的意见，后在“总理纪念周”上作反共报告，称“共产党是本党的反对党，是危害本党的唯一敌人”。1927年9月，八一南昌起义的部队进入广东。陈济棠与薛岳、徐景唐等率师驰赴潮汕阻击。陈部属东路军，由河源东进，寻求起义军主力决战。28日，陈济棠率部与叶挺、贺龙部主力在汤坑东南的白石遭遇，激战三昼夜，使起义军伤亡两千余人，无力再战被迫退出战斗。

陈济棠善战。

桂系军队之强悍闻名中外，又有人称“小诸葛”白崇禧指挥，连蒋军都惧其三分。北伐中第四军因累累战功被人称为“铁军”，桂军组成的第七军听到后，便自称“钢军”。其眼中之无物，可见一斑。

但这支“钢军”却在后来的冲突中，三败于陈济棠之手。

第一次是蒋桂战争之后，退回广西的李宗仁、白崇禧、黄绍雄倾全广西之兵，进攻广东；粤军徐景唐率第五军在广东起兵响应，直逼广州。陈济棠面临生死存亡关头，以保境安民为号召，动员全部粤军同桂军决战。他采取各个击破的战略，以一部兵力牵制徐景唐，集中主力于花县向桂军全力进击。李、白战败，被陈济棠一直追入广西。

第二次是同年12月李宗仁、张发奎联合进攻广东。陈济棠在蒋军朱绍良第六路军的援助下，予张部以重创，使其部队损失2/3，被迫后撤。李宗仁的第八路军见张军溃败，便全线后撤，想固守梧州。陈济棠驱军直追，以海军抢先占领梧州，又在梧州设立总指挥部，亲自坐镇，指挥所部向广西腹地进攻，占领浔江下游和玉林五属一带。黄绍雄部也被陈济棠予以重创。

第三次是中原大战中，李宗仁、白崇禧、黄绍雄、张发奎为策应北方的阎锡山、冯玉祥，率全军北上作战。陈济棠在张桂联军占领长沙、前锋进抵平江、岳阳之后，指挥粤军突然出动，攻占桂军战略后方之重地衡阳。衡阳被占，桂军首尾不能兼顾，怕被拦腰斩断，遂回师返攻衡阳。衡阳之战，双方皆倾其精锐，战况空前惨烈，桂军遗尸遍野。陈济棠在何键部的支援下，采取正面攻击，侧翼迂回的战术，将张桂联军全线击溃，毙伤和俘虏其一万两千余人。

此战之后，李宗仁万分痛心地说："衡阳久攻不下，而敌人援军云集。……不得已，再向广西撤退，情形狼狈不堪。官兵对战事都十分消极，情况的艰窘，实我军作战以来所未曾遇过的。"

于是陈济棠作战的实力，连蒋介石也刮目相看。

但他再反共、再善战，蒋也总拿他当一颗棋子。

陈济棠之前是李济深主粤。李济深是广西梧州人，政治上属于粤系，但私人感情中却偏向桂系。广东财力充裕，但士兵的战斗力较差；广西较穷，但士兵勇敢。李济深利用乡土关系，长期与桂系结为一体；广东支援广西经费，广西支援粤系兵力。两广密切配合，使蒋无法插手。蒋介石当时一个很大的愿望，就是从派系甚多的广东内部找出一颗棋子打入其间，拆散粤桂联盟。这颗棋子就是陈济棠。

1929年蒋桂战争中，蒋介石用他取代了李济深，再用他三败桂系，一时间粤桂联盟真是土崩瓦解。

以陈济棠为棋子的蒋介石崇尚曾国藩。27岁那年，蒋在上海阅《曾文正公集》，竟至两目成疾，从此对曾国藩书爱不释手。为蒋撰写年谱的毛思诚说，蒋“军事学即以巴尔克战术书为基础，而政治学则以王阳明与曾文正二集为根柢也”。

蒋介石学曾国藩，陈济棠却敬洪秀全。他从小笃信阴阳命相，曾用高价购买花县芙蓉嶂洪秀全的祖坟，以安葬其母亲的骸骨，说是出天子的圣地。他后来还专门派其兄陈维周到南京见蒋介石，名为述职，实则看蒋的相格气运，甚至去了奉化察看蒋介石祖坟的风水。陈维周回来后，兴高采烈地对陈济棠说，蒋的祖坟不如芙蓉嶂的龙势远甚。

蒋不知道他这颗棋子竟派人相过他的祖坟，而且还想当天王。

想当天王的陈济棠从广东陆军小学毕业时，成绩却是最后一名。操正步更是他一大难关，老操不好。每逢校阅，他都被留在室内搞卫生。毕业庆典时，同学们都向成绩名列榜首的梁安邦祝酒，认为他前途远大。梁也十分得意，说："大家都有办法，除了伯南以外。"伯南是陈济棠的字。旁边有人说："不要小看陈济棠，他可能比别人走得更远。"喝得醉醺醺的梁安邦说："伯南如能出人头地，我给他捧靴！"陈只有在一旁面红耳赤，默不做声。

陆军小学最后一名的陈济棠，后来却掌握了广东军政大权。第一名梁安邦真的给他捧了8年靴——直到陈济棠下台，一直在他手下做交通团长。

陈济棠就是以这种极具韧性而且捉摸不定的特性，出现在20世纪30年代中国政坛的。

他知道自己不是蒋介石的嫡系。所以能够取代李济深，因为他拥蒋反桂，比李亲蒋。他靠蒋取得了"南天王"的地位，作为对蒋的回报，也在蒋历次反桂系战争中出力不小，便使粤桂从此分家。

但靠蒋介石搞掉了别人的人，最怕蒋用别人再来搞掉自己。粤桂联盟拆散了，但宁粤关系并未多一分亲近。从陈济棠上台第一天起，他与蒋之间那种深层次的不信任和提防，便出现了。

红军和蒋军，一直是陈济棠长期畏惧的力量。

他主粤 8 年，与北面的江西中央苏区就对峙了 6 年。对红军应该采取什么对策，他考虑得最多、也最细。从第一次"围剿"始，他就看出蒋利用"围剿"红军之机，借刀杀人，兼并异己。如果不参加"围剿"，又会失去蒋的军饷军械，也会给蒋以借口，兴问罪之师。陈济棠最后确定的原则是：可以派兵入赣，但不能被战事纠缠，弄得难于摆脱；尤其不能在与红军作战之机，让蒋军乘虚袭取广东。

1932 年 2 月，彭德怀的红三军团围攻赣州，守城之滇军马昆旅一再告急求救。在蒋介石连电督促下，陈济棠不情愿地派粤军范德星旅驰援。范旅到达新城，即遭红军打援部队林彪的红四军伏击，损失两个营。而乘红四军主力集中城南防范粤敌之机，陈诚命其主力第十一师长途奔袭，从北面突破拦截，进入赣州。

赣州解围，陈诚名声大振。陈济棠损失的两个营，却成了吸引红军主力鱼钩上的诱饵。

此后陈济棠便对部属谆谆交代，与红军作战要特别慎重，各部均以固守为主，不要轻易出击。

1933 年 9 月，蒋介石调集大军搞第五次"围剿"，以陈济棠为南路军总司令，指挥十一个师又一个旅，具体任务是阻止红军向南发展，相机向筠门岭、会昌推进。

对陈济棠来说，要阻止其"向南发展"的，不光是红军，还有蒋军。

他采用了两面做法。

首先给蒋介石做出个样子。1934 年 4 月中旬，粤军进占筠门岭。虽然筠门岭只是一座空城，红军已经事先撤离，但陈济棠大肆宣扬，向蒋报功。蒋“传令嘉奖”，并赏洋5万元劳军，然后命陈部为配合北线蒋军攻打广昌，直捣会昌。

心事重重的陈济棠没有“直捣会昌”，而是请来了过去的对头、有“小诸葛”之称的桂军主将白崇禧。

两广之间多次血战，但在防共防蒋问题上，两广又同病相怜。白崇禧应邀马不停蹄地走赣州、南康、大庾、信丰、安远等县，最后到达筠门岭。从赣南回来后，陈济棠召集军参谋长以上军事首长会议，听取白崇禧对形势的分析。

白略微沉默，不紧不慢地说道：“蒋介石采纳了德国军事顾问的意见，对共产党采取了公路碉堡政策，使对红军的包围圈逐步缩小。这种战略，已收到显著的效果。如果共产党继续留在江西，将会遭到防地日见缩小以致失败的危险。如果要谋生路，就必然作战略性的转移。共产党转移的出路将在何处，这是个关键问题。”

桂军主将一席开场白，便立即攥住了在场粤军将领们的神经中枢。

白崇禧平日话语并不见多，但长于分析。一旦进入某种他潜心琢磨与思考的角色，便会设身反谋，易地而思，其思绪也会变成一条江河，从口中滔滔不绝地汹涌而出。

他继续说下去：

> 从地形判断，以走湖南和广东的可能性比较大。由南康、新城一带可入湘南，由古陂、重石一带可入粤北。根据当地防军情报，近日在古陂一带，每隔十日左右，就发现共党军官乘骑，少者五六人，多者七八人，用望远镜侦察地形，很可能是共产党准备突围的象征。至于共产党突围的时机，估计当在秋冬

之间，因为那是农民收获季节，可以就地取粮。否则千里携粮，为兵家所忌。

在此之前，红军将实行战略转移的迹象，陈济棠也觉察到了，否则他不会请白崇禧来。但白这一席精到的分析，无疑在这些高级将领面前，较为清晰地展现出了红军可能转移的方向和时间。

尤其对红军转移时间的判断，今天查遍史料，在当时的国民党将领之中，也确实没有一人像这位“小诸葛”算计得这样精确。

国民党之失败，绝非败于智商，却有一个高于智商的因素：平衡。

蒋介石想压红军入粤，陈济棠早有思想准备。第五次“围剿”的部署本身就是北重南轻。北面蒋介石先后集中了50多个师（东路军14个师又1个旅，北路军34个师又2个旅2个支队5个团，西路军9个师又3个旅，南路军11个师又1个旅），明显要把红军压入粤境陈济棠的地盘。现在红军转移的迹象日益明显，被迫入粤的可能性越来越大，这对陈济棠来说，重大危机即将来临。

7年前与南昌起义部队在汤坑一战，一直令陈济棠印象深刻。当时双方为争夺一块高地互相投掷手榴弹，你扔过来，我甩过去，谁也不退。第三天黄昏，双方同时撤退，都付出了伤亡数千人的代价。

现在红军的战斗力大大强于当时。十万红军倾巢入粤，绝非粤军所能力敌。数十万蒋军再跟随入粤，广东数年之经营成果必然灰飞烟灭，毁于一旦。

陈济棠采取了其后数十年秘而不宣的行动。进占筠门岭后，他立即停止交战行动，开始寻觅建立与红军的直接联系。

1934年7月，中央红军同陈济棠部谈判达成停战协议，并建立了秘密通信联系。

9月，国民党北路军、东路军向中央苏区核心地带逼近。白崇禧估算红军行动的“秋冬之间”已在眼前。陈济棠派出一个被称为“李君”的代表，直赴苏区面见朱德，要求举行秘密谈判。

红军正在寻找战略转移的突破口。朱德立即给陈济棠复信。周恩来委派潘汉年、何长工为代表，与陈济棠的代表杨幼敏，第三军第八师师长黄质文、第三军独立第一师师长黄任寰举行谈判。第三军是粤军中陈济棠的基础。之所以做出这种安排而没有让常年防堵红军的余汉谋第一军参加谈判，自然是因为陈深知这种谈判或成或败皆非同小可，不能不小心提防。

谈判在寻邬附近一片寂静的山林里举行，持续了三天三夜，达成五项协议：

一、就地停战，取消敌对局面；

二、互通情报，用有线电通报；

三、解除封锁；

四、互相通商，必要时红军可在陈的防区设后方，建立医院；

五、必要时可以互相借道，我们有行动事先告诉陈，陈部撤离20里。

为了保密，协议没有形成文本，双方代表将协议各自记在了自己的笔记本上。

大多数冠冕堂皇的正式协议，都是为破裂翻脸后谁承担多少责任而准备的。那些精美的烫金的签字的公证的鉴证的文本，在非常时刻，甚至不如一个会意的眼神。

真正起作用的，是默契。

默契的基础，则是利益相符。

陈济棠的核心，是让中央红军不要入粤。达成协议后，他明白了红军之意也不在进入粤境，便将协议传达到了旅以上粤军军官，告知红军只是借路西行，保证不侵入广东境内；又考虑到协议不便下达给团，怕下面掌握不好，于是增加一道命令，要求下面做到“敌不向我射击，不许开枪；敌不向我袭来，不准出击”。

实际就是在湘粤边境划定通路，让红军通过。

蒋介石将陈济棠当棋子用的时候，一定没有想到，这颗棋子具有如此多捉摸不定的特性。

长征之始中央红军要通过的第一道封锁线，就是赣南安远、信丰间的粤军防线。当时奉蒋之命，粤军余汉谋的第一军和李扬敬的第三军均在封锁粤赣边境。而第一军第一师恰好卡在红军经过道路的要冲。

毕竟是你死我活的战场。虽然签订了协议，红军与粤军间仍有疑惑。我怀疑你是否真正让路，你怀疑我是否真不入粤境。既要小心翼翼，又是时不我待。协议第五条要求红军有行动时要事先告诉粤军，在军情如火、兵机贵密的时刻，就不太可能。

十月中旬，红军突然开始行动，粤军余汉谋急令第一师向大庾、南雄方向西撤，给红军让路。

但动作稍迟，第一师又出了个狂妄自大的第三团团长彭霖生。彭本来奉命指挥本团和教导团取捷径从速撤退，但认为红军大部队不会那么快来到，可以先打一仗捞一把再走，他低估了林彪的前进速度。10月22日，彭霖生团和教导团被快速挺进的红一军团前锋分路合击，陷于无法脱离的困境，极其狼狈，损失很大。特别是教导团，最后逃出来时伤亡惨重，行李辎重丢失一空。

彭霖生挨了余汉谋一顿暴跳如雷的痛骂，教导团团长陈克华以作战不力被免职。

残余粤军立即退向安西。

但总的说，粤军第一师确是主动后撤。该师为南线防堵中枢，位置一移，西南门户洞开。红军从安远、信丰间大步穿过，至 10 月 25 日左右，全部渡过信丰河。

第一道封锁线与其说是突破，不如说是通过。

第二道封锁线是湘南汝城、粤北仁化之间的湘军、粤军防线。

当时蒋介石判断中央红军将步萧克红六军团后尘，从赣南经赣粤湘边与贺龙部会合，随即命令薛岳部从赣南兴国并行追击；另电陈济棠、何键火速在汝城、仁化间阻截。

因为红军通过余汉谋防线速度过快，何键颇感措手不及。湘军主力已经来不及向粤边靠拢，只能次第集结于衡阳、彬州之间，汝城仅有湘军一个旅担任守备。

于是第二道封锁线的主角，还是粤军的陈济棠。

陈济棠接蒋电后，先以李扬敬第三军外加归余汉谋指挥的独三师防守粤东北门户，既防红军也防蒋军进入；然后才以余汉谋之余部尾追红军，以张达第二军加几个独立师旅集结于曲江(韶关)以北地区防堵。余汉谋在尾追过程中又以其第一师向乐昌西进，阻止红军进入粤境。

三分两划，11 个师又 1 个独立旅的粤军，真正尾追红军的只有叶肇的第二师和陈章的独二旅。

11 月初，红一军团先头部队轻取第二道封锁线的中心、湘粤交界处的城口。城口守军多系保安队，根本无法与主力红军抗衡；北面汝城的湘军仅一个旅，只有干瞪眼，除了困守孤城之外毫无作为；南面陈济棠倒是兵员甚众，但都集结在纵深处的南雄、仁化、乐昌一线，力图自保，根本不愿使防线向北延伸与湘军防线衔接。

于是第二道封锁线在汝城与仁化之间，出现一大大的缺口。

11月8日，中央红军通过汝城以南、城口以北地域。在一线横列于仁化、乐昌之粤军检阅般的注视下，徐徐通过了第二道封锁线。

陈济棠再次为红军让出了前进通道。

粤军本来有可能对红军造成大的损害。

10月27日夜，陈济棠警卫旅第一团发现当面红军乘夜徒涉锦江，队伍庞大，且含有乘骑和辎重，估计是高级指挥机关的队伍。团长莫福如立即电话报告，要求半渡出击。

他得到的回答是不受袭击，不准出击。

莫福如团得到如此回答，只得隔着夜幕观察在其前方川流不息的红军大队。

是夜，红军队伍在锦江方面安全无阻，不断西行。

两道粤军构成的封锁线内，随处可见修筑在公路两旁、山坡岭头等要害位置上大大小小的碉堡。这些碉堡或砖石或钢骨水泥结构，根据地形、射界，或成四方或成六角，分为排堡、连堡、营堡，堡内只有一条小门出入，全身像裹着铠甲，可以避弹。堡垒之间形成交叉火力，卡断公路，封锁要隘。若真打起来，对红军肯定会造成很大阻碍。但这些碉堡均被后撤的粤军放弃了。红军和部分当地老百姓拆的拆，烧的烧，烟尘蔽天，老远望去像古战场上的烽火台。

所以在陈的防区内，红军前锋部队能够以每天近百余里的急行军速度开辟通路。红军后队能作搬家式、甬道式的前进，把坛坛罐罐一直保留到了湘江边。

陈不让路，便不可能。

所以50年过去，邓小平在北京还夸赞陈济棠。

二、“朱毛确在军中”

台湾“中央研究院近代史研究所”编著的《中华民国史事日志》中，有这样的记载：

“1934年11月12日，南路军李汉魂师破红军第一军团于粤北乐昌九峰延寿间，获枪六千，收复城口。”

这就是蒋介石当时颇为重视、认为是弄清红军情况的最有意义的“延寿之役”。蒋介石确信红军“确实倾巢西窜”；“一、三军团在前、五军团在后，朱、毛确在军中。歼灭此股，关系国家成败，应特加注意，倍加奋勇”。

这也是陈济棠即将完成其让路使命时，出现的闪失。

起因是他的侄子、粤军第二师五团团长陈树英。

本来担任尾追的粤军第二师和独二旅，一直距红军一天或半天的行程。11月6日中途得报：延寿附近一带山地森林发现有大股红军在掩蔽休息，似零散人员及后卫部队，状极疲劳。陈树英闻讯，立即率五团急进，在汝城境内的延寿金樽坳与这支红军接上了火。

陈树英平日仗其叔父权势，好大喜功，飞扬跋扈，却不知道陈济棠为了保密，与红军之间的安排连他这个侄儿都不告诉。在追击路上陈树英曾经大骂其他部队不阻击，让共产党从眼皮底下经过，全是饭桶。此番便认为是他大显身手的时候，未加犹豫，便猛扑了上去。

战斗的规模不大，时间也不过一昼夜，但红军战斗顽强，陈树英团损失不小。该团第一营官兵伤亡尤其严重。营长负伤，副营长也被红军俘虏，隐瞒了身份才逃了回来。全团上下，极其狼狈。粤军独二旅也受到相当的损失。陈树英惹出了乱子,又无法独立收拾。红军乘夜撤离阵地,他不敢跟踪尾追,连红军的去向也弄不清楚。

占便宜的是率独立第三师赶上来加入战斗的李汉魂。

李汉魂部在战斗中以压倒优势兵力袭击红军后尾,抓到了几十名俘虏。据称其中发现了红军一、三、五、九军团的番号。

原来中央红军通过第二道封锁线后,因为无地图可循,再加上侦察情报的不准确,林彪的一军团及随后的九军团在乐昌东北的延寿、九峰之间的深山峡谷中和羊肠小道上走了弯路,几乎浪费了一周时间。绕过这些自然障碍后,中央和军委纵队及其他兄弟部队都走在了前面,一、九军团由前锋变成了后卫,散失落伍者不在少数,尾追之敌也十分迫近了。

李德回忆说,因为这次军委指挥的失误,毛泽东、张闻天、王稼祥向三人团发动了激烈攻击,特别是针对李德。李德说"我们承认,在确定第一军团行军方向时,我们犯了错误";"使得第五、九军团好几天都陷入损失巨大的后卫战斗之中"。

其实李汉魂并未和林彪的主力碰面。他所称抓到的红一军团俘虏,多是伤病失散人员。一军团之后的九军团损失大一些。

直到1949年,林彪率领第四野战军百万之众南下时,李汉魂还在和别人谈论此役。他认为当年唯他曾给林彪的红军一军团造成很大损害。

他可知林彪曾经是他的部下?延寿、九峰之役是他与林彪的第三次邂逅?

第一次在北伐战争中的临颍战场,那是李汉魂名声大振的地方。

1927年4月底,武汉政府举行第二次北伐,李汉魂时为第四军十二师三十六团团长。十二师作为先遣队首占河南驻马店。这时张学良率领奉军精锐第三、第四军团五万余人来攻。张部强渡骡河,北伐军第三纵队魏益三部望风披靡,不战而退。十二师势孤力单,随军行动的苏联顾问鲍罗庭也主张暂时退却,并在会上形成定局。

唯独一个李汉魂力排众议,坚持不退。他联合各团军官向师部请愿,再三陈说利弊,建议固守待援。最后连固执的鲍罗庭也被他说服。

奉军面对这支孤军而立的北伐部队,颇感震慑。因为不明底细,竟未来攻。

李汉魂就此在军中出名。

5 月 27 日,北伐军在河南临颖、鄢陵地区与奉军展开决战。李汉魂率团星夜投入战斗。夜战中双方伤亡均大,战况惨烈,北伐军战线几乎动摇。天亮后总指挥张发奎亲临前线,见李汉魂救火队一般奔波于左、中、右三面抢堵突破口,力挽危殆的战局,大为感动,乃命令前线附近所有各部,不论番号何属,一律归李汉魂指挥。在猛烈的炮火之下,奉军渐感不支。李汉魂见状立即向指挥部建议实施反击。未等指挥部研究批准,他竟一声令下,迫不及待地率三十六团跃出战壕,勇猛出击。左右翼友邻见三十六团发起冲锋,便一齐鼓噪。顿时地动山摇,北伐军形成无命令的全线总攻。奉军土崩瓦解,狼奔豕突。李汉魂戴着手下一名通信兵扣在他头上的钢盔,率队一直冲进临颖城南门。下午 3 时,北伐军的革命红旗由李汉魂高高插在了临颖城头。

临颖之战后,奉军望风披靡,许昌不战而下,北伐军一路占新郑、下郑州,与冯玉祥同时攻入开封,南北大军胜利会师。

林彪也在这个战场,战场作风与李汉魂也颇为近似。他所在的第二十五师七十三团一营三连奉命追击潮水般溃退的奉军至渭河边,连长突然命令停止追击,理由是上级有令不可穷追,需等待友邻，以免孤军深入云云。林彪坚决要求继续追击，并且不待连长下令，便率领他指挥的那个排杀向北岸。其他各排竟然也甩下连长，皆随林排之后跟进，迫使北岸奉军既来不及炸桥，也来不及布防，纷纷缴械投降。一仗下来，三连竟然俘虏奉军八百余人。

李汉魂、林彪两人，皆敢于主动出击、敢于抗命而战。

李汉魂由第四军十二师三十六团团长，提升为第四军二十五师师长。

林彪由第四军二十五师七十三团一营三连排长，提升为二十五师七十三团三营七连连长。

李汉魂成为林彪直接上级的上级的上级。

因为当时林彪的地位低，后来相当一段时间内，李汉魂并不知道威名赫赫的红一军团军团长林彪，竟然出自他的部下。

两人交往的第二次，是八一南昌起义。

南昌起义的主要力量，来自于张发奎的第二方面军。而方面军总指挥张发奎与二十四师师长叶挺、二十五师师长李汉魂皆是黄埔陆军小学第六期的同学。李汉魂毕业时是全校第二名，在三人中学习成绩中最好。

三位同学在南昌，却兵戎相见。

共产党员叶挺参加了南昌起义，还是起义的骨干和主力。国民党员张发奎和李汉魂则想阻止这场起义，且商量好借在庐山开会之机，扣留叶挺。

叶挺不上庐山而率部队去南昌，李汉魂就成了热锅上的蚂蚁。他手下的三个团，除七十四团外，七十三、七十五团的基础，皆是原先叶挺的独立团，李汉魂根本无法控制。8月1日早晨，他找来七十三团团长周士第，做最后的争取。他悄声对周说："张总指挥很称赞你，要重用你，希望你跟他走，不要跟共产党走。"

谈话无效，二十五师的七十三团、七十五团及七十四团重机枪连于8月1日下午拉出驻地，直趋南昌。李汉魂得讯，与总指挥张发奎带着卫队营跳上火车直追，还想把部队拉回来。追到德安车站以北他们向起义部队喊话，遭到猛烈的火力回击。张发奎与李汉魂狼狈万分，跳车而逃，卫队营则在德安车站被包围缴械。

当时担任殿后任务、在德安车站以北向张发奎、李汉魂乘坐的列车开火的，就是林彪所在的第七十三团。

这是李汉魂与林彪的第二次交往。

只有在同一战壕中，才有上下级之分。道路不同，便就是对手。

林彪与李汉魂的这两次交往，李汉魂竟然长期不知。

第三次即此番的延寿之役。此时李师长手下的林连长已经是红军主力第一军团的军团长，而李汉魂则在多年军阀混战、派系倾轧中漂浮不定，虽然还是师长，但独立第三师与当年铁军之第二十五师相比，根本不可同日而语。

出任红军主力军团长的林彪，再也不是当初只指挥一个排、一个连的林彪。

李汉魂也不再是当初那个单纯得只知道一往无前的李汉魂。

延寿之役第二天，从延寿向九峰挺进途中，因浓雾细雨，加上双方联络不畅，独三师与叶肇的第二师发生误会，冲突持续两个小时，双方伤亡不小。李汉魂正在搞延寿之役的战报，便顺手把这次误会中的伤亡数字也加上，将延寿之役弄成了一个规模相当的战斗。

延寿之役既可使陈济棠从连失两道防线的责任中脱身，也可使他和红军的协议及对粤局的安排泡汤。陈济棠立刻拟定两封电报。一封致蒋委员长呈报粤军战绩：“获枪六千，收复城口”；另一封则是敲打李汉魂等人：

伯豪兄：

关于金樽坳战报，备悉。我军以“保境安民”为主。

陈伯南　穗总参××

收到电报的李汉魂绝对不是傻瓜。

陈济棠对李汉魂微妙不言的指责，尽在“保境安民”四字之中。

延寿之役发现了红军一、三、五、九军团的番号，蒋介石认为是弄清红军情况最有意义的一仗。在此役之前，蒋军空军负责侦察红军动向，却总是摸不到真实具体的情况。延寿之役使蒋最终判断红军的突围不是战术行动，而是战略转移。

蒋介石对粤军的延寿之役后来一再嘉勉。李汉魂也因此见重于蒋。

但自此之后，李汉魂师虽然奉命沿着红军西进的道路尾随追击，却再没有和红军发生过战斗。

后来非陈济棠嫡系的余汉谋、李汉魂等人先后拥蒋反陈，但在蒋面前什么当说、什么不当说还是知道的，他们都没有向蒋泄露陈济棠给红军让路的秘密。不是因为忠于诺言，因为自身也参与其间。

至于直接参与陈济棠与红军协议的人，从神秘的“李君”，到杨幼敏、黄质文、黄任寰等人，更是多少年来一直守口如瓶，至死也没有一人将此事见诸文字。

谜底直到1982年才解开。该年10月，中央顾问委员会常委何长工发表回忆录《难忘的岁月》，其“粤赣风云”一章中，这位当年的粤赣军区司令员兼政治委员披露出长征前夕他亲自参与其中的这段鲜为人知的内幕。

毕竟时过境迁，那些把何长工老人的回忆当做重复陈年故事的人们，一定在看到这一章以前就合上了书本。隐蔽了48年的秘密仍旧躺在《难忘的岁月》之中，维持着岁月的尘封。

又过了将近4年，1986年9月13日，香港《大公报》根据何长工的回忆录，发表滕文著《陈济棠让路记》，才使陈济棠与共产党人半个世纪前的秘密真相大白。海外人士方才领悟，邓小平夸赞陈济棠的建树，除了珠海桥、西村水泥厂、中山纪念堂、市政府大楼、中山图书馆、中山大学这些有形物之外，还有这个异常重要的贡献。

三、狭路相逢

中国现代史上，屠杀共产党人最为凶狠的，一是蒋介石，另一便是何键。

大革命时期，两湖的工农运动在其部下许克祥、夏斗寅的屠刀下，备受摧残。工农苏维埃割据兴起后，对苏区的进剿、会剿、"围剿"，回回少不了何键。他颁布"十大杀令"，对苏区人民实行血腥屠杀，反复扫荡。

都把他当做罪大恶极的刽子手去恨了，没想到这个新军阀竟也是打游击出身。

1916年，29岁的何键毕业于保定军官学校第三期步科，分配到湖南陆军第一师。师长赵恒惕嫌他岁数过大，不想接受，后见其体格魁梧，才勉强任命为少尉排长。

何键与蒋介石同岁，皆生于1887年。这年29岁的蒋已做到中华革命军东北军参谋长了，29岁的何键才刚刚出任排长。

如果没有军阀混战，其军旅之途绝非光明。

1918年3月，北洋军阀张敬尧进攻湖南，湘桂联军战败。何键在战斗中连枪都丢了，逃到长沙后，赵恒惕给他一纸手令，叫他去湘东收集溃兵散枪。

他创造性地发挥了赵恒惕的本意。他回到家乡醴陵之后，打起"保境安民"旗号，联络同乡、保定军校同学刘建绪等人，组织起游击队来了。

他看准了时机。对张敬尧在湖南的暴行，当地人民恨之入骨。当时上海《民国日报》报道说："醴陵全城万家，烧毁殆尽，延及四乡，经旬始熄；株州一镇，商户数百家，同遭浩劫；攸县黄土岭一役，被奸而死者，至女尸满山，杀人之多，动以数万"；"人民流离转徙，死不能葬，生不能归"。何键未到前，当地一些青壮年已聚集起来，以梭镖、鸟铳、锄头、竹竿等为武器之行自卫。听说何键组织游击队保卫家乡，便纷纷投效。何键这支山地游击队发展很快，依托醴陵西南险要山地，还多次挫败了张敬尧的进剿。

队伍的迅速扩大，引起退驻衡阳的湘军总部重视。1918 年 5 月 31 日，湘军总司令程潜任命何键为"浏醴游击队司令部"司令兼第一支队队长。

何键做起了 20 世纪湖南游击武装的开山鼻祖。

这位游击司令游击了不到两年便被收编，从此在唐生智部下飞黄腾达。

醴陵以东，即著名的罗霄山脉。后来离当年何键游击区不远的罗霄山脉中段，另一支游击武装迅猛发展起来，震动了整个中国。它的领导人是毛泽东。

当年何键被张敬尧"围剿"，后来何键则加入了对毛泽东的"围剿"。

对何键来说,也许终生最为艰难的任务,就是对红军的“围剿”。

现在他带领湘军布防于湘南良田、宜章间的第三道防线,阻止朱毛红军西进。

湖南有过长沙失守的例子。这在全国各个省会之中,是唯一的一例。得知中央红军向西南方向突围,湖南统治阶层上上下下极为紧张,皆认为数十万蒋军都不能将红军剿灭,现在让湘军完成正面防堵,风险太大。此时不光是何键,连蒋介石也最担心中央红军在湖南重建根据地,与贺龙、萧克部会合。正因考虑到这一招,结果湘军主力集结得过于靠北,在粤汉线南段兵力配置较弱,反而违背了蒋介石的初衷。

由于前述原因,红军通过前两道封锁线很快,致使何键部因时间局促,散于衡阳以南的粤汉铁路、湘桂公路线上各要点的兵力,来不及向湘粤边境靠拢。

何键转而期望陈济棠予以积极配合,设法弥补。

在这种问题上,国民党内部从来是一个靠一个,一个推一个的。

虽然粤军云集粤北边境,但陈济棠不向北面的何键伸出接力棒。周恩来亲自布置红一军团一师抢占郴州以南、坪石以北湘粤两军的接合部白石渡。距白石渡仅数十里的坪石即有粤军重兵驻守,但陈济棠不为所动,不向北面延伸入湘协防。随后红军攻占郴州以南的良田及粤汉线西侧的宜章;尤其是宜章县城,仅有些地方保安队在驻守,这确是湘军防线上的严重漏洞。

何键叫苦不迭。

11 月 15 日左右,红军全部越过良田至宜章间的第三道封锁线。

第四道封锁线是桂北全州、兴安间的湘江防线。

这是蒋介石真正清醒过来、腾出手来布置的第一道防线。

蒋介石对第五次"围剿"的结局想过很多，就是没有想到红军会置经营7年之久的苏区于不顾，贸然突围。在江西全部解决的计划落空了，他只有对身边幕僚说："不论共军是南下或西行、北进，只要他离开江西，就除去我心腹之患。"

从内心深处，他最希望红军留在被围成铁桶一般的江西，等待覆灭。

1934年9月是蒋介石剿共以来最为轻松的一个月。他认定江西围攻的大势业已完成。

国民党的《中华民国史事日志》记载："7月25日，前红军湘鄂赣军区总指挥第十六军军长孔荷宠向驻泰和之剿匪军第七纵队周浑元投诚。"

8月7日，红六军团九千七百余人，在任弼时、萧克、王震等率领下，从江西遂川之横石、新江口地区出发，开始突围西征。

蒋介石迅速把这两件事联系在了一起。他得意扬扬地对部属说："湘赣边红六军团是在西路军围攻下站不住脚才不得已西移的。孔荷宠投降是红军瓦解的先声。"

他认定江西中央苏区的红军已是穷途末路了。

9月2日，蒋介石踌躇满志地严令各路将领，于12月中旬召开国民党四届五中全会前，肃清江西红军。

9月4日，蒋介石电西路军总司令何键：从速绵密构成碉堡线，坚密守备，以防红军向西突围。

这一时期，蒋介石周围可谓捷报频传。

9月11日，北路军薛岳部之第九十、第九十二、第九十三、第五十九师，以堡垒推进之法，向兴国和古龙岗地区发动进攻。

9月中旬，北路军樊崧甫部，从广昌驿前南下攻占小松后，向石城发动进攻。

9月下旬，国民党东路军李延年部第三、九、三十六、八十三师，汤恩伯部第十师和刘和鼎部第八十五师，在猛烈炮火掩护下会攻松毛岭。红九军团和红二十四师激战数天后撤退至汀州、瑞金。

中央革命根据地仅存瑞金、会昌、于都、兴国、宁都、石城、宁化、长汀等县的狭小地区，形势更加险恶。

面对定局，蒋介石把“围剿”之事委托部下，偕宋美龄下庐山去华北视察。

他在察哈尔向宋哲元表示信任，在北平与莫德惠、马占山握手，在归绥接见傅作义及蒙旗德王、云王、沙王，在太原与阎锡山会谈时双方都屏退左右，在西安拍杨虎城、马鸿逵的肩膀。

得意潇洒之中却突然接到南昌行营发来的急电：红军主力有突围模样。前锋已突过信丰江。

蒋介石急忙赶回南昌。此时红军已经突破了第一道封锁线。

红军向南突进的举动，是战术行动还是战略行动？需要作出迅速判断。

难为了刚从华北归来的蒋介石，空中侦察红军动向，也未提供满意的情况。

10月23日，蒋介石给各路总指挥发电，“该匪此次南犯，是否主力或先以一部渡河？”问总指挥们，也是问他自己，叫大家跟他一起思考。

10月25日，蒋以南昌行营名义再发电：“查匪此次南犯系全力他窜？抑仍折回老巢或在赣南另图挣扎？刻下尚难断定。”

他成了热锅上的蚂蚁。红军南窜是否是主力？是否动用了全力？这是蒋估算红军动向的两大疑点。红军声东击西的战术给他印象太深了，他不敢再次上当。

蒋介石把身边的智囊们召集起来，共商对策。

蒋介石的智囊人物中，南昌行营秘书长杨永泰、行营第一厅厅长贺国光、参谋部第二厅厅长林蔚值得一提。

1934年3月蒋介石创设侍从室，就是杨永泰的主意。这是他对蒋家王朝的重大贡献。杨永泰政治经历非常复杂，与各派政治人物如黄兴、段祺瑞、陈独秀、邹鲁等都有不薄的交往。年轻时考中秀才，即逢科举报废；先参加了国民党，后又与人组织民宪党；拥护孙中山出任非常大总统，并当了南方政府的财政厅长，又接受北方政府委任，就任雷州安抚使伪职；先因提倡共和，被袁世凯明令停止议员职务，后因为北洋军阀张目，被孙中山通令缉拿……多年来杨永泰像一条不知疲倦的鱼，穿梭沉浮于政波宦海，硬是在其中熬练出一双敏感的火眼金睛。蒋介石专门把他请来，出任军事委员会的秘书长。

林蔚，参谋部第二厅厅长，具有扎实的军事学及参谋理论功底。早年是孙传芳的部下。平日深含不露，工于谋人，善于度势。统治集团内部皆认为"京官、幕僚、副职"都是无权、无财、无势的苦差事，林蔚长期处于这种地位，毫无怨言。中原大战后蒋介石编遣战败的西北军，他提出"高官少兵"原则，即对归降的西北军将领官可以给得很大，兵却编得很少。蒋介石采纳后，顺利平安地解决了西北军部队，深得蒋赞许。他是蒋解决棘手问题的重要帮手。

贺国光，行营参谋长。北伐前就职于吴佩孚鄂军系列。投靠蒋介石后便交出军权，宣布不再带兵，以做蒋幕僚高参为职业。1928年北伐中，向蒋介石提出"切忌顿兵坚城"的建议，云"我军每城必攻，则将耗费时间，徒增伤亡"；"凡非战略要地，切忌顿兵坚城，不如留置一部监视，大军仍然绕道前进"。蒋按其建议使北伐军绕过敌军坚守的临沂、泰安等城，直取济南获得成功。"围剿"江西红军中所谓“稳扎稳打，步步为营”为方针，也是出于贺国光的心计。

现在必须为蒋最头痛的红军动向和去向问题作出判断了，杨永泰、林蔚、贺国光三个脑袋凑在一起，提出了以下几种可能：

一、由赣南信丰入广东。

二、从赣南经粤湘边境入湘南，重建苏区。

三、先入湖南，后出鄂皖苏区再北进。

四、经湘西入黔、川再北进。

蒋介石认为第一种可能对自己最为有利。红军进入粤境，逼得粤军拼命抵抗，将很难立足；红军、粤军两两相拼杀，蒋将坐收两利。

第二种可能令蒋最为担心。湘南地区即使对当地的湘军来说，也是政治和军事的真空地带。红军入湘后一旦与贺龙部会合，便如漏网之鱼，将不得不重新开始一轮耗时费力的“围剿”。

第三种可能蒋介石认为是当年太平天国北进的路线。政治上威胁较大，但消耗大，红军担负不起。

第四种可能是老谋深算的杨永泰提出来的。他不但提出红军有可能经湘西入黔、川再北进，且进一步提出要考虑红军而后渡长江上游金沙江入川西的可能性。

杨永泰这番估算，对蒋家王朝的重要性决不亚于当初建议组建侍从室。但平素对他言听计从的蒋介石，偏偏这回不屑一顾：“这是石达开走的死路。他们走死路干什么？如走此路，消灭他们就更容易了。”

杨永泰提出的可能，便被放在一边，不予考虑了。

蒋介石的追剿部署，则按照争取将红军压入粤桂、严防红军入湘与贺龙会合的战略意图实施。

而红军最初的战略意图，也是入湘与贺龙会合。

真是国共所见略同。

世间许多事情就是如此奇异。红军认准的方向因为也被蒋介石也认准,全力防堵,便无法成为最终走向。

杨永泰提出的方向,别说是蒋介石,当时红军自己也没有意识到。

又正因为都没有意识到,最终成为了红军真正的走向。

十多年后,当钟山风雨起苍黄,百万雄师过大江时,从凄风苦雨的溪口飞往台湾的蒋介石,不知能否回想起当初杨永泰那番老谋深算的预见。

从蒋介石方面反证,红军长征前的保密工作,是做得相当成功的。所以蒋介石手中即使有了叛逃的中革军委委员孔荷宠,有了为保住性命愿意讲出一切的中共上海局负责人李竹声、盛忠亮,也仍旧对红军形将采取的战略行动一无所知。

不利的一面,是同时也阻碍了广大红军干部战士对这一战略方针的理解。

直到红军突破第二道封锁线后,李汉魂师在延寿之役发现红军一、三、五、九军团番号,几乎与此同时李默庵师占领瑞金,掳得的部分红军资料,蒋介石才最终得出两个结论:

第一,红军的突围行动不是战术行动,而是战略转移;

第二,红军的突围方向不是南下,而是西进。

为时尚不算晚。委员长南昌行营像一台突然获得动力的机器,笨拙而迟缓地转动起来。

蒋介石每隔十几分钟就向行营打电话,催问围堵计划搞出来没有,每次挂电话的声音皆很重。行营上上下下极为紧张。

摔电话声音重,因为他认为出现了一个绝好机会。他怕稍纵即逝，要不遗余力抓住它。

此时红军已突破第二道封锁线，正在向第三道封锁线逼近，进入湘粤桂边境地带。这正是利用粤军、桂军、湘军与中央军联合作战，利用湘桂边境的潇水、湘江之有利地障，围歼红军的大好时机。

他反复踱步中对部下反复说："红军不论走哪一条路，久困之师经不起长途消耗，只要我们追堵及时，将士用命，政治配合得好，消灭共军的时机已到，大家要好好策划。"

对南昌行营制订的中央军与湘、粤、桂军联合作战的湘江追堵计划，从出任的指挥官到动用的部队，蒋介石无不费尽心血。

首先是中央军方面参加追剿的统帅。

蒋介石点将北路军前敌总指挥陈诚。

对蒋来说，陈诚在第五次"围剿"中可谓首功。

陈诚却向蒋推荐薛岳。

其实薛、陈之间，并无多少交往。且薛岳资格老，与陈诚的恩师严重同辈。1927 年北伐军向上海挺进之时，薛岳为第一师师长，严重为第二十一师师长，陈诚不过是二十一师下面一个团长。

使陈、薛接近的，是第四次"围剿"中陈诚空前的失败。

第四次"围剿"中陈诚任中路军总指挥，统帅中央军嫡系 12 个师，担任主攻。但中路军出师不利。先有五十二、五十九两个师被歼，五十二师师长李明负伤被俘自杀；五十九师师长陈时骥被生俘。后又有陈诚的发家部队第十一师在草台岗陷入红军一、三、五军团包围，遭歼灭性打击。师长肖乾负伤，残部撤至黄陂。三个主力师连遭灭顶之灾，蒋介石急得跺脚，说是"有生以来最大之隐痛"，陈诚也几乎被政敌没顶。国民政府军事委员会指责其"骄矜自擅，不遵意图"，给予降一级，记大过一次处分；陈诚系统的第五军军长罗卓英"指挥失当，决心不坚"，革职留任；十一师师长肖乾"骄矜疏失"，记大过一次。

就在陈诚损兵折将、急需帮手的时候，罗卓英、吴奇伟向他推荐了薛岳。

陈诚转而在蒋面前保举薛岳出任第六路军副总指挥兼参谋长。陈诚升任北路军前敌总指挥兼第三路军总指挥后，即让出第六路军总指挥职，保薛岳继任。

第三、第六路军是第五次"围剿"作战中担负战役决战任务的最大的主力兵团。陈诚在宣布薛岳就任第六路军总指挥的军官集会上，还说了一句后来在蒋军官兵中广为流传的话："剿共有了薛伯陵，等于增加十万兵。"

薛岳绰号"老虎仔"，广东乐昌人，作战欲望强烈，战斗作风也颇为顽强。

1927年9月，八一南昌起义的部队退到潮汕，新编第二师师长薛岳奉命协同粤军第十一师师长陈济棠等部阻击，在汤坑与起义军展开激战。薛部4个团都被击败，师部也被包围，全师覆灭在即。关键时刻，起义军叶挺部营长欧震叛变革命，阵前倒戈。薛岳立即抓住机会，与赶来增援的粤军邓龙光部，向其当年好友、共同掩护孙夫人突围的叶挺展开猛烈反攻。

汤坑之战，在南昌起义部队的战史上占有重要一笔。起义领导人的南下广东建立根据地、重新北伐的设想在这里被薛岳和陈济棠击碎。起义军主力第二十四师保存下来的力量很少。最后随朱德、陈毅上井冈山的，是留守在三河坝、未西进汤坑的第二十五师。

这年12月，薛岳又率部参加了扑灭张太雷、叶挺、叶剑英等领导的广州起义。其部第四团连续五次向广州起义总指挥部发动攻击，最终占领了起义军总指挥部，使白色恐怖笼罩全城。

但薛岳素与蒋介石不睦。1927年北伐军进入上海时，蒋介石亲自撤销了薛岳第一军第一师师长的职务。

蒋介石对待与其不睦者，一用金钱，一用大棒。

陈诚则不同。1929 年 12 月，在河南确山前线放走被打败的唐生智第八军军长刘兴就是一例。作为胜利者的陈诚，似乎对生擒敌方主官，以获更大声名兴趣不大。

结果他反而获得了更大的声名。

当然，放走了刘兴的陈诚博得了一个美名，却没有工夫去顾及那些永远埋在战场上士兵的白骨。

但无论如何，在用人方面，陈诚确有过蒋之处。

充当打手为主子消灭异己，属于低等忠诚。

高等忠诚是能为其主化敌为友。

蒋介石从来不乏打手，却缺乏陈诚这样尽心竭力笼络对手，为蒋拉拢反对派不遗余力的人。

张发奎、严重、黄琪翔等人皆反蒋，却皆与陈诚有很深交往。他与他们知心，为他们的一般言行保密，不但不做包打听和告密者，有些时候反而向他们通风报信。

金钱和大棒是蒋介石惯用的武器。陈诚却发现了另一种武器：友情。他通过友情拉拢调解疏导，力促他们拥蒋，实在不行也要中立，尽量不让他们出现反蒋的倾向。

很多时候，友情起到的作用是金钱和大棒都起不到的。

最典型的是薛岳。

对陈诚的一再保举，薛岳自然分外感激，在作战中便特别卖力。尤其是陈诚对信任之人放开使用，为不使其心存芥蒂，还为其担当责任的手法，更使薛岳念念不忘。一个传统的粤籍将领，如此短时间内竟然习惯以中央军嫡系自居，从此对地方军政势力横眉竖眼，在那个拥兵自重、到处割据的年代，实不多见。这也足见陈诚用人方法之老辣。

作为陈诚军事系统的一员大将，薛岳得知红军突过赣南信丰、安远间粤军封锁线后，即以火急电报致北路军总指挥顾祝同和前敌总指挥陈诚，要求率领第六路军负责追剿。这与蒋鼎文的东路军在红军主力撤离后，依然亦步亦趋、向前小心翼翼地一线平推的架势形成鲜明对照；更与张辉瓒死后国民党将领普遍害怕与红军主力对阵的心态对比鲜明。

蒋介石早知道薛岳。当年陈炯明在广州叛变、孙大总统蒙难永丰舰时，身边的两个人，一个是蒋介石，另一个即是薛岳。蒋介石也知道当时自己是从灯红酒绿的上海款款而来，而薛岳则是带领少数警卫，从战火硝烟的广州冲杀出来。

孙中山说那是他一生中最为困难的日子。

眼下既要与日本人周旋，又要"围剿"各地红军，还要对付风起云涌的群众运动，蒋介石也认为这是他一生中最为困难的日子。他也希望就像他当年站在孙中山身边一样，身边也能站上两个人。

已经有了一个：陈诚。

他等待着下一个。

几番思虑，蒋介石同意了陈诚的推荐：以薛岳率领中央军九个师负责追剿。

红军从宁都开始了突围西征，后来叫长征。

薛岳也从兴国开始了跟踪追剿，后来叫长追。

应该承认蒋介石有一个非常敏锐的特点：极其善于捕捉和利用机会。

机会从来稍纵即逝。

在给薛岳的密信中，他说："过去赤匪盘踞赣南、闽西，纯靠根据地以生存。今远离赤化区域，长途跋涉，加以粤、湘、桂边民性强悍，民防颇严，赤匪想立足斯土，在大军追堵下，殊非容易。自古以来，未有流寇能成事者，由于军心离散，士卒归故土；明末李自成最后败亡九宫山，可为明证。”

何止九宫山。他没有对薛岳说出来的是：红军正在进入湘、粤、桂和中央军四股力量可以相向合力的区域以内。

而且前面还横亘着两条大河，潇水、湘江。

蒋介石看到了他围歼红军的理想地点：在潇水与湘江之间。

11月12日，在红军向第三道封锁线挺进之际，蒋介石发布命令：以何键为追剿军总司令，薛岳为前敌总指挥，指挥湘军与中央军16个师77个团追剿中央红军，务须歼灭红军于湘漓水以东地区。

第二天，何键、薛岳根据蒋的命令，制订了消灭中央红军的五路追剿计划：

以湘军刘建绪部四个师为第一纵队，开往湘桂边境依湘江布防，正面堵截红军；

以中央军吴奇伟部两个师为第二纵队，在全州东北方向机动，防止红军北进；

以中央军周浑元部三个师为第三纵队，抢占道县，压迫红军西进；

以湘军李云杰部两个师为第四纵队，在红军行进路线北侧进行追击；

以湘军李韫珩部一个师为第五纵队，在红军行进路线南侧进行追击；

另以中央军三个师另加一个惠济支队机动纵队，由前敌总指挥薛岳兼指挥官，协同吴奇伟部在湘桂公路线上机动，阻止红军北进。

此外白崇禧桂军的两个军，列阵于桂北红军前方，作正面堵截；

陈济棠粤军两个军，列阵于湘粤边境的红军侧后，防止红军回头；湘、桂、粤军与中央军近40万兵力参加这个庞大的追剿行动。

这个蒋介石用摔电话听筒摔出来的追剿计划，用兵方面不无粗糙，用人方面却较为细致。

总司令一职给了何键，薛岳颇为不服，认为率中央军九师之众入湘还要听游击司令出身的人指挥，打电报向陈诚表示不满。

这一点蒋的考虑比薛岳要远。用何键的有利之处就在于，其一，广东的陈济棠、广西的白崇禧皆处于半独立状态，指挥不甚灵便，何键却一直比较听蒋的招呼；其二，作战地域正在转入何键统辖的领域，用人用兵之际，须最大限度发挥湘军力量；其三，何键与李宗仁、白崇禧私交不错，一旦需要湘军入桂，彼此不至猜忌，这一点尤其关键。蒋以为用何键出任追剿军总司令，对湘桂合力封锁湘江、堵住红军最为有利。

他无须知道薛岳的不满，反而告诉薛岳，中央军九个师入湘后皆归何键指挥。

这是蒋介石首次给予地方实力派指挥中央军的权力。

在选定第四纵队李韫珩、第五纵队李云杰担任对红军后尾的追击时，蒋介石也用了一番心思。他知道二李皆是湘南人，所部多系湘南嘉禾、宁远子弟，跟踪追击地形熟悉，可收地利人和之便。

其实总司令何键也好，前敌总指挥薛岳也好，都是空职。何键这个总司令既指挥不了薛岳的中央军，薛岳这个前敌总指挥也指挥不了湘系部队。一切都是蒋介石、陈诚在南昌居中调度、亲自指挥的。

蒋介石一生中不知制订过多少个消灭共产党武装力量的计划，湘江追堵计划也许是其中最为完备的一个。他以薛岳、吴奇伟在红军北侧并行追击，阻遏红军北上；又以李韫珩、李云杰加周浑元在后追赶，逼使红军强渡湘江，然后让红军与关闭湘江的湘军、桂军主力正面冲撞。如果红军果真被封闭，则只有掉头转入桂北或粤北，此时陈济棠的几万兵力正集中在这一带。即使红军能够破门而出，必伤亡十分重大，以薛岳再行尾追可收全功。

总的态势是大军前堵后追、左右侧击，粤、桂、湘军与中央军联合于湘江东岸与红军决战。

在蒋来说，的确是一个相当完备的消灭红军计划。

能否闯过湘、桂军主力布防的湘江门户，成为红军成败的一大关键。

蒋介石要何键做他封锁湘江的半扇大门。

何键以衡阳为门轴，主力向湘桂边境的黄沙河一线展开。11月19日，何键命令：

“第一路追剿司令刘建绪，指挥第十六、第六十二、第六十三各师，第十九师一部，及补充四团、保安团等部，着集结主力于黄沙河附近，与桂军联系，堵剿西窜之匪，并沿湘江碉堡线，下至衡州之东阳渡止，严密布防。”

11月21日，湘军部署完毕。湖南段湘江被封闭。

另半扇大门是广西的白崇禧。

广西境内的湘江，以全州、灌阳、兴安为门户。三重镇构成一个等腰三角形：岭南咽喉全州似三角形的顶点，灌阳、兴安一线拉成三角形底边。桂军廖磊第七军二十四师、夏威第十五军四十四师以三角地带中心石塘圩为核心构筑南北阵地，布成所谓“全、灌、兴铁三角”，作为堵截红军渡湘江的主阵地；另三个师桂军集结于龙虎关以南的恭城地区，随时准备策应铁三角内的战斗。

白崇禧也摆足阵势，在全、灌、兴地区关闭了广西境内的湘江门户。

以何键、白崇禧的合力,能够完全封闭湘江。

这一点也的确做到了。湘江大门在黄沙河、全州一线关闭。蒋介石用湘、桂军联合封闭湘江门户的作战预案,基本实现。

在全州,完成各自布阵的两军主将白崇禧与刘建绪握手言欢。双方交换了各自兵力部署情况,相约共同配合,夹击红军,并具体协调了通信联络等事项。

从战场实景看,红军陷入了明显不利态势,局面极其严峻。

如果不能撞开湘江大门,红军只有掉头转入桂北或粤北。这一带民防组织多,地方军阀统治极严,且白崇禧、陈济棠几万大军虎视眈眈,进入他们老家,必然都要拼老命的,红军将很难立足。

如果红军果真能够破门而出,也必将实力大损。以逸待劳的薛岳再率中央军雷霆万钧地从湘南压下来,突过湘江的红军立即成为背水之势。

能否打开以及如何打开湘江门户,成为红军西征成败的关键,也是全部中央红军命运的关键。

红军正向湘江疾进。

蒋介石赋予中央军的主要任务并不是参加此番决战,主要是执行驱赶。以薛岳、吴奇伟部在红军行进路线北侧,将红军压向南面;以周浑元部插到红军后尾,将红军向西赶。

但恰恰又是关键之处出了毛病,白崇禧、刘建绪组成的湘江大门,其实是虚掩的。

自认为善于用人的蒋介石,失败的主因也在用人。

第一个失误来自追剿总司令何键,其失误于对决战方向的判断。

为湘江之战,何键准备了三套方案:

一、突破第三道封锁线的红军，如果在江华、道县间稍事徘徊，则湘军加中央军主力便从平田、道县一线向南截击，将红军迎头或拦腰斩断，在湘江漓水以东解决战斗；

二、如果红军主力经寿佛圩、新桥、黄沙河一线向西突进，则在黄沙河一带与红军决战；

三、如果红军主力进出永安关、龙虎关，向全县、兴安、灵川之线突进，便由桂军力堵，而湘军以主力包围红军右侧背，与桂军协力歼灭之。

三套方案中，何键以为第二套方案的可能性最大。他与红军作战多年，深知红军善于从两省两军的衔接处钻缝乘隙。黄沙河是湘、桂两省交界处，又是湘、桂两军防务衔接点，所以判断红军选中该点突破的可能性极大。何键指示部下："预期可于黄沙河附近与匪遭遇，即以主力迫匪决战。"

刘建绪按照何键黄沙河决战的设想，展开部署：

令十九师师长李觉率补充第一、二、三、四团及沿江保安第九、第二十一、第二十二等三团共计 7 个团的兵力，固守黄沙河、零陵之线，主力置于零陵；

令章亮基第十六师由祁阳经零陵向黄沙河前进，限 11 月 16 日以前在黄沙河附近集结完毕，与桂军联系衔接；

令陶广第六十二师由文明司经郴县、新田向黄沙河前进，限 20 日前全部到达；

令陈光中第六十三师由大汾、资兴向黄沙河前进，限 21 日以前集结完毕。

这样在 11 月 21 日，刘建绪指挥第十六、第六十二、第六十三师和第十九师一部，及补充四团、保安团等部，在黄沙河附近集结完毕。

何键估算的决战地点，比后来的实际地点偏北了一百多里。

眼前的失误源于过去的失误。

李宗仁19世纪50年代在美国撰写回忆录，把国民党丢失大陆的原因简单归结为二：

一、蒋介石剿共不力，却专门消灭异己；

二、何键部下出了个彭德怀。

说蒋介石剿共不力查无实据，为剿共蒋介石连日本侵略皆置之不顾了，“攘外必先安内”，还不力吗？

对何键的指责却事出有因。

问题出在何键最为风光的高峰。

1927年北伐，称“铁军”的第四军和称“钢军”的第七军久攻武昌不克；唐生智的第八军调上来，何键师利用西门守军久围厌战的情绪，攀城赚开西门首先冲入，然后迎接大部队进城。四军、八军3个小时巷战即将守敌全部缴械，还活捉了湖北督军陈嘉谟和鄂军战将刘玉春。蒋介石连发两电嘉奖：“该江左先遣纵队指挥何键，默运间谋，建树伟绩”，“所有江左部队，并特犒赏洋两万元”。

战后何键出任三十五军军长，从此跻身北伐名将行列。

最为风光之时，克星出现在了三十五军第一师第一团第一营。

第一师是由湖南独立第一师改编过来的。第一团第一营又是该师战斗力最强、军纪最严明的一个营。

营长就是彭德怀。

如果说李汉魂当师长很长时间都不知道林彪是他手下的连长，那么何键当军长时间不长，便知道了他手下的这位彭营长。

两件事。

一件是三十五军成立后，何键怕有军官不听他的话，便请来一个和尚，令准尉以上全体军官受戒。彭德怀偏不听这一套，整个第一师，唯彭营军官皆不受戒。

另一件是何键嫡系戴斗垣旅有人打死农会干部，当地农民聚集于该旅司令部前举行哀祭，彭德怀竟然率全营官兵参加，还在大会上讲话，迫使旅长戴斗垣不得不亲自出来，向农民道歉。

两件事都传到了何键耳朵里。他找到一团团长，说，彭德怀怕是过激党吧？把他调开，给个厘金局局长当，让他多搞些钱，就没有危险了。

彭德怀没有当何键的厘金局局长，他当了共产党红三军团的军团长。

这就是国民党兵败大陆后，李宗仁在美国对何键的指责。

这指责也对何键不公。他对彭德怀非但无丝毫纵容包庇，且二人多次在战场上面对面厮杀，可谓血海深仇。

土地革命战争中国民党军第一个攻下井冈山的，就是何键。而当时防守井冈山的，正是彭德怀。

土地革命战争中红军里唯一攻下省会的，便是彭德怀。而当时防守省会的，恰又是何键。

1929年元旦，何键出任湘赣两省“剿共”代总指挥，用6旅18团兵力，分5路向井冈山发动进攻。规定拿获朱德、毛泽东各给赏洋5000元；拿获李维汉赏3000元；以下不等。

此仗代总指挥何键打得很顺，红五军军长彭德怀打得很苦。

1月29日，何键部王捷俊旅收买游民带路从小路偷袭，使井冈山最重要的哨口黄洋界失守，红五军面临全军覆灭之险。彭德怀率部攀悬崖峭壁，沿猎人和野兽出没的小道用马刀砍树开路。时值严冬，天降大雪，彭德怀干粮袋也丢失了，整整两天粒米未进。

冲破包围的彭德怀最后饥饿疲乏到寸步难行之时，酒足饭饱的何键正在领受蒋介石嘉奖：“迭克宁冈、五井诸要塞，具见该代总指挥等调度有方，深堪嘉慰。”

从此二人冤家路窄。

1930年7月，彭德怀率红三军团猛扑长沙。何键特从湘南返回守城，指挥优势兵力向红军反击。

红军部队后退了，彭德怀亲自守在浏阳河边，下令拆掉浮桥，后退者军法从事，硬是用气势将湘军压垮。

湘军部队后退了，何键亲自到城外雨花亭督战，宣布后退者格杀勿论！

他虽然在长沙城内出示布告："市民住户不要惊慌，本人决与长沙共存亡。"但见红军攻势如排山倒海，湘军溃兵似洪水决堤，自己也两腿发软，连马背都爬不上去，由马弁搀扶逃到湘江对岸。

何键从此最怕曾是他部下的彭德怀。

此番红军突围西进，侦察情报与南昌行营的通报都表明，彭德怀的红三军团仍是突击前锋。

军事行动无不包含有双方指挥者的个性特点。黄沙河决战的部署，有何键对敌手的估算，也有他对自身的斟酌。蒋以他为总司令，主要想让湘军出省作战。但何键却不想出省。长沙丢过一次，让他在国民党军政界失尽脸面，这次无论如何不能再有丝毫闪失。几年来红军剿而不灭，这次是否能堵住红军，何键信心不足。对他来说只要红军不侵入湖南腹地，就是万幸。

所以他要刘建绪集结主力于黄沙河附近，严密布防，完成与桂军的接防便既行停止。

蒋介石精心构筑的湘江追堵计划之实施关键，在湘、桂两军的协同配合。但何键使湘军主力刘建绪部的位置稍稍偏北。

于是真正将与红军迎面的，是刚刚在全、灌、兴地区部署完毕的桂军白崇禧。

白崇禧能全力完成蒋介石的重托吗？

湘江，湘江

一、“老蒋恨我们比恨朱毛更甚”

港澳台一带流行一种说法：中国有三个半军事家，两个半在大陆，一个在台湾。

在台湾的一个，即指白崇禧。1928 年，国民党行政院长谭延闿特写有一对联赠白：“指挥能事回天地，学语小儿知姓名”。

从他在陈济棠面前对红军突围时间和方向的料算，人们就可知道，不仅共产党的杰出军事家们才可以称作用兵如神。

何键与蒋介石同一年出生，白崇禧则与毛泽东同一年出生。他 14 岁报考广西陆军小学校，全省报名应试千余人，只取 120 名，白以第六名录取。16 岁投考广西省立初级师范，又列榜第二名。入学后，屡次考试名列第一，被选为领班生。

这个家境并不富裕的桂林县南乡山尾村人，并不因学习优异就一帆风顺。

班上有个叫何树信的同学，是桂林城里人，嫉妒白的学习成绩，便常以“乡下人”取笑白崇禧和其弟。一日乘白不在，何某又在室内恶言詈骂，白突然归来，问其何事？何在关口上收口不得，便硬起头皮顶下去，对白一声：“呸！乡下人！”白崇禧晚年在台湾回忆起这一幕时说道:“我不禁大怒,以为大丈夫不能受辱,狠狠地将何打倒地上,再踢他两脚以示惩罚。此为我做学生以来第一次打架。”

首先动手打人,事情闹大了,被告到校长那里。许多同学劝他千万不要向校长承认打倒何某,至少不要承认先动了手。白一意孤行,不听劝阻。他不向校方解释求饶,而是收拾行李准备回家,并告其弟留下好好学习,不要牵挂,大有一副檐下不低头的气概。后来同学推举代表向校长陈情,校方也查出事出有因,未开除白崇禧学籍,给了一个记大过处分了事。

白崇禧的这种秉性,以后每每表现出来。1919 年白崇禧任桂军模范营连长,赴左江流域剿匪。广西因为连年沿用招安政策,结果匪势日张,形成“卖牛买枪”,“无处无山,无山无洞,无洞无匪”的局面。模范营招到土匪 200 名,白崇禧力主将其中的 80 名惯匪就地枪毙,以绝后患。时广西军阀陆荣庭自己就是被招安的土匪出身,闻讯大怒,坚决不许。白主意已定,独断独行。他让这 80 名匪首回家过节 3 天,严令按时归营。待归来后便说他们在外行为非法,辜负优待,用伏兵将 80 人一一逮捕,立即正法。同时向上速报夜间匪徒抢枪谋叛,事起仓促,不及请示,用紧急处分将其全部处决云云。陆荣庭面对既成事实,也万般无奈。

从此广西对土匪的招安政策,改为进剿政策。

白崇禧这种秉性,在后来和蒋介石的关系中多次表露出来。

他与蒋之间曾有过很好的配合。因白崇禧在统一广西中表现出来的军事才能,北伐伊始,蒋介石点名要他出任总司令部参谋长。白以负责重大不敢接受,李宗仁也认为广西部队要人指挥不愿放人;蒋坚持力争,甚至说借用数月,待攻下武汉必定归还,方才谈妥。

攻下武汉后,蒋之嫡系第一军第一师王柏龄、第二师刘峙在浙江作战失败，何应钦又被困于福建战局，蒋又以白崇禧为东路军前敌总指挥，白又毅然前往，克杭州，逼上海，连战连捷。

1927年的“四一二”反革命事变，则是蒋、白配合的高峰。蒋在上海下定“清党”决心，白则出任上海戒严司令；蒋发表《清党布告》《清党通电》，白则在上海用机关枪向工人队伍扫射；当时莫斯科百万人大游行抗议上海的白色恐怖，在“白”字下面，特地注明是白崇禧。

高峰之后，便是下坡了。而且因为成峰太陡，所以下坡也很陡。“四一二”事变后仅4个月，白崇禧就与何应钦、李宗仁联合，迫蒋第一次下野。后来蒋桂战争、蒋冯战争、蒋冯阎大战、宁粤之争，只要是反蒋，就少不了白崇禧的身影。

白反蒋，蒋同样反白。1929年3月唐生智东山再起，白崇禧在北方无法立足，在一片打倒声中化装由塘沽搭乘日轮南逃。蒋介石获悉，急电上海警备司令熊式辉“着即派一快轮到吴淞口外截留，务将该逆搜出，解京究办”。

蒋介石必欲除之而后快之心情，溢于言表。

后来亏得熊式辉的秘书通风报信，白崇禧方得以逃一命。

白、蒋关系是民国史上的一只万花筒。战场上同生共死的关系瞬间就变成兵戎相见的关系；政坛上相依为命的关系眨眼就转为你死我活的关系。

但蒋介石那个庞大的湘江追堵计划，还是必须用白。桂军战斗力极强，又有白崇禧的头脑，很可能要唱主角。

用人先给钱，这是蒋的惯例。随即有飞机给白崇禧急送两个军、三个月的经费，及作战计划、密电本等，并附电报一封：“贵部如能尽全力在湘桂边境全力堵截，配合中央大军歼灭之于灌阳、全县之间，则功在党国。所需饷弹，中正不敢吝与。”

白崇禧亦回复：“遵命办理。”

双方好言好语，彬彬有礼。

白崇禧倾桂军全部两个军于桂北边境，以第十五军控制灌阳、全县一带，以第七军控制兴安、恭城；自己也带前进指挥所进至桂林；弹指之间，撒开在湘江一带的大网形成。桂军完全一副在全、灌、兴之间与红军决战的架势。

但白崇禧还多了一个心眼儿。他在调动大军的同时出动空军，名曰侦察红军行踪，实则侦察蒋军的行动。与蒋打交道多年，他太了解此人了，所以一直怀疑中央军想借追踪红军之机南下深入桂境。

桂系的主要原则，依然是防蒋重于防共。

果然空中侦察报告：蒋军以大包围形势与红军保持两日行程，其主力在新宁、东安之间停止不前，已有7日以上。

既然说是消灭红军的大好时机，中央军薛岳、周浑元为何不积极追剿？

桂军的飞机飞回来了，从空中给白崇禧的头脑里画出一个大大的问号。

白崇禧与薛岳是老熟人，也是老对头。1927年发动“四一二”事变前，就是白崇禧向蒋介石提议，撤销思想左倾的薛岳第一师师长职务。当时白崇禧作为东路军前敌总指挥，自认为了解薛岳那个葫芦里卖的什么药。

如今薛岳是追剿军前敌总指挥，其麾下中央军九个师行行止止，葫芦里又在卖什么药呢？

正焦急之中，桂系设在上海的秘密电台又发来电报称：蒋介石决采用杨永泰一举除三害之毒计，一路压迫红军由龙虎关两侧进入广西平乐、昭平、苍梧，一路压迫红军进入广东新会、阳春；预计两广兵力不足应付，自不能抗拒蒋军的大举进入。如此则一举而三害俱除，消灭了蒋的心腹大患。

发电人是王建平，广西平乐人，白崇禧保定军官学校同学，与白私交甚厚。其已混入蒋军中央参与机要，不断为白搜集情报，经常住在上海。

白崇禧看过王建平这封电报，连呼："好毒辣的计划，我们几乎上了大当！"联系薛岳将主力置于新宁、东安，只与红军后尾保持接触，意在驱赶而不在决战，趋势恰好与王建平电报吻合，便决定立即变更部署，下决心采纳幕僚刘斐的建议：对红军"不拦头，不斩腰，只击尾"；让开正面，占领侧翼，促其早日离开桂境。

台湾《中华民国史事日志》记载，1934年11月17日，"白崇禧赴湘桂边布置防务。"

他不是去布置战斗的，而是去布置撤退的。

当时桂北龙虎关一带，桂军动用了无数民夫抢修公路桥梁，彻夜不停，妇女小孩也都加入。白崇禧在平乐开会布置坚壁清野既防红军又防蒋军的当晚，下达了转移大军于龙虎关的命令。

首先除固守龙虎关阵地外，命令永安关、清水关、雷口关的警戒部队撤退，并将工事星夜挖去，让红军从龙虎关以北各关通过桂北。

第二是命令防堵红军的中坚、部署于全灌兴铁三角核心阵地石塘圩周围的四十四师、四十二师撤至灌阳、兴安一线，变正面阵地为侧面阵地，改堵截为侧击。

第七军集结恭城。灌阳至永安关只留少数兵力。全县完全开放，只留民团驻守。

在这一系列动作之后，桂军的布阵出现了关键性变化。

全州为桂北重镇，中原入岭南之咽喉，历来兵家必争，白崇禧对此地十分熟悉。辛亥革命那年他 18 岁，报名参加广西北伐学生敢死队。家人知道后到桂林城门口把守，要拉他回家。他换上便衣从西门溜出绕了两座山才追上队伍。敢死队行军至全州，白崇禧与多数同学的脚皆被草鞋磨被，脚底也被路石硌伤。但这伙青年人咬紧牙关，一直走到汉阳，加入南军阵营。

这回白崇禧又来到全州，再不似当年投奔敢死队磨破了脚板，他这回是来脚底板抹油——要溜的。

白崇禧原来沿湘江部署的南北阵形，恰似一扇在红军正面关闭的大门。现在突然间被改为以湘江为立轴的东西阵形，似大门突然打开。尤其是全、灌、兴三角地带之核心石塘的放弃，更是令千军万马、千山万壑中出现了一道又宽又深的裂隙。

据湘军记载，桂军放弃全、灌、兴核心阵地的日子是 1934 年 11 月 22 日。

此时红军前锋距桂北已经很近。

桂军中有人提出，如此部署，红军主力一旦由灌阳、全县突入，夏威的十五军支持不住，湘江防线必然有失。白愤然回答："老蒋恨我们比恨朱毛更甚，这计划是他最理想的计划。管他呢，有匪有我，无匪无我，我为什么顶着湿锅盖为他制造机会？不如留着朱毛，我们还有发展的机会。如果夏煦苍（夏威别号）挡不住，就开放兴安、灌阳、全县，让他们过去，反正我不能叫任何人进入平乐、梧州，牺牲我全省精华。"

这就是白崇禧的基本观点。对他来说无所谓大门的开关。总共 18 个团的兵力，不论面对 5 个军团的红军还是面对 9 个师的中央军，他只能钉成一块门板。对红军关上湘江大门，就对蒋军敞开了广西大门。对蒋军关上广西大门，便又对红军敞开了湘江大门。

本是个两难选择。但王建平那封发自上海的电报，使白崇禧一瞬之间明白了一条辩证法：关就是开，开就是关。

于是他毫不犹豫把关闭湘江的那扇门板拉过来，屏护恭城、桂林。

完成这些布置后，白崇禧才带着刘斐去全州会刘建绪。

刘建绪与白崇禧握手时，以为湘江防线业已被湘、桂两军衔接封闭。未料想恰是此时，桂军那扇大门却悄悄敞开了。

二、就蒙一个蒋介石

陈济棠的让路，和白崇禧的让路，长期处于历史迷雾之中。

陈济棠与红军的秘密谅解，为双方高级领导人物所知。有过谈判。有过记在笔记本上的协议。有过比协议更加重要的双方默契。

白崇禧迹近让路的行动却是个真正的谜。直到何长工回忆录发表、陈济棠让路大白于天下之时，研究中共党史的人们还在猜测判断白崇禧当年的动机，甚至怀疑他与红军也有秘密谅解。

美国人索尔兹伯里写了一本《长征——前所未闻的故事》。他说“有证据表明，同桂系军阀白崇禧和李宗仁之间存在一项谅解”，并举出两人为证。一位是红军第一个历史学家徐梦秋在 1938 年谈到，广西首领“答应开放一个区域”，即湘江的界首到全州之间数十里宽的一段走廊；另一位是著名党史专家胡华。胡华 1984 年对索尔兹伯里说，“关于走廊的说法是有根据的”，否则红军不可能在湘江坚持一星期之久。

到底有没有什么“秘密安排”使红军得以顺利渡过湘江，索尔兹伯里说：“对这个问题，我一直在探索”，却一直没有探索出个所以然来。徐梦秋、胡华、索尔兹伯里先后去世，白崇禧当年一连串不寻常的突然调动在全、灌、兴铁三角留下的防务空白，一直成为中国革命史上的一段空白。

没有谜的历史，是索然无味的历史。

历史的解谜过程，又往往容易弄成将谜底复杂化的过程。

布置湘江防务的时候，白崇禧和刘斐曾到兴安对十五军军长夏威和参谋长蓝香山半开玩笑半认真地说："谁给红军送个信，说我们让一条路任其通过。"衷心话隐藏在了笑话之中。

没有人去送这样的信。白崇禧与红军之间没有任何协议与默契，有的只是对自己利益的精心布置和安排。剩下的，就靠彼此心照不宣了。

白崇禧有意收缩，刘建绪却无力补漏。

为精心策划的黄沙河决战，何键连后方医院都作好了准备。除各作战单位原有卫生机关外，他特在黄沙河的后方零陵增设一个兵站医院，而在郴州的另一所医院，"预定至黄沙河决战时期，令其向零陵转移开设"。

大战地点却不在黄沙河。

何键 11 月 22 日接到白崇禧那封关键性电报：因红军攻击贺县、富川，全州、兴安间主力南移恭城。所遗防务，请湘军填接。

何键叫苦不迭。刘建绪部 21 日刚刚在黄沙河一线集结部署完毕，白崇禧一抽屁股，闪出近二百里湘江防线，如何填接？桂军向腹地收缩，要湘军深入桂境协防，湘境出现漏洞，谁来填接？

桂北永安关、清水关、雷口关桂军的撤退，使红军先头部队快速通过灌阳以北各关，朝空虚的石塘圩一带猛进，前锋直趋桂境湘江。

何键精心构筑的黄沙河决战设想瞬间泡汤。

此时湘军在最接近全州的黄沙河一线，为章亮基的第十六师及李觉率领的4个补充团；陈光中第六十三师刚刚到达东安；陶广第六十二师25日才能到达黄沙河；薛岳所部24日方集中零陵，且疲惫至极。

11月23日，何键电令刘建绪："着第一路沿湘水上游延伸至全州之线与桂军切取联络，堵匪西窜。"

11月25日，再电刘建绪、薛岳："着第一路追剿司令刘建绪指挥所部，担任黄沙河(不含)至全州之线，置重点于全州东北地区"；"着第二路追剿司令薛岳指挥所部，担任零陵至黄沙河(含)之线，集结主力于东安附近，并策应第一路"；"第一、第二路，均限明晨开始行动"。

自从电波作为人类通信工具以来，一种崭新的电报语言便脱颖而出。当最复杂的感情也须用最精练的语言表达之时，只言片语的细微差别，便包含了只有当事人才能清楚的可能要拥抱或可能要拔枪的含义。

何键让刘建绪与薛岳梯次衔接、逐步推进的方法，意思很明显：湘军可以入桂境接防。但接防地点是全州，不是兴安。湘军的江防可从黄沙河向全州延伸70里，但决不再向兴安方向前进，去"填接"桂军留下的那一百多里空隙。湘江防堵计划南昌行营早有安排，一旦有漏，责任不在他何键。

白崇禧耍了滑头，红军根本没有"攻击贺富"。林彪红一军团仅以一部佯向龙虎关运动，摆出进击恭城、平乐的架势，白崇禧立即抓住作为退兵的理由。

何键在这里也耍了一个滑头。他11月22日就接到白崇禧撤防的电报，23日电令刘建绪准备南移接防，却让部队26日才开始南移，且反复叮嘱刘建绪不要伸过全州。事后却对蒋介石说，红军"阳攻黄沙河一线"，刘建绪部集结时间过于紧张，虽然"星昼南移"，也来不及在湘江的全州至兴安段全线布防。

欺骗老蒋的，决不止一个白崇禧。

白崇禧撤防，何键不补，就把一个蒋介石蒙在鼓里。

蒋介石精心构筑的湘江线突然出现一个硕大的漏洞。

湘江渡口门户洞开。

走在中央红军全军最前列的红一军团便衣侦察队，连续发回前方无大敌的报告。红一军团林彪立即决定采取“两翼分割，中间突破”的态势向湘江兼程猛进，从白崇禧的“全、灌、兴铁三角”地带无阻拦地大踏步穿过，突破封锁线。

此时还出现了一个极好机会。

红一军团侦察科长刘忠率领军团便衣侦察队从界首悄悄渡过湘江，抵达全州城附近实施侦察时，发现全州尚是一座空城。城内仅有桂军一个民团，惊慌失措，战斗力很弱。湘军接防部队尚未到达。

谁占领全州，谁就在湘江作战中占据有利地位。刘忠立即建议在对岸附近的一军团二师五团从速过江，占领全州。

刘忠曾在五团当过政委。这是一支能打的部队，反“围剿”作战中曾荣获中革军委授予的“模范红五团”称号。

但现任团长陈正湘做不了主。率领五团的是二师参谋长李棠蒡。李棠蒡觉得应该听候军团指挥部命令。先要报告军团指挥部，待命令再行动。

有兵贵神速之说，也有三大纪律八项注意第一条“一切行动听指挥”。到底怎么掌握，皆在指挥员自身。再说哪一个指挥员不想把握军机？

但军机却稍纵即逝。

待军团司令部“渡过湘江，占领全州”的命令下达，全州已被刚刚赶上来的湘敌占领。追剿军第一纵队司令刘建绪27日下午5时，已经向其部属发报“予在全县”，下达一系列战斗命令了。

李棠萼只好指挥五团抢占觉山铺，紧急构筑面向全州的防御阵地。

敌方出现的矛盾与失误给我们造成极其有利的机会。我方发生的失误，又使一些极好的机会重新失去。红军在湘江之战中之所以损失巨大，中央纵队过于笨重缓慢、未能有效利用湘江缺口是其一，红一军团二师五团未能坚决抢占全州，也是其一。

刘建绪后来向红一军团阵地发起一次又一次猛烈的冲击，就是利用全州这个前进基地。如果当时红一军团二师五团果断占领全州，一军团对湘军的防御态势无疑将大为改观。林彪还用在11月30日晚向中央发出那封“防线动摇万分危急”的电报吗?

刘忠晚年离休后，写了本回忆录《从闽西到京西》。提及50年前红二师参谋长李棠萼贻误战机、失去控制全州的机会，仍然感叹不已。令他动情的不仅仅是个人失误，更是在这一失误背后付出了多少战友鲜血和生命的代价。

薄薄的回忆录印刷粗糙，错别字不少。这位1955年授衔的中将自己一个字一个字地改、一本一本地改。改完后用纸把书包好，送到国防大学图书馆，布满老年斑的手一遍遍抚摸着封面，用难懂的福建口音反复叮嘱要好好收藏。

图书馆人员礼貌、客气，也好奇这位穿深蓝色便服的老人对一本小薄册子如此执著与认真。

“九一三”事件之后，刘忠受到林彪问题牵连。

当年林彪的红一军团是长征先锋。刘忠的便衣侦察队是先锋的先锋。

望着这位衰弱蹒跚的老人背影,你能想象出,他曾是走在红色狂飙最前面的人吗?

就在湘军、桂军与中央军互相将最严重的作战任务推来推去的时候,中央红军却在疾进途中表现出一种顽强的整体性。

一军团一师掩护中央纵队渡过潇水后,按林彪命令应该迅速向湘江前进,与军团部会合。但后卫五军团还未赶上,潇水一线形成缺口。彭德怀立即命令一师停止前进。他对一师师长李聚奎说,不能给敌人留下空隙,一师不但现在不能走,而且三军团六师还要暂时归你一师指挥,其他问题我同你们军团司令部联系说明。

一师按照彭德怀命令继续防守潇水西岸两天,打沉追敌一批又一批渡船,有效地阻敌前进,保障了红军后尾。

11月27日夜,一军团二师渡过湘江,占领界首,三军团四师也随即到达。二师向纵深发展,四师奉命接防。原想按一军团原先的阵势在湘江北岸布防,林彪说不可,四师不要摆在二师原来阵地上,要过江回去,在南岸构筑防御阵地,防止桂敌侧击。

四师师长张宗逊、政委黄克诚按照林彪意见在南岸布防,很快就与赶上来的桂敌接火,一打就是两天两夜,使界首渡口牢牢控制在我军之手。

彭德怀指挥了一军团的部队,林彪指挥了三军团的部队,皆指挥得十分关键。

一军团一师若不按照彭德怀命令坚守潇水,中央纵队在湘江一带便要被追敌迫近两天时间,湘江之战中红军的损失不知还要增加多少。

三军团四师若不按照林彪命令在南岸背水布防,界首渡口必在桂军突袭下很快丢失，红军大队就将在湘江被追敌切断。

虽然面对的并非自己属下部队，但他们的命令在未加思索之中便做出了。

未加思索，是对指挥关系、人事关系的未加思索。

它来源于对敌情和形势更准确和更深刻的思索。

从界首至屏山渡，蒋介石精心构筑的湘江防线被撕开一个宽60里的缺口。

11月27日，就在林彪占领界首的同一天，刘建绪进占全州。

红军突击先锋与湘军堵截主将，各自使自己的军事机器高速运转起来。

一军团过河部队连夜向纵深前进，与三军团部队一道，迅速控制了界首到觉山铺一线30公里渡河点。林彪爬上山头上看地形，决定以觉山铺一带4公里长的山冈线作为阻击主阵地，并立即部署二师部队进入阵地构筑工事。

刘建绪下午5时便在全州下达一系列命令：章亮基师出全县沿飞鸾桥、桥头之线占领阵地，待机出击；陶广师即集结五里牌待命；陈光中师主力即集结太平铺待命；李觉部迅即集结全城西北端待命；炮兵营归章亮基指挥，即在大石塘附近选定阵地，测定射击距离。

后续湘军源源到来。

恶战在即。

三、枪林弹雨中的一军团

最先动手的不是迎面扑将上来的刘建绪，却是抽身闪出通道的桂军白崇禧。

11月28日，蒋介石怒气冲冲地给白崇禧发了一封电报：

“共匪势蹇力竭，行将就歼，贵部违令开放通黔川要道，无异纵虎归山，数年努力，功败垂成。设竟因此而死灰复燃，永为党国祸害，甚至遗毒子孙，千秋万世，公论之谓何？中正之外，其谁信兄等与匪无私交耶？”

话说到了如此严重的地步：“其谁信兄等与匪无私交耶？”

读电报的白崇禧一身热汗，然后一身冷汗。

1927年白崇禧奉蒋命去东路军任前敌总指挥，恰逢夫人马佩璋按约定前来。夫人未到，白已出发。蒋立即致电云：

兄出发之次日，嫂夫人即前来。夫妇不能相见，此中正之过也。

曾几何时之难兄难弟，现在却当千刀万剐了。

接蒋电同日，桂军对红军发起攻击。

于是人们便认为这封电报是白崇禧攻击红军的缘由。

其实有无这封电报，桂军的攻击日期也早定好了的。

一个白崇禧带出一小批白崇禧。放开“铁三角”之初，在灌阳的桂军十五军根据对当面红军行军速度的观察计算，从11月23日夜红军入清水关算起，算上红军为避空中侦察昼伏夜行的习惯，估计要5夜才能通过完毕。

“不拦头，不斩腰，只击尾”的战略已定，但还存在击大尾还是击小尾的问题。

桂军同时制定了两个方案。

第一案：于红军通过第四日夜出击，十五军三个师全部展开，截击红军后尾；

第二案：于第五日夜出击，只在新圩展开一个师，截击红军最后一小部。

十五军军长夏威主张击大尾，采用第一案；第七军军长廖磊则主张击小尾，采用第二案，在电话上两人争论起来。

白崇禧作决断。他一句话“在新圩用一个师就行了”，便决定了第二案。

28日，桂军日历上红军通过的第五天，十五军王瓒斌师在新圩投入战斗。

白崇禧的对手，是红三军团彭德怀。

11月28日，桂军十五军王瓒斌师向新圩的三军团五师发动进攻，激战两个昼夜。五师损失重大，师参谋长胡浚、十四团团长黄冕昌先后牺牲。

29日，桂军复与背水为阵的三军团四师在界首南光华铺发生激战。30日，十团团长沈述清阵亡。彭德怀命杜中美接任团长。当日杜中美又牺牲。一日之内一个团牺牲两位团长，三军团部队此前还未经历过，战斗激烈程度可以想见。

三军团六师的十八团则被桂军围于湘江东岸，全团覆没。

三军团四师政委黄克诚后来回忆说：“自开始长征以来，中央红军沿途受到敌人的围追堵截，迭遭损失，其中以通过广西境内时的损失为最大，伤亡不下两万人。而界首一战，则是在广西境内作战中损失最重大的一次。”

虽然采取的是“击小尾”，桂军也给红军造成了很大伤害。

白崇禧晚年在台湾回忆这一幕，则另有一种说法。他说：

检讨这次战役如刘建绪之部队能努力合作，战果更大。当刘部甫入全州，我们为尽地主之谊，特备酒肉款待，望其饱食之后，协助共同作战。我们派飞机侦察刘部是否行动，驾驶员回来，很怨愤地说："他们不在剿共，而在'抗日'。"原来刘部架着枪在睡觉，驾驶员说的日不是指日本，而是指太阳。

说刘建绪没有完成协防而在睡大觉，在台湾可以死无对证。但大陆还有当年白崇禧的高参刘斐。刘斐的回忆证明，白崇禧有意说错了与刘建绪在全州相会的情景。当时他曾对刘斐反复叮嘱："见到刘恢先(建绪)时，千万不能把我们这一套完全告诉他"；他怕刘建绪知道桂系放弃全、灌、兴核心阵地的意图后，会向蒋告密讨好。见面后白崇禧亲口对刘建绪说，广西方面遵照中央意旨，准备在全、灌、兴地区由南向北配合中央军歼灭红军，希望湖南方面由正面合围。

对这些，白崇禧在台湾缄口不言。

可以想见，在台湾的白崇禧也只有这样写。"贵部违令开放通黔川要道，无异纵虎归山。"当年老蒋那封声色俱厉的指责电报，白崇禧不会忘记。他必须想尽一切方法洗刷与解脱，证明自己从未如此。

当然如果晚年住在了大陆，回忆录肯定就是另外一种写法了。

白崇禧回忆录中并非没有实话。例如"共军所经过约60公里正面，找不到颗粒粮食"说法就是实话。

但为什么找不到颗粒粮食的"全、灌、兴铁三角"60公里正面也找不到桂军士兵，白崇禧却对谁也没有说。

至死如此。

公平地说，被白崇禧指为作战不力的刘建绪，在湘江之战中异常勇猛。

他的对手，是红一军团团长林彪。

11月29日，刘建绪连接何键两封电报：

十一月艳戌电令：刘总司令建绪：

奉委座俭亥电：责令务于湘漓以东，四关以西间地区，将匪军歼灭。我军奉命追剿，责无旁贷。无论如何，应使匪军主力，不致由全、兴间窜逃。甚望激励将士，努力从咸水席卷匪之右翼，压迫于湘水以南地区而聚歼之，为要。何键。艳戌总参机。

十一月艳戌电令：刘总司令建绪：

据空军本日报告：莲花塘、大福桥、石塘圩、铁路头、大岭背一带各村落中，发现多数匪军。……判断匪循肖匪故道西窜，已甚明显。仰饬五五旅固守梅溪口，遏匪北窜，截匪西窜，并督率主力，务于全州、咸水间沿河乘匪半渡而击灭之，为要。

刘建绪像一台加足马力的战车，猛然起动了。

刘建绪是湘军著名悍将。刚刚进入全州，就给其麾下各部队指挥官斩钉截铁地通报："予在全县"，大有一副"一切由本长官负责"的架势。

他在军界中资历不浅。陈诚是保定军校八期生，叶挺是六期生，刘建绪则是三期生，1914年即进入保定军官学校。近代战争中火炮猛烈，中国又一直吃亏于列强的坚船利炮，蒋介石入军校报名学炮兵，陈诚也学的是炮兵，刘建绪学的同样是炮兵。他与何键关系颇深。两人既是醴陵老乡，又是保定三期同学，回到家乡又一起搞游击队。何任游击支队长，刘任营长；何为旅长，刘任团长；何出任军长，刘任师长，刘建绪成为何键的左膀右臂。北伐军攻克武昌何键师率先打开武昌西门时，第一个冲进城的部队，就是刘建绪旅。何、刘关系，一目了然。

收到何键两封电报后，刘建绪命令湖南代保安司令李觉指挥十六师全部、补充总队4个团，陈子贤旅（欠一团）及山炮一门，步兵炮两门，除以一团固守寨墟外，其余沿全兴公路攻击前进。以第六十三师一部接补十六师阵地，第六十二师为预备队，位置于全县西北地区。

红一军团面临的压力巨大。午刻，湘敌攻抵带子铺附近。鲁板桥、锄头田、带子铺、勾牌山、马鞍山一带红军前沿阵地纷纷被攻占。红二师前沿部队在敌军优势炮火下，一步步退向觉山铺核心阵地。

只有沙子包、田心铺之线仍在我手，与敌相持。

30日，红一师完成潇水阻击任务后赶到。林彪令其不顾疲劳，立即进入觉山铺阵地，在米花山、怀中抱子岭一线设防。

觉山铺是个有二十来户烟火的小村庄。桂黄公路与湘江南北平行，两侧夹着许多小山岭，觉山铺就处在山与路的交汇处。只有控制住它，才能保障界首渡口掌握我手。

当天战斗在全线打响。

后来很多记述这场战斗的文章说全州之敌倾巢出动。红军以5个团对付刘建绪和薛岳4个师16个团的猛扑。

其实薛岳部没有上来，刘建绪也没有倾巢出动。30日担任攻击的，还是29日那些湘军部队：湘军第十六师，和李觉率领的那4个补充团。

据湘军战斗详报记载，11月30日拂晓，十六师以第四十八旅附第九十三团共4个团，向邓家桥、田心铺一带进攻。师长章亮基指挥第四十六旅三个团附山炮一门，步兵炮两门，沿全兴公路向沙子包、觉山铺一带进攻。李觉率4个补充团沿公路跟进策应。

共11个团兵力，就攻防来说，其优势并不是很大。这里需要特别提一下湘军前线总指挥、湖南代保安司令兼十九师师长李觉。

李觉比林彪大7岁，湖南长沙人。军校毕业后投入湘军第一师任排长。他所在的部队是土匪收编过来的部队，生活作风非常腐败，士兵毫无纪律可言，根本不把李觉这个嘴上没毛的学生官放在眼里。团长唐生智便给李觉出主意说，把老姜烧热了烫嘴唇，便可以烫出胡子来。李觉信以为真，如法炮制，非但没有烫出胡子，反而在部队中闹出了笑话，却又因此被周围人认为老实憨厚，赢得了士兵们的好感。

从此李觉以唐生智为榜样，不摆架子，不怕吃苦，和士兵们一同作劳役，一同玩游戏，建立起良好的感情。

这就是唐生智湘军战斗力的基础。

1921年夏，吴佩孚由水路进袭岳州，唐生智的第二旅被四面包围。李觉生平第一次历经这样艰险而激烈的战斗，未免有些惊慌失措。他看到唐生智总是进攻在前，退却在后，始终不离开战斗前沿，不禁深受感动，于是自动请求和唐旅长一同断后。唐生智问他："你不怕了?"李觉答："旅长不怕，我怕什么?"

自此，唐生智对李觉十分器重，亲自选派他赴保定军官学校深造。毕业后又由唐本人亲自撮合，与唐部骑兵团团长何键的大女儿何玫在长沙结婚。从此李觉作为何键长门女婿，唐生智亲手带出来的军官，在湘军中具有了双料优势。蒋介石搞全国军队整编，湘军军改师，师改旅，所有军官皆降一级使用，偏偏李觉却由团长晋升为旅长。1930年冬，出任十九师师长，是湘军中最受何键信任的人物。

向全州方向派去了左膀右臂刘建绪，又以长门女婿李觉做攻击先锋，可见何键对湘江之战下注之重。

李觉跟唐生智学到的一套带兵办法，较得士兵信任；且又有何键女婿的身份，使同是师长的章亮基也不得不唯命是听。加上李觉本人头脑机敏，作战顽强，这一切立刻在红一军团防守的阵地当面表现了出来。

30日刚刚上来参加防守的红一军团一师米花山阵地，当天就被突破。紧接着二师的美女梳头岭也失守。一师向西南方向后退。李觉指挥湘军三面夹击二师五团防守的尖峰岭。轮番冲锋，倒下一批，又冲上来一批，入夜攻势仍然不停。五团政委易荡平身负重伤，为不当俘虏，用警卫员的枪对着自己头颅扣动了扳机。五团尖峰岭阵地失守。二师主力只得退守黄帝岭，与强攻不舍的湘军拼杀得惊天动地，阵地前后，到处是红军指战员的遗体。四团政委杨成武也身负重伤。湘军采取迂回战术，派部队向二师侧后运动，二师只得后撤。

这是红一军团从未经历过的最残酷战斗。

林彪也为眼前的战局深感震惊。

一军团过去应付过无数困难的局面和包围，但总能先敌自主决定自己的意志，取得支配战局的主动地位。现在眼见军团部队处于敌人迂回包抄之中，还需要像钉子一样坚守阵地，自己的野战机动性全部失去。如此窘境，林彪头一次遇到。

长征路上林彪有两次最为紧张。第一次就是掩护中央纵队强渡湘江。

几天来，前后方的来往电报都标明“火急”、“十万火急”；但后方对催促前进的回答却总是“中央纵队向湘江前进”、“中央纵队接近湘江”，仍然携带着几十个人才抬得动的山炮、制造枪弹的机床、出版刊物的印刷机、成包成捆的图书文件、整挑整挑的苏区钞票……还在以每天20公里的速度前进。

11月30日深夜，在觉山铺的军团长林彪、军团政委聂荣臻、军团参谋长左权彻夜未眠，对着摇曳的马灯反复思虑了几个小时，给中革军委拍发了一封火急电报：

朱主席：

我军如向城步前进，则必须经大埠头，此去大埠头，须经白沙铺或经咸水圩。由觉山铺到白沙铺只二十里，沿途为宽广起伏之树林，敌能展开大的兵力，颇易接近我们，我火力难发扬，正面又太宽。如敌人明日以优势猛进，我军在目前训练装备状况下，难有占领固守的绝对把握。军委须将湘水以东各军，星夜兼程过河。一、二师明天继续抗敌。

这就是那封著名的“星夜兼程过河”电报。之所以著名，因为局面已到千钧一发之际。向来披坚执锐的红一军团，对自己的战斗能力还能支撑多久已经发生动摇。

这封电报给中革军委带来极大震惊。行军过程中前后左右不间断的枪炮声，使中央纵队和军委纵队的人们已经明白局面的险恶。但未料想险恶到如此程度。

接到一军团火急电报，12 月 1 日凌晨一时半，朱德给全方面军下达紧急作战令，其中命令“一军团全部在原地域有消灭全州之敌由朱塘铺沿公路向西南前进部队的任务。无论如何，要将汽车路以西之前进诸道路，保持在我们手中”。

两小时后 3 时 30 分，为保证中革军委主席朱德的命令不折不扣地执行，中革军委副主席、三人团中的组织者周恩来以中央局、中革军委、总政治部名义起草电报：

一日战斗，关系我野战军全部。西进胜利，可开辟今后的发展前途，迟则我野战军将被层层切断。我一、三军团首长及其政治部，应连夜派遣政工人员，分入到各连队去进行战斗鼓动。要动员全体指战员认识今日作战的意义。我们不为胜利者，即为战败者。胜负关全局，人人要奋起作战的最高勇气，不顾一切牺牲，克服疲惫现象，以坚决的突击，执行进攻与消灭敌人的任务，保证军委一号一时半作战命令全部实现，打退敌人占领的地方，消灭敌人进攻部队，开辟西进的道路，保证我野战军全部突过封锁线应是今日作战的基本口号。望高举着胜利的旗帜，向着火线上去。

中央局
军　委
总　政

局面极其严峻。以最高权力机关联合名义发报，且电报语气之沉重，措辞之严厉，为历来所罕见。

不能仅仅是宣告胜利的电报可以载入史册。林彪“星夜兼程过河”电报和周恩来“向着火线上去”电报，更叠现出我军那部既光辉灿烂又千曲百折的战史。

艰难奋战不再是一个抽象概念，在这里，它融化在了字里行间。

面对红一军团历史上空前的严峻情况，林彪在天亮之前给各部队下达命令，按照军委要求，12 时前决不准敌人突过白沙铺！聂荣臻组织政工人员全部到连队，提出战斗口号：生死存亡在此一战！

林、聂光想着白沙铺了，未想到差点儿让李觉麾下的湘军端了一军团的军团部。

12 月 1 日凌晨，敌军再次对觉山铺一线发起猛烈进攻。国民党《陆军第十六师于全县觉山沙子包一带剿匪各役战斗详报》记载：

本日拂晓，我李代司令率补充各团附炮兵，沿公路向朱兰铺、白沙铺攻剿。本师(十六师)第四十八旅附第九十三团,向刘家、严家之匪攻剿。师长率第四十六旅沿公路跟进策应。自晨至午,战斗极烈。我军在飞机炮火掩护之下,勇猛冲击,前仆后继……

不仅林彪会打穿插迂回,李觉的穿插迂回更加凶猛。湘军一部从一军团一师与二师的接合部切入,以浓密的树林作掩护,向右翼迂回到一师三团背后,包围该团两个营。左翼敌人也向红军侧后迂回。一、二团被分割截击,情势危急。

战至中午,敌人竟然迂回到了觉山铺南面隐蔽山坡上的军团指挥所。参谋长左权正在吃饭,警卫员邱文熙突然报告:"敌人爬上来了!"聂荣臻不信,以为是自己部队在调动,到前面一看,黑压压一片敌人端着刺刀,已经快到跟前了。

林彪拔出手枪。聂荣臻拔出手枪。左权丢下饭碗操起枪去指挥警卫部队。军团指挥所瞬间成了战斗最前沿。军团指挥员眨眼变成了普通战斗员。

红一军团部曾几次遇险。

第四次反"围剿"在草台岗围歼陈诚的十一师,一颗炸弹落到指挥位置,强大的气浪把正在写作战命令的林彪一下子抛到山坡下。林彪爬起来一看没有受伤,拍掉身上的土,继续书写战斗命令。

第五次反"围剿"一军团从大雄关向西南转移,在军峰山堡垒地带遭毛炳文第八师袭击,敌人冲到军团部前。林、聂带领身边的警卫员、炊事员和机关直属队人员投入战斗,一直顶到增援部队上来。

但最险的还是湘江这一次。

1942年5月,左权牺牲在抗日前线。林彪写了一篇声情并茂的《悼左权同志》:

多少次险恶的战斗，只差一点我们就要同归于尽。好多次我们的司令部投入了混战的旋涡，不但在我们的前方是敌人，在我们的左右后方也发现了敌人，我们曾各亲自拔出手枪向敌人连放，拦阻溃乱的队伍向敌人反扑。子弹、炮弹、炸弹，在我们前后左右纵横乱落，杀声震彻着山谷和原野，炮弹、炸弹的尘土时常在你我的身上，我们屡次从尘土中浓烟里滚了出来。

文章落笔时，他眼前一定出现了湘江畔那场血战。

活生生的、摒弃一切夸张、形容、粉饰的战争。

林彪一生没有留下什么像样的军事专著。他更不会似哈姆雷特那般在空寂幽暗的舞台上就自己的经历感受大段独白。从始至终他沉默寡言。在家乡林家大湾上学时，他曾给小学女同学林春芳写过一副对联：读书处处有个我在，行事桩桩少对人言。这两句话成为贯穿他一生的格言。只有在很少的场合、很少的文字之中，他才略微表露出自己的真情与心迹，《悼左权同志》是其中之一。

四、蒋介石仰天长叹："这真是外国的军队了！"

中央纵队在 12 月 1 日中午以前渡过湘江并越过桂黄公路。

一、三军团在两侧硬顶，五军团在后卫硬堵，红军主力部队硬是用热血浇出一条愈见狭窄的通道。湘江江面，殷红的鲜血伴随着撕碎的文件、丢弃的书籍、散落的钞票，汩汩流淌。

彭德怀晚年回忆这一段时说："一、三军团像两个轿夫，抬起中央纵队这顶轿子，总算是在 12 月抬到了贵州之遵义城。"

当时彭德怀已在"文化大革命"中身陷囹圄，回顾这一幕，仍如释重负。

湘军刘建绪给红一军团予拦截；桂军白崇禧给红三军团、红八军团、红九军团予侧击；中央军周浑元予红五军团以尾击，造成红军的重大伤亡。

五军团三十四师、三军团六师十八团被隔断在河东。

八军团二十一师完全垮掉。二十三师严重减员。军团政治部主任罗荣桓冒着弹雨蹚过湘江时，身边只剩一个扛油印机的油印员。整个军团损失三分之二，剩下不到2000人。十几天后，八军团建制撤销。

江西苏区著名的少共国际师也基本失去了战斗力。

中央红军从江西出发时86000余人，至此损失过半。

在通过湘南郴州、宜章间第三道封锁线时，彭德怀曾建议三军团迅速北上，向湘潭、宁乡、益阳挺进，威胁长沙，迫敌改变部署；同时中央红军其他部队进占湘西，在溆浦、辰溪、沅陵一带建立根据地，创造新战场，“否则，将被迫经过湘桂边之西延山脉，同桂军作战，其后果是不利的。”

红军到底还是进入了西延山脉。三十多年后，彭德怀还在感叹未采纳他的方案。

并非所有失误都可归入左倾机会主义路线。薛岳率领的中央军九个师就在北面并行追击；曾经失守长沙的何键更是将主力云集衡阳，严防红军北上进入湖南腹地。历史如果能够再走一遍，那么从湘南北上，前途只会更加凶险。

黄克诚回忆说：“桂系军队不仅战斗力强，而且战术灵活。他们不是从正面，也不是从背后攻击我军，而是从侧面拦腰打。广西道路狭窄，山高沟深林密，桂军利用其熟悉地形的优越条件，隐蔽地进入红军侧翼以后，突然发起攻击，往往很容易得手。而我军既不熟悉地形，又缺乏群众基础，所以吃了大亏。”

本来还要吃更大的亏。

中央红军冲过湘江后，进入西延山脉。桂军依仗道路熟悉，当红军还在龙胜以东时，桂军第七军二十四师已抄到前头，先期赶到龙胜。该师参谋覃琦建议：迅速攻占入黔通道马堤北坳，截断红军去路，将其包围于马堤凹地歼灭之。

马堤地区是由南向北的狭长隘路，东西两侧重山叠嶂，无路可攀。北路若被先期赶到的第七军二十四师截断，南路又有夏威十五军部队追击，红军既无攻坚兵器，又难寻到粮食，困于狭长谷地，局面可想而知。

但二十四师师长覃联芳不用此案。他说："总部（白崇禧）的作战计划是放开入黔去路，使红军迅速离开桂境，堵塞中央军入桂剿共借口。本军进出义宁、龙胜，主要任务是防止红军向三江方面侵入。依你的意见，纵能将红军围困于一时，他这样大的兵力，岂能立即歼灭？倘逼考虑跳墙回头同我硬碰，造成鹬蚌相持，给中央军入桂之机，获渔人之利，这与总部的作战计划相违背，断不能行。"

覃联芳师没有采取积极行动。其以防守态势监视红军大队通过后，才攻占马堤北坳，截击红军后尾四百余人。

桂军确实给红军造成很大的损害。但从实质上看，中央红军通过桂境时，桂军的攻击仅属于尾击和侧击。少部分想推动红军早日离境，多部分则是为了应付蒋介石。其让开防堵正面，放开红军西进通道才是关键和实质。

作为对11月28日蒋介石指责桂军让路电报的回答，白崇禧12月1日给蒋介石拍发了一封颇不客气的电报：

"钧座手握百万之众，保持重点于新宁、东安，不趁其疲敝未及喘息之际，一举而围歼于宁远、道县之间，反迟迟不前，抑又何意？

得毋以桂为壑耶?”

同一天,桂军第七军覃联芳师与从清水关进入广西的中央军周浑元部万耀煌师发生冲突。这次覃联芳的攻击精神极强。部下通过衣服颜色已经辨明是中央军,覃联芳仍说:“即使是中央军,也不能放过”,派出一营兵力攻击前进。万耀煌师不意之间遭覃师两面突袭,急向关外撤退,但先头部队一个连还是被桂军包围,就地缴械。

虽然最后双方皆以误会互相致歉,桂军发还所缴枪械了事。但周浑元从此不敢再入桂境,只有率队绕个大弯,从湘境的东安追击红军。

桂军一俟红军主力通过后,立即以主力由龙虎关突至灌阳的新圩,俘获红军的一些掉队人员、伤病号及挑夫,还雇用一些平民化装成“俘虏”,拍成“七千俘虏”的影片,既送南京给蒋介石看,又送各地放映,宣传桂军之战绩。

蒋介石毫无办法,后来只得严饬桂军向贵州尾追,不得稍纵。白崇禧令第七军廖磊依中央军之前例,与红军保持两日行程。于是廖磊便在红军后卫董振堂红五军团之后徐徐跟进,而且到独山都匀后,便全军停止,不再前进。蒋介石坐镇贵阳,急电廖磊星夜兼程,廖复电曰:“容请示白副总司令允许,才能前进。”

蒋仰天长叹:“这真是外国的军队了。”

他忘记了亲自对薛岳交代的话:“此次中央军西进,一面敉平匪患,一面结束军阀割据”;这就是王建平告白崇禧的“一举除三害”之计。

允许自己的两面,不允许别人的两面?

国民党战史专家们,至今还在感叹当年四道封锁线被红军连续突破。

他们的目光主要集中在陈济棠、白崇禧和何键三人身上。粤、桂、湘军阀为维护割据地位，在红军不深入其腹地的前提下，故意为红军让开西进通道，以免中央军渗透其势力范围。

陈济棠一心想尽快送红军出粤，事前就与红军有秘密协议；

白崇禧一心想尽快送红军出桂，在红军主力逼近时突然闪身让出通道；

何键之湘系虽与中央军通力合作，追剿奔走最力、部队行动最积极，但军事部署也一直是前轻后重。愈入桂境兵力愈薄，愈入湘境兵力愈厚，随时准备将锋头缩回来，防止红军进入湘境。他防范的重点一直是湖南段湘江，而非广西段湘江。他大军云集湘境，只是垒金字塔一般向桂北全州探出一个塔尖。

何键也是一心想尽快送红军出湘。

陈、白、何三人同床异梦，却又异曲同工。

即使担任追击的中央军的薛岳部，也在用一种不远不近、不紧不慢的方式和红军保持两天路程，耐心等待红军尽可能多地与粤军、桂军、湘军相拼，以收渔翁之效。

蒋介石的高级幕僚们把这称作“送客式的追击，敲梆式的防堵”，即追堵部队中谁也不愿意猛追强堵。

这就不是一般意义上军人所能够理解的战争运作了。

很少有作战计划像蒋介石精心炮制的湘江追堵计划这样周密完备，但也很少有作战计划像这个计划那样，从一开始便注定要失败。

真正的败因却正在蒋介石。他那种图以湘、粤、桂地方势力消耗歼灭红军主力，而中央军作壁上观的一箭双雕、两败俱伤的精心算计，最终害及其身。就是派去长追的中央军薛岳部也并非蒋介石真正的嫡系，不过是嫡系中的杂牌而已。真正起家的本钱，他觉得已经没有必要动用了。1934年10月被追出了中央苏区的红军，如同1927年4月12日被追出了城市的共产党人一样，他认为不再是他的主要对手。

所以很少有作战计划像蒋介石精心炮制的追剿计划那样周密完备。但也很少有作战计划像这个计划那样，从一开始便注定要失败。

他又一次犯了一个与1927年一模一样的错误：轻视了他的掘墓人。

1938年10月，武汉保卫战失败，白崇禧由鄂西去长沙。途中所乘汽车故障，下车在路边等待。恰逢周恩来也过此地，两人不期而遇。

周恩来与白崇禧早就相识。1927年他们两人一个是上海第三次工人武装起义总指挥，一个是"四一二"政变中缴工人纠察队枪支、向示威人群开枪的上海戒严司令；1934年一个是指挥强渡湘江的中革军委副主席兼中央红军总政委；一个是指挥防堵湘江的桂军总指挥，早就是不打不相识。

周恩来邀请白崇禧上他的车。日军先头部队离此已经不远。

白犹豫再三，方才上车。

两人一路上谈了很多，包括湘江之战。

白说："你们未到广西，我很感激！"

周答："你们广西的做法，像民众组织，苦干穷干精神，都是我们同意的，所以我们用不着进去。"

湘江，不管是为它浴血奋战也好，还是以它谈笑风生也好，即使浴血奋战的人和谈笑风生的人都不在了，它也仍然在汩汩流淌。

五、军人与政治

与白崇禧对待中央军的蛮横态度相比，何键带领刘建绪、李觉等湘军悍将便配合得多了。即使如此，湘军在蒋介石那里也没有留下什么好印象。南昌行营的智囊亲信们对湘军战报不屑一顾，认为何键、刘建绪作战一贯耍滑头，现在不过是逃避湘江失守之责。

对何、刘来说，不冤也冤，冤也不冤。

何键先对红军主攻方向判断失误，把主力集中在黄沙河；后又不愿前出全州过远，填补桂军空隙，也起到了给红军保留通道的作用。李觉后来回忆说，“我们对堵截红军是谁也没有信心的。湖南方面的想法，只是如何能使红军迅速通过，不要在湖南省境内停留下来，就是万幸”，也有一定道理。

何键在抗战期间被解除兵权，闲住重庆。有人看他寂寞，推荐一本《延安一月》。他看过后沉默良久，最后说：“共产党组织民众，唤起民众是扎实的，毛泽东真有一套理论和办法。”

他忘记了当年在宁远清乡时说过的话：“不要放走一个真正的共产党，如遇紧急情况，当杀就杀；若照法定手续办事，上面就不好批了，共产党的祸根就永远不能消灭。”也忘记了当年派人挖毛泽东的祖坟。

从1929出任“湘赣两省剿共代总指挥”起，到1930年组织“平浏绥靖处”、公布“十大杀令”进攻苏区，1932年纠集三省部队组织“湘粤赣会剿”，1933年第五次“围剿”中任西路军总司令，1934年红军开始长征后任“追剿军”总司令，1935年初出任湘鄂川黔边区“剿总”军第一路军总司令，何键一生不知出任了多少个“剿共”职务，可谓双手沾满共产党人的鲜血。

红军长征，他任追剿军总司令内，还分电各军“除南昌行营原定拿获朱德、毛泽东、周恩来、彭德怀各赏十万元外，如在湘境长追拿获者，另增赏五万元。”

他把未能付出去的赏钱，买了马克思、列宁、毛泽东的书。

在重庆闲居无事，何键居然穿着上将军装、坐小轿车去了一趟七里岗新华书店，买回二十多本马克思、列宁的书和毛泽东的书，想仔细研读一番。

戴笠得知，一个电话打来。何键心慌意乱，急忙把书塞进了火炉。

何键当年在湖北陆军第三中学学习期间，一次考几何，他勉强做完试题后，在试卷空白处大加发挥，写上“春秋几何？人寿几何？几何而求贫贱耶？几何而大富贵耶？”阅卷的几何老师当着众学员的面问：“何键在《几何学》考卷上写了几多‘几何’？”从此成为学员中常常谈起的笑料。

他终生信命，晚年终于想问自己一句：反共到几何？

自从烧了书之后，他便不再关心世事，一心钻研佛学，修行坐道。

双手沾满鲜血的何键放下屠刀后，也颇想“立地成佛”了。

1956年4月25日，何键因脑溢血死在台北。

何键想成佛，刘建绪则想投共。

1949年8月13日，在中国人民解放军摧枯拉朽、向全国进军的时候，从福建省主席退下来的刘建绪与黄绍雄、贺耀祖、龙云、刘斐等44位在香港的国民党立法委员和中央委员发表《我们对于现阶段中国革命的认识与主张》的声明，宣布脱离蒋介石政权，拥护中国共产党领导。声明中说:“中山先生的遗产竟给蒋介石及其反动集团所劫持。由于他们谬误的领导,致使中国国民党晚近的措施,与第一次代表大会宣言及其政策愈趋愈远。他们投靠于帝国主义的怀抱,而高唱民族独立;他们走向法西斯的暴力独裁,而高唱民主自由;他们集中全力于发展官僚资本,而高唱民生改善。这是何等的讽刺,何等的荒谬!”

刘建绪还不想被时代抛弃,所以他不得不在其上签字。但这份别人起草的声明每个字飘过他眼前时,也将他与共产党作战的历史带到了眼前。

1929 年 1 月,他兼湘赣两省“剿匪”总司令部第五路司令,曾以优势兵力对脱离井冈山的朱毛红军进行长程追击,那正是朱毛红军最为困难的时期;

1930 年 10 月,任“平浏绥靖处”处长,率十五、十六、三十一师进攻苏区,并颁布“十大杀令”,对苏区人民实行血腥屠杀;

1933 年 7 月,兼赣粤闽湘鄂“剿匪”军西路第一纵队司令,参加第五次“围剿”;

1934 年冬,兼任“追剿”军第一路司令,在湘江给中央红军造成重大损失;

1935 年春,改任“剿匪”第一路第五纵队司令官……

声明中的这句话最叫刘建绪心痛:“无疑的,中国共产党已经取得中国革命的领导地位,新民主主义已经变成人民大众所接受的建国指针。”作为一个跟随蒋介石“围剿”红军多年的战将,他对自身又何尝不感到“何等的讽刺,何等的荒谬”!

声明发表后,中共方面电邀诸委员北上参加人民政协工作。签了字的刘建绪却未去,用同样未去的李默庵的话说就是:与共军作战多年,国内主要战斗均皆参加,如今投向人民,并无微功实绩可以自赎，仅凭一两次声明，迹近投诚，混迹其间，有何意味。

那份声明说："我们应当彻底觉悟，我们应该立刻与反动的党权政权决绝，从新团结起来，凝成一个新的革命动力，坚决地明显地向人民靠拢，遵照中山先生的遗教，与中国共产党彻底合作，为革命的三民主义之发展而继续奋斗，为建设新民主主义的新中国而共同努力。"

但刘建绪留在了香港，没有回大陆。

不久，哪怕过着闭门不出的隐居生活，香港也留不住了。他们被李宗仁的广州政府开除了党籍，又遭台湾的蒋介石通缉。9月19日，担任国民党陆军大学校长多年的杨杰在香港寓所被国民党特务枪杀。刘建绪等大受震动，一月数惊，惶惶不安。港方通知难以保证他们的安全，最好离港，免遭不测。

香港待不下去了，但仍然不去大陆。

黄埔一期，最先占领红都瑞金的李默庵去了阿根廷。

保定三期，在湘江几陷红军于绝境的刘建绪则去了巴西。

离港之前，他向台湾国民党政府申请出国护照，台湾方面要他更正列名通电之事，他照办了，声明："将信奉三民主义终生，反共到底！"

拿到护照的刘建绪，内心那种无绪与失衡，恐怕是局外人永远难以会意的。

他在巴西自办了一个小农庄，除读书看报纸外，也干些力所能及的体力劳动，晚年常抒发思乡之情，托人打听家乡的音讯。

1978年3月，当新中国开始一个新时期之时，这位不得归的湘军宿将病逝于外域。

刘建绪最后留有遗嘱，望其子女有一日能将其遗骨移葬醴陵。

那是当初他跟着何键游击起家的故乡。

相较之下，唐生智的得意门生、何键的长门女婿、刘建绪的得力干将李觉最为幸运。他参加了湖南起义，解放后在湖南省人民政府任职，后调全国政协工作。粉碎“四人帮”后，李觉当选为全国政协常委，晚年与其夫人何玫过着安静舒适的生活。

但他也有埋藏在内心的苦衷，而且所埋甚深。

为文史资料写回忆文章，李觉从来不提及湘江战斗。实在回避不过了，便说当时部队“士气不高，行动缓慢。当我率领第十九师到达永州时，中央红军已通过广西全州向湘黔边境前进”。

永州距全州二百余里。李觉说他是在二百多里外眼看红军突过湘江防线的。后来薛岳率中央军过河猛追，“湖南方面可说是松了一口气”。

写到这里，他本人肯定也松了一口气。

李觉利用了他的十九师留在何键身边，未赶到全州前线这一空当。十九师未上前线，师长李觉却上了前线这一事实，他始终不愿坦白出来。

因为李觉这样写，一些政协委员们便都采用了他的说法。当年薛岳司令部的上校参谋李以劻也说：“李觉的第十九师和陶广的第六十二师尚在零陵至全州黄沙河途中，未及赶到”，于是李觉任师长的十九师未及赶到就成了李觉本人未及赶到，指挥全州觉山战斗的便成了十六师师长章亮基，李觉悄悄地从那场打得天昏地暗的血战中脱身出来，未参加湘江战斗的说法几成定论。

不是不可以理解。有些实话，特别是对红军主力一军团造成那样大的伤害，以他一个起义将领的身份要全讲出来，也委实太难。

让李觉露出马脚的，还是国民党。

据国民党《陆军第十六师于全县觉山沙子包一带剿匪各役战斗详报》记载，全州堵截战的具体部署是：

本路(追剿军第一路)军，以李代保安司令觉指挥第十六师全部、补充总队4个团，陈子贤旅(欠1团)及山炮1门，步兵炮2门，除以1团固守寨墟相机出剿外，余由全县附近及飞鸾桥、小水洞一带，沿全兴公路西进，向匪攻剿。

11月29日记载：

本师奉李代保安司令命令：除以一团仍固守寨墟相机出击外，其余附山炮一门、步兵炮两门，于29日晨，分由飞鸾桥、小水洞出发，向全兴公路攻剿前进。李代保安司令率补充各团及陈旅(欠一团)，在本师后跟进策应。

11月30日记载：

师长(章亮基)指挥第四十六旅附山炮一门，步兵炮两门，沿全兴公路向沙子包、觉山一带攻剿。我李代司令仍率补充团沿公路跟进策应，并令陈子贤旅(欠一团)向漓水公路间地区搜剿前进，掩护我左侧安全。……我各部与匪相互冲锋肉搏，战斗至为惨烈。正激战间，李代司令率补充团赶到，遂派兵一部向匪右侧急袭，我空军同时向匪轰炸。追至酉刻，我各部官兵虽伤亡甚众，而战益奋勇。

12月1日记载：

本日拂晓，我李代司令率补充各团附炮兵，沿公路向朱兰铺、白沙铺攻剿。

……

还有什么可说的？李觉不仅全过程参加，而且全过程指挥了湘江战斗。不是“士气不高，行动缓慢”，而是士气颇高，行动颇速。

被国民党资料披露的这些事实，其实仍然鲜有人知道。这些资料夹在当年若干个战斗报告之中，翻出来也像大海捞针。而且语言枯燥又公式化，还多是国民党方面的军事术语，描述的更是今人完全陌生的事情。所以出版社把这些国民党的资料凑在一起也不为赚钱，用很差的纸张印刷、很小的印数出版就完成任务了；不指望个人购买，只拿去做图书馆的收藏。

正因如此，今天在这里讲的，其实仍然是李觉的秘密。

我们在小范围内揭开这个秘密，不是想让已经在另一个世界的李觉不得安宁，而是想说明矛盾的两个方面。从这两个方面入手，相信李觉对真情的隐瞒可以获得后人的理解。

单纯从军事上讲，李觉率领的湘军十六师、补充总队一、二、三、四团等部 11 个团向红一军团 5 个团进攻，兵力优势不是很大；其中 4 个补充团皆是湘军的地方团队，装备、训练也并非很好。指挥这样一支部队，对红军主力一军团的正面攻击如此凶猛顽强、两翼穿插如此大胆果断，造成一军团这支红军头等主力部队前所未有的窘境。今天来看，我们不得不承认这个当年想用烧热的老姜烫出胡须的学生官，表现出了很高的军事造诣。而对擅长野战、擅长在运动变化中灭敌的林彪来说，搞要点固守，恰恰正为其短。

但从政治上看，如此穷凶极恶地阻挡代表中国未来的红色铁流前进，就属于开历史倒车的反动透顶的反动派了。

在中国，政治高于一切。

所以李觉即使参加湖南起义当上了政协委员、即使粉碎了“四人帮”落实了政策、即使到 1987 年临终去世，也不敢承认他年轻气盛时在湘江那次趾高气昂的作战。

他参加湖南起义，是在中国人民解放军第四野战军雷霆万钧般南下的压力下的明智抉择。当年粤军师长李汉魂不知道林彪曾经是他手下的连长；率领四野摧枯拉朽的林彪，也不知道在他面前起义的湖南将领中，有个在湘江几乎抄了他军团部的李觉。

冲过湘江，红军脱离了迫在眉睫的危险。

前面是新的漫漫之途。

毛泽东在长征途中作《十六字令》三首。因行军作战匆忙，只标明1934～1935年，无具体日期了。从心情看，从实情看，词中的“山”，描写的很可能就是红军突破湘江封锁线后，进入西延山脉的心情：

山，快马加鞭未下鞍。惊回首，离天三尺三。
山，倒海翻江卷巨澜。奔腾急，万马战犹酣。
山，刺破青天锷未残。天欲堕，赖以拄其间。